Ce guide a été établi par
Hector Feliciano
avec la collaboration de
Didier Sénécal, Denis Béneich, Henri Le More et Hélène Potier

Édition
François Monmarché
Elisabeth Cautru

Documentation
Florence Guibert
Jacques Jaufret

Lecture-correction
Nathalie Demnard
Isabelle Robin Demange

Mise en page
Catherine Riand

Fabrication
Gérard Piassale
Denis Schneider

Cartographie
Alain Mirande

Crédit photographique : toutes les photographies de cet ouvrage ont été réalisées par **Raoul Arroche.**

Couverture : le Chrysler Building à Midtown, situé à l'angle de la 42e rue E et de Lexington Avenue (photo **Sylvain Grandadam**).

Aussi soigneusement qu'il ait été établi, ce guide n'est pas à l'abri des changements de dernière heure, des erreurs ou omissions. Ne manquez pas de nous faire part de vos remarques. Informez-nous aussi de vos découvertes personnelles. Nous accordons la plus grande attention au courrier de nos lecteurs.

HACHETTE LIVRE (LITTÉRATURE GÉNÉRALE : Guides de Voyage)
79, boulevard Saint-Germain, 75006 Paris.

Régie publicitaire :
Hachette Guides de Voyage, 79, bd. Saint-Germain, 75006 Paris.

À NEW YORK

Françoise Bérubé

GUIDES VISA

POUR TIRER LE MEILLEUR PROFIT DE VOTRE GUIDE

• **Pour savoir ce qu'il faut faire avant de partir** : consultez le chapitre « Partir à New York », p. **25**.

• **Pour organiser efficacement votre voyage** : consultez le chapitre « New York pratique de A à Z », p. **35**. Vous y trouverez des renseignements concernant l'hébergement, les transports, la sécurité, l'information touristique ou tout autre détail facilitant le séjour.

• **Un carnet d'adresses de New York** est situé en fin de volume p. **226**. Il sélectionne, quartier par quartier, les hôtels, restaurants, bars et boutiques. A la fin de chaque itinéraire, la rubrique **« Où s'arrêter »** vous indique également quelques bonnes adresses.

• **Pour trouver rapidement un lieu,** un personnage, un thème spécifique ou une information pratique, utilisez l'index p. **257**. Il fait également office de glossaire : chaque entrée est accompagnée d'une brève définition et, s'il y a lieu, d'une localisation géographique.

• **Pour vous aider à situer sur les cartes** (voir liste ci-dessous) les sites décrits, les hôtels et les restaurants, nous les avons fait suivre de références imprimées en bleu dans le texte. Exemple : III, AB2.

SYMBOLES UTILISÉS

Sites, monuments, musées, œuvres

★★★ exceptionnel
★★ très intéressant
★ intéressant

Hôtels et restaurants

Voir p. 226.

CARTES ET PLANS

PLAN DE VOTRE GUIDE

Découpage de Manhattan

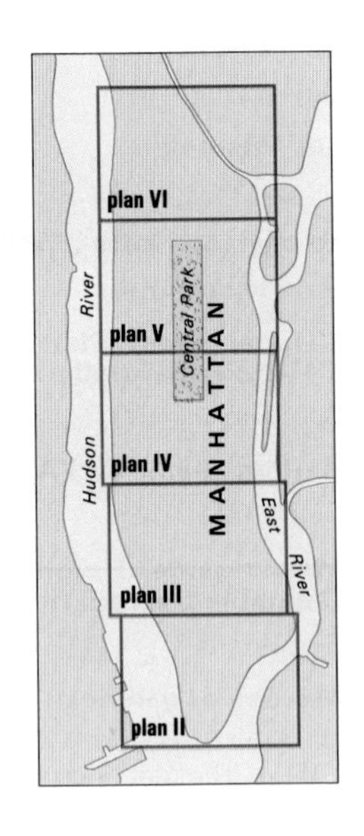

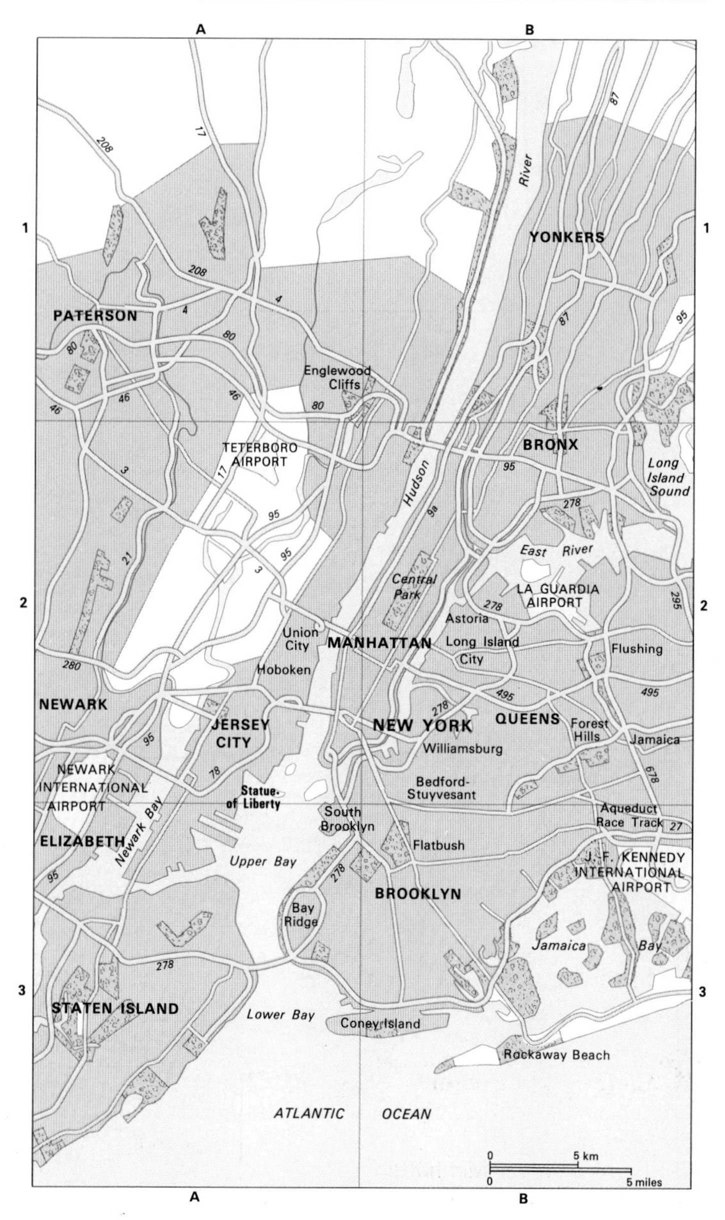

NEW YORK I : Plan d'ensemble
La ville de New York comprend 5 boroughs : Manhattan, Bronx, Queens, Brooklyn, Staten Island.

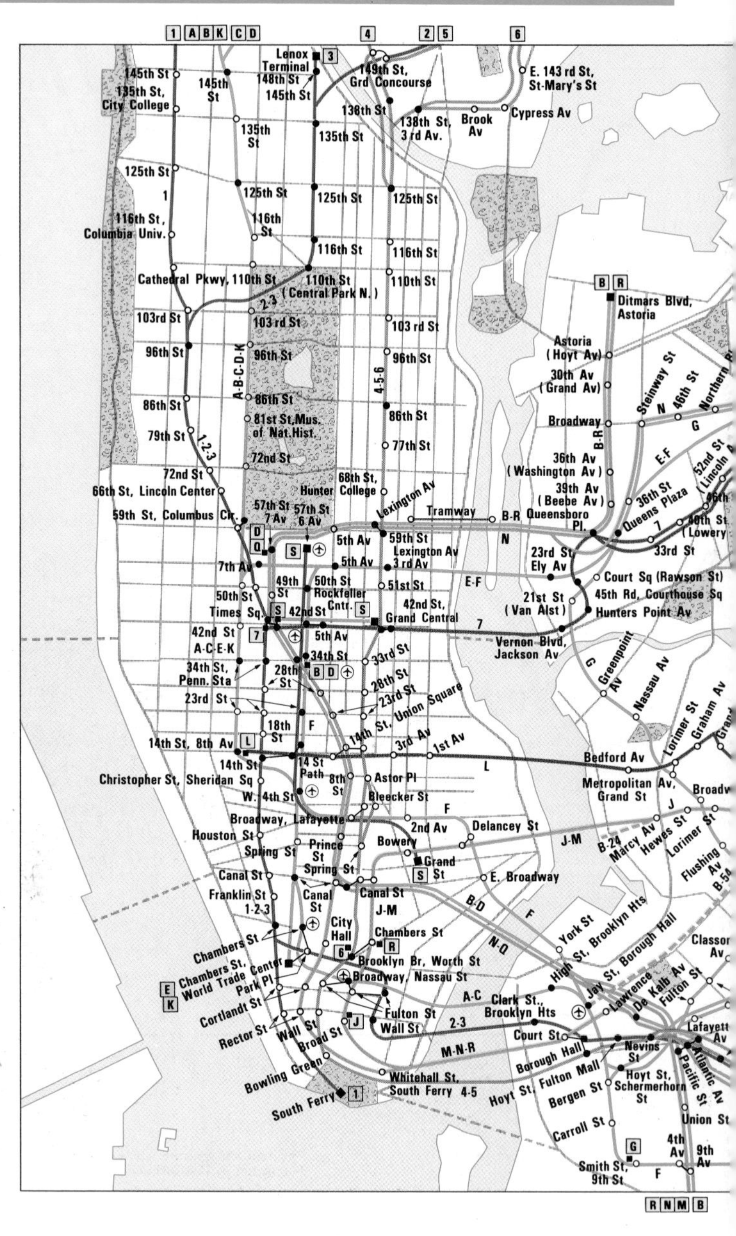
1 A B K C D
4
2 5
6
Lenox Terminal
3
148th St
145th St
149th St, Grd Concourse
E. 143 rd St, St-Mary's St
145th St
135th St, City College
145th St
135th St
135th St
138th St
138th St, 3 rd Av.
Brook Av
Cypress Av
125th St
125th St
125th St
125th St
1
116th St, Columbia Univ.
116th St
116th St
116th St
Cathedral Pkwy, 110th St
110th St (Central Park N.)
110th St
2-3
103rd St
103 rd St
103 rd St
B R
Ditmars Blvd, Astoria
96th St
96th St
96th St
A-B-C-D-K
4-5-6
Astoria (Hoyt Av)
30th Av (Grand Av)
Steinway St
46th St
Northern
86th St
86th St
86th St
81st St, Mus. of Nat. Hist.
Broadway
N
G
79th St
1-2-3
77th St
B-R
72nd St
72nd St
36th Av (Washington Av)
E-F
52nd St (Lincoln
68th St, Hunter College
66th St, Lincoln Center
39th Av (Beebe Av)
36th St
Queens Plaza
46th
57th St 7 Av
57th St 6 Av
Lexington Av
Tramway
B-R
Queensboro Pl.
7
40th St (Lowery
59th St, Columbus Cir.
D Q
5th Av
59th St Lexington Av
N
S
23rd St Ely Av
33rd St
7th Av
5th Av
3 rd Av
49th St
50th St Rockfeller Cntr.
51st St
E-F
Court Sq (Rawson St)
45th Rd, Courthouse Sq
50th St
Times Sq.
S
42nd St
S
42nd St, Grand Central
21st St (Van Alst)
Hunters Point Av
7
42nd St A-C-E-K
7
5th Av
Vernon Blvd, Jackson Av
34th St
33rd St
34th St, Penn. Sta
28th St
B D
28th St
G
Greenpoint Av
Nassau Av
23rd St
23rd St
14th St, Union Square
18th St
F
Lorimer St
Graham Av
3rd Av
1st Av
Grand
14th St, 8th Av
L
14th St
14 St Path
L
Bedford Av
8th St
Astor Pl
Christopher St, Sheridan Sq
Metropolitan Av, Grand St
Broadw
W. 4th St
Bleecker St
J
F
Broadway, Lafayette
2nd Av
Delancey St
Houston St
Bowery
J-M
B-24
Marcy Av
Hewes St
Lorimer St
Prince St
Spring St
Grand St
Spring St
S
Flushing Av
B-54
Canal St
E. Broadway
Canal St
Franklin St
Canal St
1-2-3
J-M
B-D
F
York St
High St, Brooklyn Hts
Classon Av
City Hall
Chambers St
Chambers St
Chambers St, World Trade Center
6
R
Brooklyn Br, Worth St
N-Q
Jay St, Borough Hall
E K
Park Pl
Broadway, Nassau St
Lawrence
De Kalb Av
Fulton St
A-C
Clark St., Brooklyn Hts
Cortlandt St
Fulton St
Rector St
Wall St
J
Wall St
2-3
Court St
Lafayett Av
Broad St
M-N-R
Borough Hall
Nevins St
Atlantic Av
Bowling Green
Whitehall St, South Ferry 4-5
Fulton Mall
Hoyt St, Schermerhorn St
Pacific St
South Ferry
1
Hoyt St
Bergen St
Union St
Carroll St
G
4th Av
9th Av
Smith St, 9th St
F
R N M B

LE MÉTRO

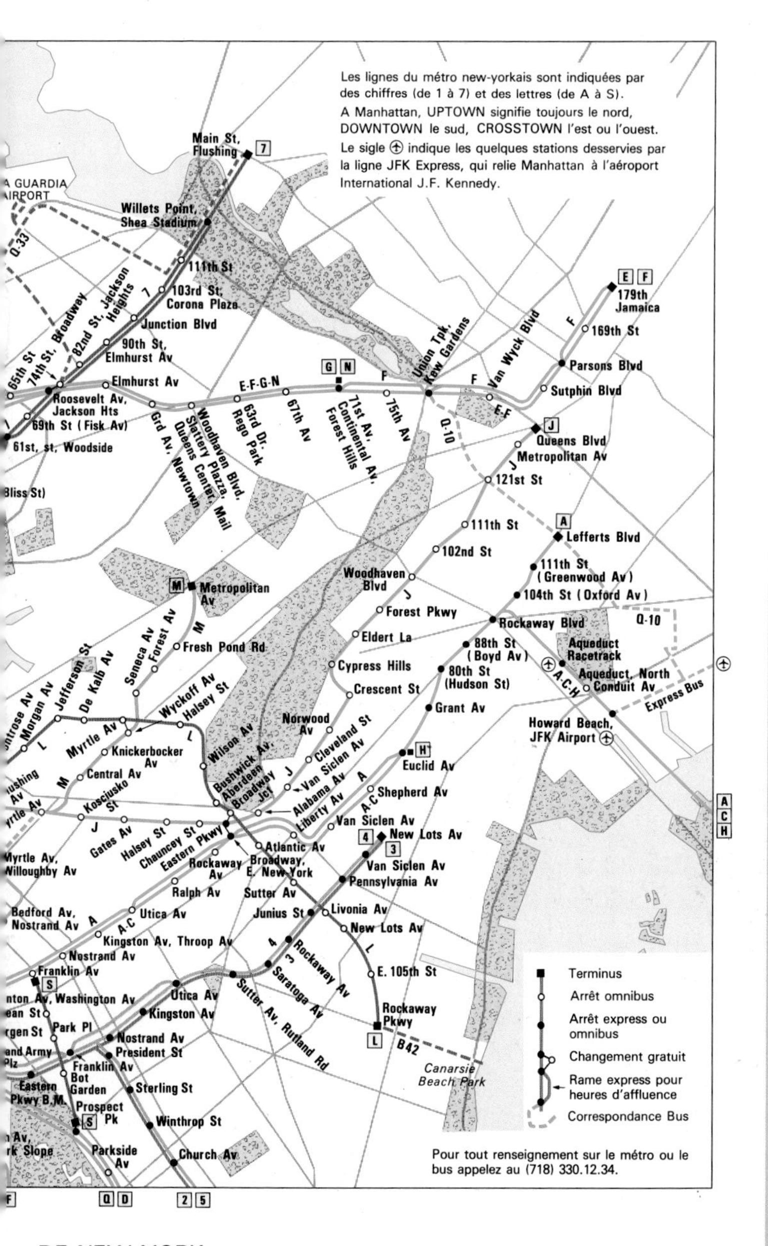

Les lignes du métro new-yorkais sont indiquées par des chiffres (de 1 à 7) et des lettres (de A à S).
A Manhattan, UPTOWN signifie toujours le nord, DOWNTOWN le sud, CROSSTOWN l'est ou l'ouest.
Le sigle ✈ indique les quelques stations desservies par la ligne JFK Express, qui relie Manhattan à l'aéroport International J.F. Kennedy.
Main St, Flushing
7
Willets Point, Shea Stadium
111th St
103rd St, Corona Plaza
Junction Blvd
90th St, Elmhurst Av
82nd St, Jackson Heights
74th St, Broadway
65th St
Elmhurst Av
Roosevelt Av, Jackson Hts
69th St (Fisk Av)
61st, st, Woodside
E-F-G-N
G N
Grd Av, Newtown
Woodhaven Blvd, Slattery Plaza, Queens Center, Mall
63rd Dr, Rego Park
67th Av
71st Av, Continental Av, Forest Hills
75th Av
Union Tpk, Kew Gardens
Van Wyck Blvd
E F
179th Jamaica
169th St
Parsons Blvd
Sutphin Blvd
J
Queens Blvd
Metropolitan Av
121st St
111th St
102nd St
A
Lefferts Blvd
111th St (Greenwood Av)
104th St (Oxford Av)
Woodhaven Blvd
Forest Pkwy
Rockaway Blvd
Q-10
Aqueduct Racetrack
Aqueduct, North Conduit Av
Express Bus
Elderf La
88th St (Boyd Av)
80th St (Hudson St)
Cypress Hills
Crescent St
Grant Av
Howard Beach, JFK Airport
A C H
M
Metropolitan Av
Fresh Pond Rd
Seneca Av
Forest Av
Wyckoff Av
Halsey St
De Kalb Av
Jefferson St
Morgan Av
Myrtle Av
Knickerbocker Av
Central Av
Kosciusko St
Wilson Av
Bushwick Aberdeen
Broadway Jct
Norwood Av
Cleveland St
Van Siclen Av
Alabama Av
Liberty Av
Euclid Av
H
Shepherd Av
Van Siclen Av
New Lots Av
4
3
Gates Av
Halsey St
Chauncey St
Eastern Pkwy
Atlantic Av
Broadway, E. New York
Rockaway Av
Ralph Av
Sutter Av
Van Siclen Av
Pennsylvania Av
Junius St
Livonia Av
New Lots Av
Myrtle Av, Willoughby Av
Bedford Av, Nostrand Av
Utica Av
Kingston Av, Throop Av
Nostrand Av
Franklin Av
S
Washington Av
Park Pl
Utica Av
Kingston Av
Nostrand Av
President St
Franklin Av
Bot Garden
Sterling St
Eastern Pkwy B.M.
Prospect Pk
Winthrop St
Parkside Av
Church Av
Rockaway Av
Saratoga Av
Sutter Av, Rutland Rd
E. 105th St
Rockaway Pkwy
L
B42
Canarsie Beach Park
Q D
2 5
Terminus
Arrêt omnibus
Arrêt express ou omnibus
Changement gratuit
Rame express pour heures d'affluence
Correspondance Bus
Pour tout renseignement sur le métro ou le bus appelez au (718) 330.12.34.

DE NEW YORK

A
B
1
2
3
NEW-JERSEY
Hudson
River
HOLLAND
TUNNEL
Fire Department Museum
SOHO
Houston Street
Museum of Holography
Canal Street
Avenue of the Americas (Sixth Av.)
West Side Highway
North End Avenue
North Cove
Battery Park City
Waterfront Esplanade
South Cove
RECTOR PLACE
THIRD PL.
SECOND PL.
Woolworth Building
St. Paul's Chapel
World Trade Center
City Hall
Chase Manhattan
Trinity Church
Federal Hall
Stock Exchange
FINANCIAL DISTRICT
U.S. Customs House
Bowling Green
Battery Park
BROOKLYN BATTERY TUNNEL
Castle Clinton Nat. Monument
Ferry Statue of Liberty
South Ferry
P. MINUIT PLAZA
ONE LIBERTY PLAZA
ERICSSON PL.
FOLEY SQ.
BROOKLYN
0 500yds
0 500m

PLAN II :

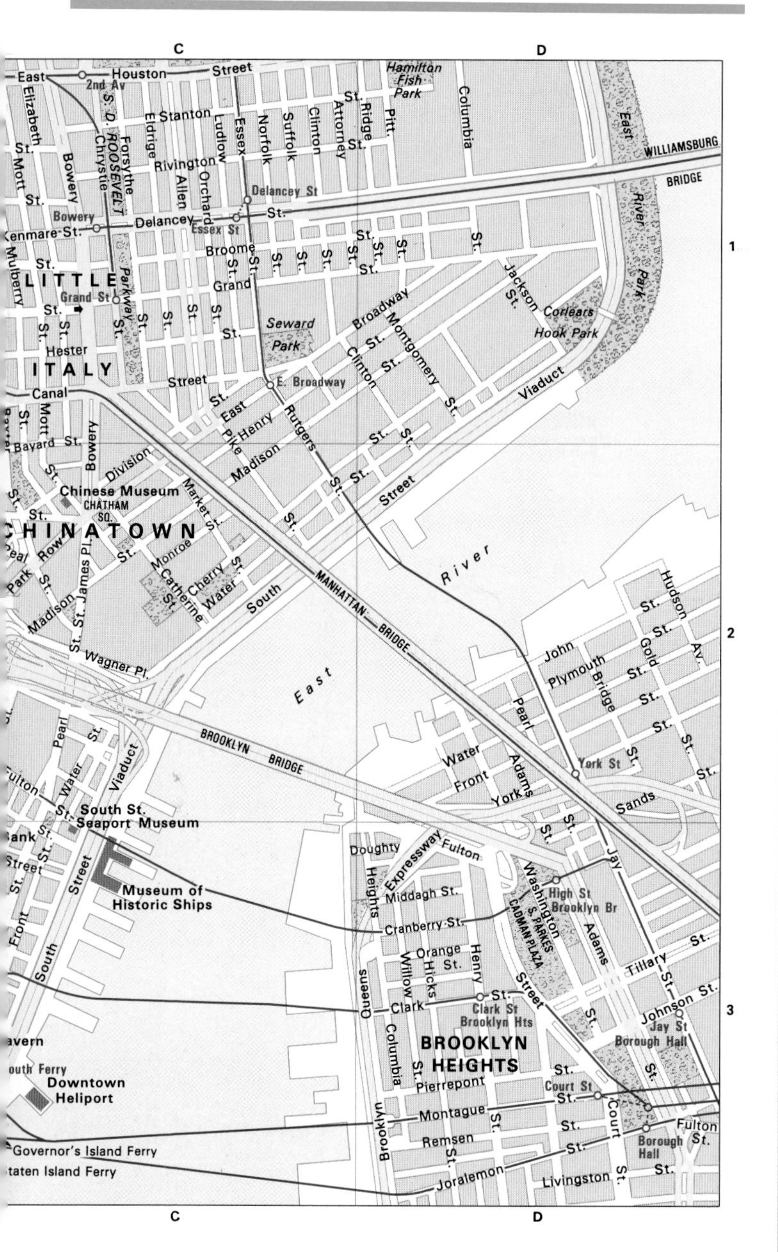

LOWER MANHATTAN (partie sud)

Javits Convention Center
GARMENT CENTER
Central Post Office
Madison Square Garden
Pennsylvania Station
Macy's
Marble Collegiate Church
Chelsea Park
Starret-Lehigh Building
Fashion Institute of Technology
Chelsea Hotel
Barney's
CHELSEA
St. Vincent's Hospital
Christopher St Sheridan Sq
Hudson River
Broadway
Av.-of-the-Americas
Twelfth Avenue
Eleventh Avenue
Tenth Avenue
Ninth Avenue
Eighth Avenue
Seventh Avenue
Greenwich Avenue
West Street
Washington Street
Hudson St.
Bleecker St.
Christopher Street
W. Houston St.
King St.
Waverly
0 500 yds
0 500 m

PLAN III :

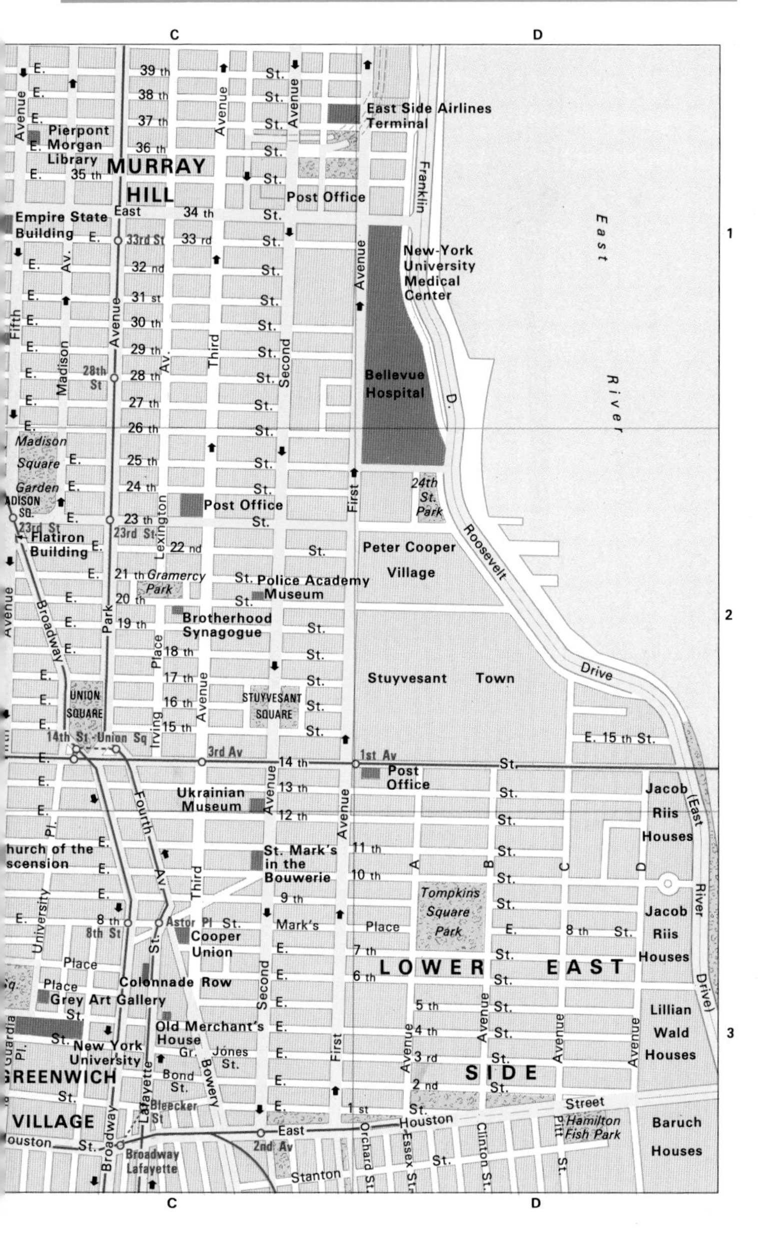

LOWER MANHATTAN (partie nord)

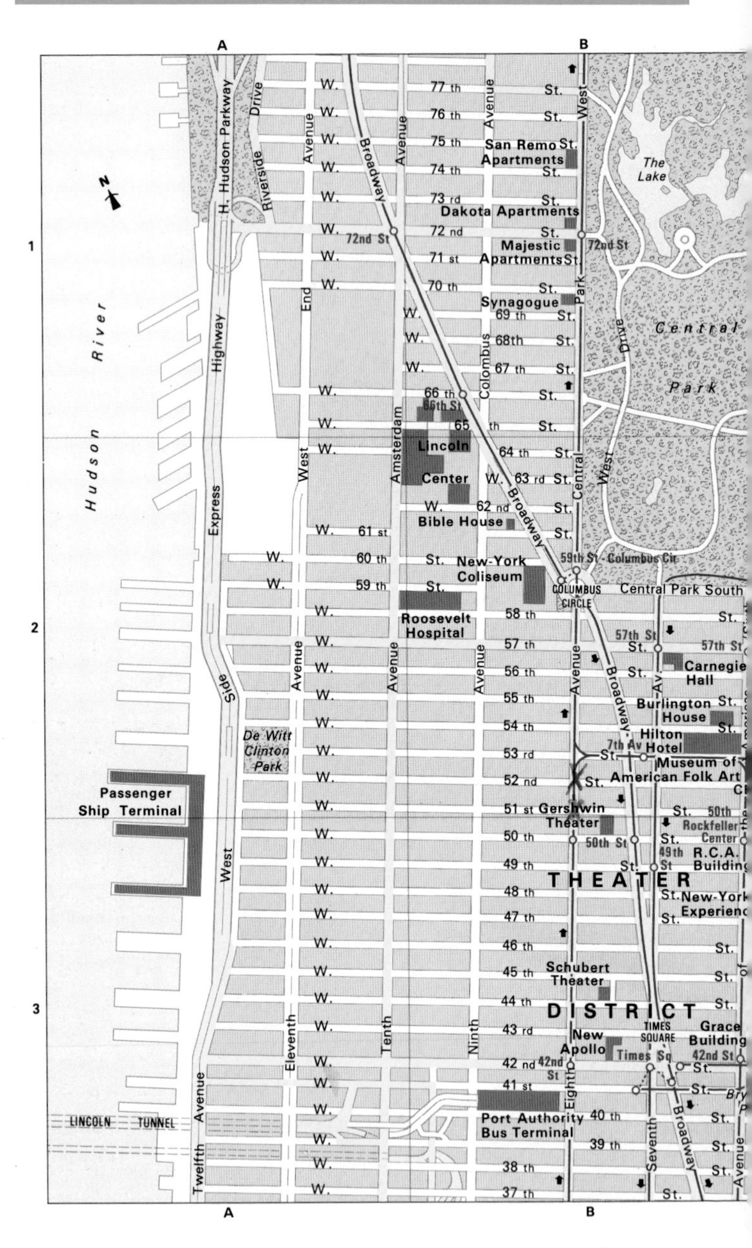

A
B
1
2
3
Hudson River
Henry H. Hudson Parkway
Riverside Drive
West Side Express Highway
Twelfth Avenue
Eleventh Avenue
West End Avenue
Tenth Avenue
Amsterdam Avenue
Ninth Avenue
Columbus Avenue
Eighth Avenue
Central Park West
Seventh Av.
Broadway
Central Park
The Lake
West Drive
72nd St
66th St
59th St - Columbus Cir
COLUMBUS CIRCLE
Central Park South
San Remo Apartments
Dakota Apartments
Majestic Apartments
Synagogue
Lincoln Center
Bible House
New-York Coliseum
Roosevelt Hospital
De Witt Clinton Park
Passenger Ship Terminal
Carnegie Hall
Burlington House
Hilton Hotel
Museum of American Folk Art
Gershwin Theater
Rockfeller Center
R.C.A. Building
New-York Experience
THEATER DISTRICT
Schubert Theater
New Apollo
TIMES SQUARE
Times Sq
Grace Building
42nd St
Port Authority Bus Terminal
LINCOLN TUNNEL
57th St
7th Av
50th St
49th St

PLAN IV :

MIDTOWN et UPTOWN sud

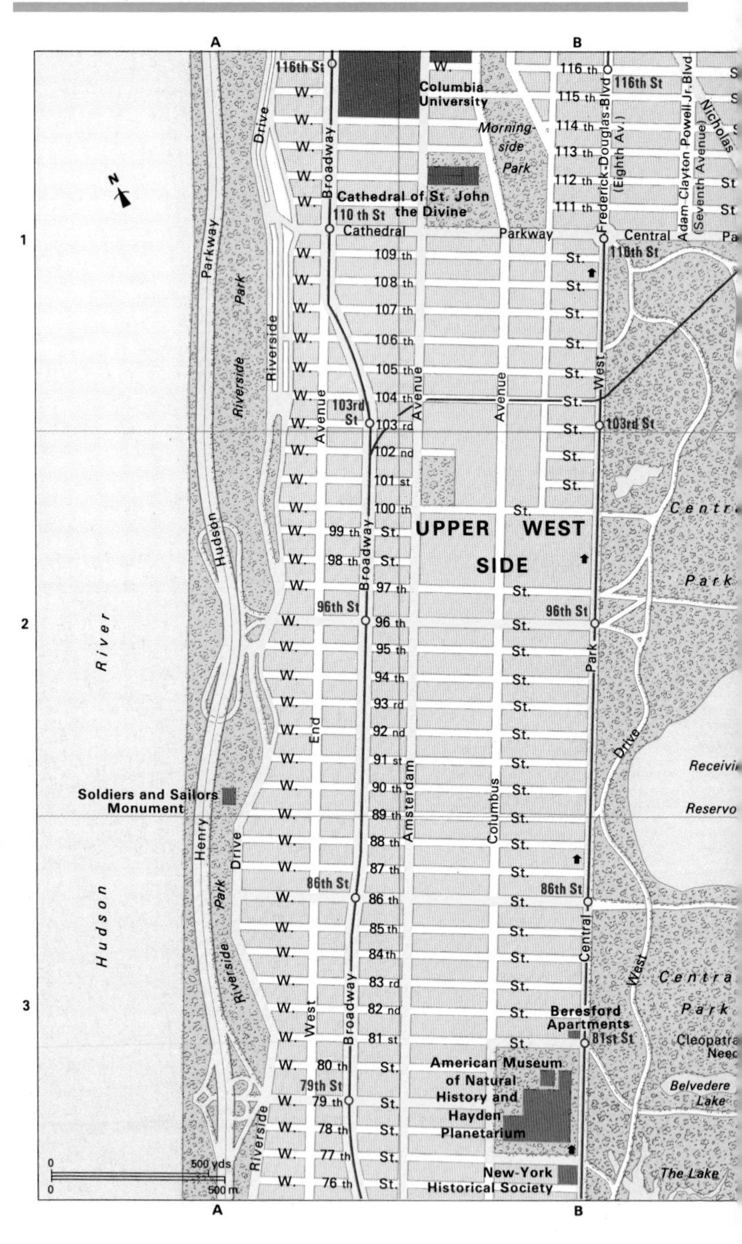

Columbia University
Morningside Park
Cathedral of St. John the Divine
116th St
110 th St
Cathedral Parkway
Central Park West
Frederick-Douglas-Blvd (Eighth Av.)
Adam Clayton Powell Jr. Blvd (Seventh Avenue)
Nicholas
103rd St
96th St
86th St
81st St
79th St
Broadway
West End Avenue
Amsterdam Avenue
Columbus Avenue
Riverside Drive
Riverside Park
Henry Hudson Parkway
Hudson River
UPPER WEST SIDE
Central Park
Central Park West Drive
Receiving Reservoir
Soldiers and Sailors Monument
Beresford Apartments
American Museum of Natural History and Hayden Planetarium
New-York Historical Society
Cleopatra's Needle
Belvedere Lake
The Lake
500 yds
500 m

PLAN V :

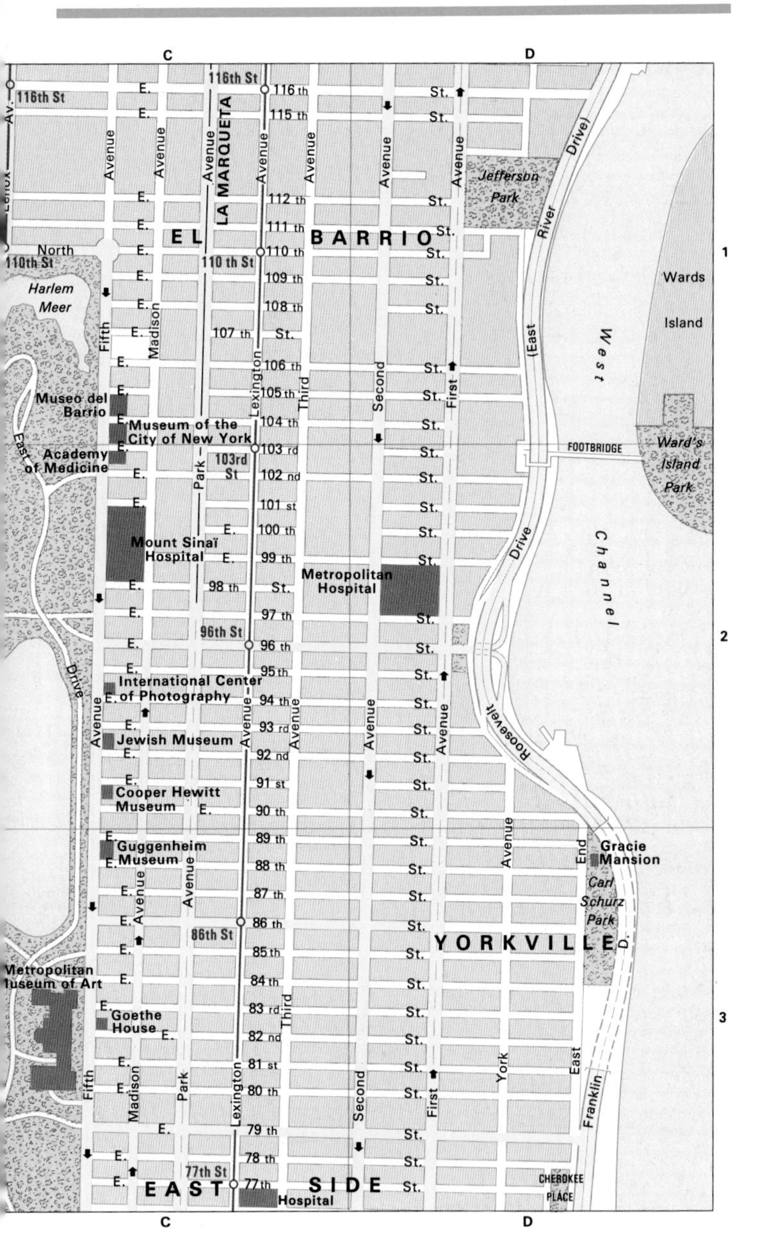

UPTOWN centre

Fort Tryon Park, The Cloisters
BRONX
Morris-Jumel Mansion
George Washington Bridge
Trinity Church
Aunt Len's Doll and Toy Museum
Hamilton Grange
C.U.N.Y. (North)
C.U.N.Y. (South)
Striver's Row
Studio Museum
General Grant National Memorial
Riverside Church
MORNINGSIDE HEIGHTS
Columbia University
Hudson River
Henry Hudson Parkway
Riverside Drive
Broadway
Amsterdam Avenue
Hamilton Place
Convent Av.
St. Nicholas Avenue
St. Nicholas Park
St. Nicholas Terrace
Colonial Park
Bradhurst Av.
Macombs Pl.
Martin Luther King Jr. Blvd (W. 125th St.)
Morningside Drive
Morningside Park
Morningside Avenue
Manhattan Av.
Frederick Douglass Blvd
Adam Clayton Powell Jr. Blvd
155th St
145th St
137th St
135th St
125th St
116th St
A
B
1
2
3

PLAN VI :

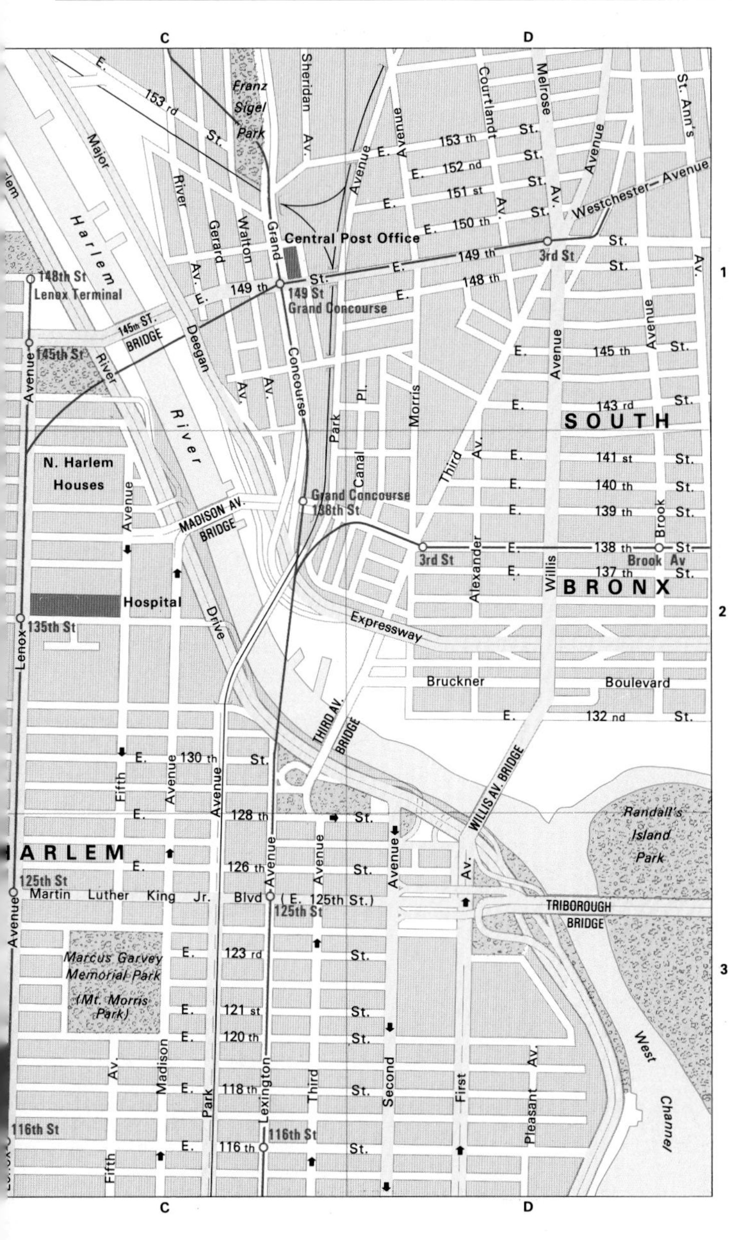

C
D
E. 153 rd St.
Franz Sigel Park
Sheridan Av.
Courtlandt Av.
Melrose Av.
St. Ann's Av.
Major
Harlem River
River Av.
Gerard Av.
Walton Av.
Grand Concourse
Central Post Office
E. 153 th St.
E. 152 nd St.
E. 151 st St.
E. 150 th St.
Westchester Avenue
E. 149 th St.
3rd St
E. 148 th St.
148th St
Lenox Terminal
149 St
Grand Concourse
145th ST. BRIDGE
145th St
Deegan
E. 145 th St.
E. 143 rd St.
SOUTH
Park Avenue
Morris Avenue
Canal Pl.
Third Av.
Willis Avenue
Brook Avenue
N. Harlem Houses
Fifth Avenue
MADISON AV. BRIDGE
Grand Concourse
138th St
E. 141 st St.
E. 140 th St.
E. 139 th St.
E. 138 th St.
E. 137 th St.
Brook Av
Alexander Av.
BRONX
Hospital
135th St
Lenox Avenue
Drive
Expressway
Bruckner Boulevard
E. 132 nd St.
THIRD AV. BRIDGE
WILLIS AV. BRIDGE
E. 130 th St.
E. 128 th St.
Randall's Island Park
HARLEM
E. 126 th St.
125th St
Martin Luther King Jr. Blvd (E. 125th St.)
125th St
TRIBOROUGH BRIDGE
Marcus Garvey Memorial Park (Mt. Morris Park)
E. 123 rd St.
E. 121 st St.
E. 120 th St.
E. 118 th St.
Madison Av.
Park Avenue
Lexington Avenue
Third Avenue
Second Avenue
First Av.
Pleasant Av.
West Channel
116th St
E. 116 th St.
116th St
1
2
3

UPTOWN nord

APPROCHE DE NEW YORK

« La beauté de New York ne tient pas à sa nature de ville, mais à sa transposition de la ville au niveau d'un paysage artificiel où les principes de l'urbanisme ne jouent plus : les seules valeurs significatives étant le velouté de la lumière, la finesse des lointains, les précipices sublimes au pied des gratte-ciel, et des vallées ombreuses parsemées d'autos multicolores comme des fleurs. »

Claude LÉVI-STRAUSS,
Tristes Tropiques.

Manhattan, c'est le coup de cymbale d'une ville dans le ciel. C'est aussi le choc esthétique le plus volumineux des temps modernes, bref, une œuvre d'art aux dimensions de la géographie.

Que l'on y vive depuis de nombreuses années ou que l'on y débarque pour la première fois, l'émotion de cette rencontre demeure. Lorsqu'au détour du Brooklyn Bridge ou du Triborough, le voyageur affronte l'extraordinaire vision d'une ville qui se tient droite, pareille à un geyser crachant vers le plus haut du ciel ses colonnes de ciment d'acier et de verre, ce même voyageur se dit que le centre du monde, désormais, ne saurait se trouver nulle part ailleurs qu'en ce lieu.

L'activité y est intense, incessante, accablante, les bruits et les couleurs, multipliés à l'infini, dans toutes les directions et, tournoyant dans l'accélération d'une force centrifuge qui attire les êtres et les choses, c'est l'œil d'un cyclone que l'on voit courir de carrefour en carrefour, avalant tout sur son passage. Dans la démarche urgente des passants, dans le mouvement hirsute des échanges de la circulation automobile, on devine le rythme d'une respiration empruntée à la frénésie électrique. D'ailleurs, New York est une ville qui ne dort jamais parce que la nuit y fut abolie. Les heures du jour n'y suffisaient plus. Trop à faire, trop à voir, trop à entendre !

A Manhattan, la démesure est devenue la norme. Les très riches y côtoient les très pauvres, et les très fous, les très sages.

L'Empire State Building, l'immeuble fétiche de New York, immortalisé par une scène célèbre du film **King Kong** !

Tout se donne à voir et tout s'achète car tout est à vendre. On rapporte qu'en débarquant sur cette île, les Hollandais n'ont pas commandé : « Feu ! » comme les Espagnols le firent aux Antilles, qu'ils n'ont pas remercié Dieu comme les Quakers de Pennsylvanie, mais qu'ils ont dit aux Indiens : *« Hoevel ? »* (« Combien ? »). Et l'île de Manhattan fut vendue une première fois, en 1626, pour vingt-quatre dollars, payables en perles de verre !

Or ce mythe tient toujours parce qu'il est vivant dans l'esprit et le cœur des gens qui traversent cette capitale du monde, cette nouvelle Jérusalem où Athènes, Rome, Persépolis, Londres et Paris se sont aujourd'hui fondus. Réussir à New York signifie qu'on peut réussir n'importe où ailleurs, voilà ce que chante Frank Sinatra dans une chanson devenue l'hymne de cette ville et reprise en chœur par tous les New-Yorkais. L'enfer que l'on devine parfois, brusquement, au détour d'un quartier, n'est qu'une des deux faces de la médaille. L'autre figure le paradis et s'abrite derrière les façades opulentes de la Cinquième ou de Park Avenue. La distance qui sépare ces deux extrêmes n'est jamais considérable. Un passage en enfer donne droit à un séjour au paradis et inversement. Mais tout le monde peut y parvenir et la fortune est toujours à portée de la main, tel est le plus haut principe de cette nouvelle moralité. Par exemple, les chauffeurs de taxi dont vous ne percevez que la nuque sont des êtres en transit. Philip Glass, ce grand musicien aujourd'hui mondialement célèbre, fut l'un d'eux. Comme tous les autres il attendait la gloire. Les jeunes serveurs de restaurant qui prendront votre commande attendent également leur tour.

En passant par New York, vous ne manquerez pas de ressentir au plus vif ce frisson d'un « premier matin du monde », parce que tout est en train de se faire ou de se défaire sous vos yeux. Les nombreux musées qui parsèment la ville posent les plus beaux jalons d'un temps révolu. Le spectacle de la rue vous offrira celui d'un temps en éruption.

Au moment de quitter la ville, vous jetterez un dernier coup d'œil par le hublot de l'appareil. Vous redécouvrirez alors ce que vous aviez toujours secrètement pressenti, à savoir que cette ville est une immensité lumineuse, un brasier dévorant, la flamme la plus vive du monde d'aujourd'hui.

Carte d'identité

Situation géographique

Côte nord-est des États-Unis d'Amérique, à l'embouchure de l'Hudson. Même latitude que Naples ou Madrid.

Superficie

780 km^2.

Gouvernement

Administré par un maire, élu pour une période de 4 ans.

Division administrative

5 *boroughs* (Manhattan, Bronx, Brooklyn, Queens et Staten Island). Seul le Bronx se trouve sur le continent, Brooklyn et le Queens formant l'extrémité de Long Island.

Superficie du borough de Manhattan

58,8 km^2; 21,5 km du nord au sud, 1,3 km au point le plus étroit et 3,7 km au point le plus large, d'est en ouest.

Population (recensement de 1990)

Les 5 *boroughs :* 7 323 000 habitants.
1°) Manhattan - 1 488 000;
2°) Bronx - 1 204 000;
3°) Brooklyn - 2 301 000;
4°) Queens - 1 952 000;
5°) Staten Island - 379 000.
Agglomération new-yorkaise : 17 953 000 habitants.

Langues

Anglais et espagnol.

Activité portuaire

Deuxième position mondiale après Rotterdam. 930 km de quais, sur les 2 rives de l'Hudson, pouvant accueillir plus de 200 navires simultanément. Trafic : 150 millions de tonnes par an.

Tourisme

24 810 000 visiteurs en 1992, dont 5 572 000 étrangers, qui apportent chaque année à la ville 2,5 milliards de dollars.

Surnom (nickname)

Big Apple, «la Grosse Pomme». Son origine est incertaine; peut-être provient-il du terme *the Apple,* utilisé par les musiciens noirs pour désigner un lieu ou une chose que l'on croque à pleines dents.

D'autres chiffres

Il existe à New York plus de 65 000 chambres d'hôtel, 17 000 restaurants, 235 théâtres, 150 musées, 400 galeries d'art et 100 boîtes de nuit. Les 3 500 lieux de culte représentent une centaine de communautés religieuses.

Une centaine d'universités et d'établissements d'enseignement supérieur sont établis dans la ville. 200 des plus grandes sociétés américaines ont leur siège à New York, ainsi que 6 des plus grandes banques commerciales.

Ville d'immigrants, la composition ethnique de New York est très variée : 2 millions de Juifs, 1 million de Portoricains et Latino-Américains, 1 500 000 Noirs et 150 000 Asiatiques.

Source : NY Convention and Visitors Bureau, 1993

PARTIR A NEW YORK

QUAND PARTIR?

New York peut se visiter en toute saison. Mais c'est peut-être en automne, sous la lumière dense d'un été indien, que la ville révèle le mieux sa splendeur. Le printemps est également agréable, doux et ensoleillé.

En hiver, il peut faire très froid, surtout en janvier et février. Toutefois, les illuminations de la ville à Noël, sous la neige, offrent un spectacle unique.

En été, la chaleur humide ne ralentit nullement le dynamisme des New-Yorkais, malgré des températures qui dépassent parfois 35° C. Les rues et les parcs sont extrêmement animés : c'est la saison des festivals et des fêtes à Central Park et ailleurs.

Températures en degrés °C

	Janv.	Fév.	Mars	Avr.	Mai	Juin	Juil.	Août	Sept.	Oct.	Nov.	Déc.
maximum	5	5	10	18	24	30	33	29	24	18	12	5
moyenne	1	1	5	12,5	18,5	25	26	25,5	19	14	8	2
minimum	3	3	1	7	13	20	24	22	15	10	4	1

ACCÈS

Quatre compagnies aériennes, **Air France, TWA, Delta Airlines et American Airlines,** assurent quotidiennement des vols entre Paris et New York. La durée moyenne du vol est de 8 h dans le sens Europe-Amérique, et de 7 h dans le sens inverse.

Air France dessert New York au départ de l'aéroport Charles de Gaulle, aérogare 2, terminal A. Toute l'année, la compagnie nationale assure au minimum 2 vols quotidiens directs à destination de New York (jusqu'à 3 vols par jour en été). Ces vols comprennent la desserte quotidienne en Concorde reliant Paris à New York en 3 h 45 mn. Sur cette destination, Air France propose 6 tarifs : « 1re classe », « Club », « Économique », « Visite », enfin « Apex » et « Super Apex » particulièrement avantageux à condition de respecter une certaine durée de séjour. Air France propose également sur New York une formule avion-hôtels-auto qui comprend le billet aller-retour, des réservations dans des hôtels et une voiture de location. Sauf pour les vols au tarif « Visite », cette formule est possible quelle que soit la durée de votre séjour. Signalons enfin que sont assurées une liaison Lyon-New York via Paris et une liaison Nice-New York durant l'été seulement.

Renseignements et réservations
Air France : Minitel 36.15 code AF.

AIR FRANCE

Principales agences Air France

Bordeaux : 29, rue Esprit-des-Lois, 33000 ☎ 56.00.03.00 ; Aéroport de Mérignac 33700 ☎ 56.34.32.32. Rés. ☎ 56.00.03.03.
Lille : 8-10, rue Jean-Roisin, 59040 ☎ 20.57.80.00.
Lyon : 10, quai Jules-Courmont, 69002 ; 17, rue Victor-Hugo 69002 ; 47, av. Henri-Barbusse, 69100 Villeurbanne ☎ 78.42.79.00.
Marseille : 14, La Canebière 13001 ; 331, av. du Prado, 13008 ☎ 91.39.39.39.
Nantes : Immeuble Neptune, pl. Neptune, 44000 ☎ 40.47.12.33.
Paris et banlieue, renseignements et réservations par téléphone de 8 h à 20 h, dim. et fêtes de 8 h à 9 h. Rens. ☎ 44.08.24.24. Rés. ☎ 44.08.22.22.
Luxembourg : 4, pl. Edmond-Rostand 75006
Invalides : Esplanade des Invalides : 2, rue E.-Pelterie, 75007
Élysées : 119, av. des Champs-Élysées, 75008
Scribe : 2, rue Scribe, 75009
Poissonnière : 30, rue du Faubourg Poissonnière, 75010
Blanqui : 74-84, bd Blanqui, 75013
Hilton : 18, av. de Suffren, 75015
Maine-Montparnasse : 23, bd de Vaugirard, 75015
Radio-France : 116, av. du Président-Kennedy, 75016
Maillot : 2, pl. de la Porte-Maillot, 75017
Villiers : 97, av. de Villiers, 75017
Bagnolet : 23, av. de la République, 93170
CNIT : 2, pl. de la Défense, 92400
Montreuil : 87, rue de Paris, 93100
Aéroport du Bourget, 93350
Aérogare Orly Sud et Orly Ouest, Hall Départs, 1er étage
Aérogare Charles-de-Gaulle-1, niveau Départs porte 10
Aérogare Charles-de-Gaulle-2, terminaux A, B, D.
Rennes : 23, rue du Puits-Mauger, 35000 ☎ 99.35.09.09.
Rouen : 15, quai du Havre, 76000 ☎ 35.98.24.50.
Strasbourg : 15, rue des Francs-Bourgeois, 67000 ☎ 88.32.63.82/99.74.
Toulouse : 2, bd de Strasbourg, 31000 ☎ 61.10.01.01.

TWA et **Continental Airways** proposent des vols quotidiens directs de Paris à New York, avec de nombreuses correspondances.

Principales agences Trans World Airlines : **Paris** : 6, rue Christophe-Colomb, 75008 ☎ 40-69-70-90. **Bruxelles** : bd de l'Empereur, 5 ☎ [32-2] 513-79-16. **Genève** : 1-3, rue de Chantepoulet ☎ [41-22] 361-41-11. **Zurich** : Beckenhostrasse 6 ☎ [41-1] 738-52-50.

Continental Airways : 92, av. des Champs-Elysées, 75008 Paris, ☎ 42-99-09-09.

American Airlines : 109, rue du Faubourg-St-Honoré, 75373 Paris, ☎ 42-89-05-22.

Delta Airlines : Immeuble Lavoisier, 4, place des Vosges, Cedex 64, 92052 La Défense, ☎ 49-04-72-00.

Au départ de la Suisse, **Swissair** assure des vols quotidiens directs entre Zurich et New York, avec de nombreuses correspondances. Un vol quotidien assure la liaison Zurich-Genève-New York (Swissair, Aéroport 1215, Genève ☎ [41-22] 799-59-99 ; postfach 8058, Zurich ☎ [41-1] 251-34-34. Au départ de la Belgique, **Sabena** relie Bruxelles à New York en vol direct quotidien (Sabena, rue du Cardinal-Mercier, 35, Bruxelles ☎ [32-2] 511-90-30.

Tarifs réduits et vols charters

Se renseigner auprès des agences de voyages. Quoi qu'il en soit, les tarifs restent plus élevés en haute saison, du 15 juin au 15 octobre. Parmi les formules qui permettent de voyager à meilleur prix, nous citerons :

Les tarifs vacances et visite, valables de 14 jours à 2 mois.

Les tarifs APEX *(advance purchase excursion),* meilleur marché que les tarifs excursions, sont également valables sur une période de 14 jours à 2 mois mais le règlement du billet doit être effectué au minimum 30 jours avant le départ.

Les charters sont un moyen économique pour se rendre à New York. Un certain nombre de sociétés proposent des places en « stand by » (pas de réservations, on monte à bord dans la limite des places disponibles) ou assurent des réservations sur certains vols réguliers à dates fixes ; les billets devant généralement être réglés dans les 30 jours précédant le départ.

On se méfiera toutefois des organismes qui proposent des prix parfois très attractifs, tous n'offrent pas de garanties.

Les principales sociétés et compagnies offrant des vols charters ou bon marché sont, à **Paris** :

Any Way, 46, rue des Lombards, 75001 Paris, ☎ 40-28-00-74.
CTS (Council Travel Service), 16, rue de Vaugirard, 75006 ☎ 46-34-02-90, et 51, rue Dauphine, 75006 ☎ 43-26-79-65.
Espace Découvertes Voyages, 14, rue Vavin, 75006 Paris, ☎ 40-51-80-80.
Forum Voyages, 1, rue Cassette, 75006 ☎ 45-44-38-61, et 140, rue du Faubourg Saint-Honoré, 75008 ☎ 42-89-07-07.
Havas, 26, avenue de l'Opéra, 75001 ☎ 42-61-80-56.
Jet Am, 19, avenue de Tourville, 75007 ☎ 47-05-01-95 ; agences Air France et agréées.
Jet Tours, 19, avenue de Tourville, 75007 ☎ 47-05-01-95.
Jumbo, 19, avenue de Tourville, 75007 ☎ 47-05-01-95.
Nouveau Monde, 8, rue Mabillon, 75006 ☎ 43-29-40-40.
Nouvelles Frontières, 66, boulevard Saint-Michel, 75005 ☎ 46-34-55-30 ; 5, avenue de l'Opéra, 75001 ☎ 42-60-36-37, etc.
Tours 33, 85, boulevard Saint-Michel, 75005 ☎ 43-29-69-50.
Uniclam, 63, rue Monsieur-le-Prince, 75005 ☎ 43-29-12-36.

La plupart des organismes possèdent des agences en province. Voir également plus loin la liste des tours-opérateurs.

La compagnie islandaise **Icelandair** effectue des vols transatlantiques à des tarifs sensiblement inférieurs à ceux des compagnies régulières membres de l'IATA. L'inconvénient est le départ de Luxembourg : 9, boulevard des Capucines, 75002 Paris ☎ 47-42-52-26.

Icelandair à l'étranger : en Belgique, Bruxelles ☎ [32-2] 51-39-343 ; en Suisse, Genève ☎ [41-2] 731-43-35 et Zurich ☎ [41-1] 31-27-373.

En Belgique

Acotra, rue de la Madeleine, 51, Bruxelles 1000 ☎ [32-2] 512-86-07.

Nouvelles Frontières, bd Lomonnier, 2, Bruxelles 1000 ☎ [32-2] 513-77-48.

En Suisse

SSR, 3, rue Vignier, 1205 Genève ☎ [41-22] 29-97-33 et 20, bd de Grancy, 1006 Lausanne ☎ [41-21] 617-56-27.

Nouvelles Frontières, 19, rue de Berne, 1201 Genève ☎ [41-22] 732-04-03.

Par bateau

On peut souhaiter se rendre à New York par bateau. Malgré la disparition de la plupart des grands transatlantiques, la traversée de l'Atlantique Nord est toujours possible dans de bonnes conditions. De juillet à décembre, le *Queen Elizabeth II* effectue en cinq jours la traversée entre Southampton et New York, avec parfois escale à Cherbourg. Le prix de ce voyage de luxe reste élevé. Des tarifs spéciaux existent pour un voyage combiné entre le bateau et l'avion dans un sens ou dans l'autre. Renseignements : **Cunard,** 2-4, rue Joseph-Sansbœuf, 75008 Paris ☎ 42-93-81-82.

Pour connaître les places disponibles dans les cargos de la Compagnie générale maritime, contactez la **Sotromat,** 12, rue Godot-de-Mauroy, 75009 Paris ☎ 49-24-24-00.

Le voyage organisé

Cette formule est sans doute la plus simple. Les principaux organisateurs, représentés par les agences de voyages à qui il faut s'adresser, sont notamment :

American Express, America Tours, Camino, Cartour-Tourmonde, Flâneries américaines (TWA et Wingate Travel), **Géotours America, Greyhound World Travel, Intercontinent Tour Service, Jet Am, Jet Tours, Jumbo, Kuoni, Pacific Holidays, Planète, Promenades américaines** (TWA), **Regards vers l'Amérique, Rêv'Vacances** (Pan Am et Air France), **Sotratour, STT/Jet Evasion, Transamerica, Touravia, Vacances fabuleuses** (Pan Am), **Visit USA Service, Western Horizons, Zenith.**

FORMALITÉS

Passeport et visa

Depuis le 1er juillet 1989, un programme d'exemption des visas a été mis en place. Sont nécessaires pour en bénéficier : un passeport en cours de validité et un billet aller/retour délivré par l'une des compagnies signataires du programme (liste de ces compagnies au 42-97-48-23). Attention, la durée de votre voyage ne peut excéder 90 jours.

Renseignements : « Services des visas », Consulat des États-Unis, 2, rue Saint-Florentin, 75001 Paris ☎ 42-96-14-18, ou 3615 code Libé.

Vaccination

Aucun vaccin particulier n'est exigé.

Assurances

Elles sont facultatives aux États-Unis. Toutefois, les frais médicaux étant élevés, il est conseillé de contracter une assurance individuelle.

En France, la Sécurité sociale rembourse, sur présentation de factures, les frais médicaux engagés aux États-Unis lors d'un déplacement au titre des congés payés (renseignements ☎ 40-23-70-00 à Paris).

Certaines compagnies aériennes garantissent, moyennant une prime modique, une assurance bagages, les frais d'annulation de voyage, la responsabilité civile, les frais en cas de maladie (soins médicaux, chirurgicaux, hospitalisation), d'accident, de rapatriement, de décès.

Organismes d'assurance et d'assistance

Concorde, 5, rue de Londres, 75009 Paris ☎ 49-70-30-00. Télécopie : 48.74.54.69.

Europe-Assistance, 23-25, rue Chaptal, 75009 Paris ☎ 42-85-85-85.
American-Express, 4, rue Louis-Blériot, 92561 Rueil-Malmaison ☎ 47-77-70-00.
A.M.I. (Assistance Multiservice Internationale), 213 Bureaux de la Colline, 92213 Saint-Cloud ☎ 47-11-12-00.
Mondial-Assistance, 2, rue Fragonard, 75017 Paris ☎ 40-25-52-04.
A.V.A., 26, rue de La Rochefoucauld, 75009 Paris ☎ 48-78-11-88.
A.A.V., 90, rue de la Victoire, 75009 Paris ☎ 42-85-29-29.
Assurance Sports et Tourisme, 5, rue Bourdaloue, 75009 Paris ☎ 42-85-26-61.
Elvia, 66, Champs-Élysée, 75381 Paris Cedex 08 ☎ 45-62-84-84.
C.G.S./New Hampshire, 8, rue Boutard, 92521 Neuilly Cedex ☎ 47-47-66-66. Assistance uniquement.

Pour les jeunes

A.V.A., 26, rue de La Rochefoucauld, 75009 Paris ☎ 48-78-11-88 ; pour les moins de 30 ans, séjours de 1 à 12 mois.
I.S.I.S. c/o O.T.U., 39, av. Georges Bernanos, 75005 Paris ☎ 44-41-38-50 ; Prix spéciaux avec carte étudiant internationale pour U.S.A.

Se renseigner également auprès des banques, agences de voyages, compagnies d'assurances et mutuelles.

Permis de conduire

Si vous désirez louer une voiture aux États-Unis, votre permis de conduire en règle et une carte de crédit (caution) suffiront. Age requis : 18 ans.

Douane

Sont exempts de droits, à l'entrée, les objets personnels (vêtements, articles de toilette, bijoux, appareils de photo ou de cinéma, jumelles, machines à écrire portatives, postes de radio ou de télévision et magnétoscopes portatifs, équipements sportifs, véhicules automobiles)

VOYAGE A LA CARTE

En voyage, la carte de paiement, c'est la liberté ! Véritable sésame, elle vous permet de régler l'essentiel de vos dépenses et de disposer en permanence d'argent liquide, tout en vous garantissant une totale sécurité. Pour en profiter pleinement, voici un petit mode d'emploi qui vous en rappelle tous les avantages.

Une carte de paiement, c'est :

• **Un moyen facile de retirer de l'argent liquide.**Chaque semaine, vous avez droit à la contre-valeur en liquide d'une certaine somme que vous pouvez retirer :

– dans les guichets des banques affichant le logo de votre carte : sur simple présentation de votre carte et d'une pièce d'identité, le guichetier vous remettra vos espèces et le double du reçu que vous aurez signé;

– dans un distributeur automatique de billets (*automatic teller machine* en américain, *cash dispenser* ou *cash point* en anglais) affichant le logo de votre carte, il vous suffira d'introduire la carte dans l'appareil, de taper votre code confidentiel et de suivre les instructions données par la machine dans la langue locale et en anglais.

• **Un mode de paiement pratique**. Pour régler une facture d'hôtel, la location d'une voiture, une note de restaurant, des achats importants, la démarche est la même qu'en France : chez tout commerçant affilié au réseau de votre carte, vous présentez la carte, le caissier établit une facture dont il vous donne le double après vous l'avoir fait signer.

• **Une carte de téléphone.** Les cabines publiques acceptant les cartes de crédit se répandent dans les aéroports internationaux et les lieux très touristiques.

• **Une assistance médicale à l'étranger.** Tout détenteur d'une carte bancaire internationale bénéficie du rapatriement médical, de la prise en charge des premiers soins, de la présence d'un proche en cas d'hospitalisation, du retour en cas de décès d'un membre de la famille, de la transmission de messages urgents, d'une avance éventuelle de fonds.

• **Une assurance décès-invalidité.** En réglant avec votre carte vos billets d'avion, de bateau, de train ou de location de voiture, vous ou vos ayant-droits bénéficiez d'une garantie dont le montant varie selon le réseau auquel vous êtes affilié et le type de carte que vous possédez.

Bon à savoir

Commission et taux de change. Toute transaction à l'étranger (achats, retraits, règlements de facture) avec une carte de paiement est soumise à une commission variable suivant le mode de transaction et le pays où l'on se trouve. Le débit des factures est effectué sur votre compte selon les délais habituels pratiqués par votre banque. Dans les pays développés (Europe occidentale, Etats-Unis, Japon, Australie, etc.) le taux de change appliqué, avantageux, est proche de celui des traveller's. Ailleurs (Amérique du Sud, Afrique, Europe de l'Est), c'est un taux imposé par les autorités du pays aux organismes émetteurs de cartes de paiement qui risque d'être parfois peu avantageux par rapport à la réalité du cours de la monnaie dans le pays. Renseignez-vous auprès de votre banque avant votre départ.

En cas de perte. Avisez immédiatement le centre d'opposition le plus proche (les banques ou les commerçants vous en communiqueront les coordonnées) en ayant soin de préciser le numéro de votre carte (surtout pas votre code confidentiel), sa date d'expiration et l'agence bancaire émettrice.

Dans tous les cas, confirmez la perte à votre banque par lettre recommandée avec accusé de réception .

Selon le type de carte dont vous êtes détenteur, vous pourrez éventuellement vous faire délivrer dans les 48 heures une carte provisoire de remplacement.

Quelques conseils

• **Pensez à noter le numéro de votre carte** (n'inscrivez jamais votre code confidentiel) afin de pouvoir le communiquer aux services compétents en cas de perte ou de vol..

• **Vérifiez la date d'expiration de votre carte** afin d'être sûr de pouvoir vous en servir pendant toute la durée de votre voyage. Eventuellement, demandez un renouvellement anticipé, en tenant compte du délai d'obtention d'une carte (15 jours).

• Demandez à votre banque de vous communiquer **les numéros d'urgence** dans les pays où vous vous rendez.

• **Protégez la bande magnétique de votre carte** en évitant tout contact avec d'autres cartes ou des objets métalliques. Si elle se trouvait endommagée, toute transaction deviendrait impossible.

• **Après chaque paiement**, vérifiez que c'est bien votre carte de crédit qui vous a été rendue, et n'oubliez pas de récupérer votre facturette.

Visa pour l'évasion

Parmi les cartes internationales de paiement, les voyageurs français ont plutôt opté pour la Carte Bleue Visa. Quelques téléphones utiles à leur intention :

• **En cas de perte ou de vol :** ☎ (33.1) 42.77.11.90

• **Assistance médicale :**

CB Visa ☎ (33.1) 41.14.12.21;

Visa Premier ☎ (33.1) 48.78.48.00.

• **Pour plus d'informations :**

minitel 3616 code CB Visa

Midtown (vue de l'Empire State Building). Parmi les gratte-ciel, on peut distinguer

pour un an au plus. En outre, les adultes peuvent importer 1/4 de gallon (0,946 l) d'alcool, 200 cigarettes ou 50 cigares ou 4 livres anglaises de tabac (1,360 kg env.) ; chaque personne peut apporter des cadeaux pour une valeur maximale de 100 $ (dont, par adulte, 1 gallon = 3,78 l d'alcool et 100 cigares) à condition de séjourner plus de 72 h et de n'avoir pas bénéficié de l'exemption dans les six mois précédents. L'exemption ne peut être cumulée par les membres d'une même famille. Si vous avez besoin d'un médicament contenant des drogues entraînant l'accoutumance, n'apportez que la quantité normalement nécessaire et identifiée de manière appropriée. Vous devrez également avoir (traduit en anglais de préférence) une ordonnance ou une déclaration écrite de votre

de gauche à droite le Citicorp, le Pan Am et le Chrysler Building.

médecin personnel attestant que le médicament est indispensable à votre santé.

Pour les transferts dans l'un ou l'autre sens d'une somme de plus de 10 000 dollars, une déclaration doit être faite auprès de la douane des États-Unis au moment de l'arrivée ou du départ. Un formulaire sera fourni à cet effet.

L'importation d'animaux (chiens, chats, oiseaux, poissons), de certains produits alimentaires (viande, charcuterie) ainsi que de plantes (fleurs coupées, fruits et légumes) est soumise à des conditions spéciales parfois complexes (renseignements auprès des services douaniers).

Pour tous les problèmes de douane, se renseigner avant de partir auprès de l'ambassade des États-Unis ou auprès de *Public Information Division*, US Customs Service, Department of Treasury, Washington, D.C. 20229.

Au retour en France, tous les objets personnels (voir ci-dessus) sont libres de droits. On peut exporter sans problème 200 cigarettes, ou 100 cigarillos, ou 50 cigares, ou 250 g de tabac, 1 litre d'alcool, 2 l de vin, 250 g de café, ou 100 g d'extrait (poudre), 100 g de thé ou 40 g d'extrait, 50 g de parfum, 0,25 l d'eau de toilette (tabac, alcools et café ne sont admis que pour les personnes de plus de quinze ans).

MONNAIE

L'unité monétaire est le US dollar ($), aussi appelé *buck*. Il se divise en 100 cents (¢).

Penny = 1 ¢
Nickel = 5 ¢
Dime = 10 ¢
Quarter = 25 ¢
Half dollar = 50 ¢
Billets de 1, 2, 5, 10, 20, 50 et 100 $

Attention : tous les billets sont du même format et de la même couleur verte.

Munissez-vous de **travellers cheques** (en dollars) : ils sont faciles à se faire rembourser en cas de perte ou de vol, et, accompagnés de votre passeport, sont changés sans problème et utilisables pour payer dans tous les magasins et restaurants de la ville.

Cartes de crédit

Avant votre départ, vérifier auprès de votre banque le retrait maximum hebdomadaire auquel vous avez droit lors de votre séjour. Il ne dépasse presque jamais la somme de 2000 francs.

Il faut savoir, aussi, qu'il est impossible de connaître la position de votre compte en Europe à partir des guichets automatiques à New York. Pour cela, il faut adresser un courrier à votre agence.

Attention : les guichets automatiques new-yorkais ne fonctionnent pas tous avec les cartes internationales. Les cartes de crédit les plus courantes aux U.S.A. sont l'American Express, la Diner's et la Carte Visa.

Coupons de réduction

De nombreuses réductions sont accordées aux étrangers dans les domaines les plus divers, pour lesquels on peut se procurer des bons *(vouchers)* avant le départ. Ces réductions concernent en particulier les transports par avion, autocar ou train, les hôtels. Certains organisateurs délivrent des bons d'échange valables indifféremment sur plusieurs chaînes d'hôtels, pour une plus grande liberté de réservation.

Budget

A New York, les prix augmentent d'année en année, mais on peut vivre avec 80 à 100 $ par jour, à condition de loger dans des hôtels de catégorie moyenne, et en faisant abstraction des vols aller et retour et des transports sur place (15 à 20 $ pour les repas, 30 à 40 $ pour la nuit, 5 à 10 $ pour les entrées de musées et les déplacements).

QUE FAUT-IL EMPORTER?

Si vous partez en hiver, des vêtements chauds sont indispensables. Un bon imperméable pour les mois d'avril, mai et novembre. Pour l'été, des vêtements légers sont recommandés, car l'humidité est très importante.

N'oubliez pas, en outre, de vous munir d'un adaptateur pour prise plate, et de mettre sur la bonne tension vos appareils électriques européens : 110 et 115 volts et 60 Hz (en France 50 Hz).

ADRESSES UTILES

France

Ambassade et Office du Tourisme des États-Unis, 2, av. Gabriel, 75008 Paris ☎ 42-96-12-02 ; 42-61-80-75. L'Office du Tourisme des États-Unis n'est pas ouvert au public mais dispose d'un centre d'information par téléphone (42-60-57-15) et minitel (36-14 code OTUSA).

Consulats

Les consulats sont ouverts du lun. au ven. sauf j. fériés français et américains :

Paris : 2, rue Saint-Florentin, 75001 ☎ 42-96-14-88, *ouv. de 8 h 45 à 11 h pour le public de nationalité française, de 14 h à 15 h pour les autres nationalités* (demande par correspondance : 2, av. Gabriel, 75382 Paris Cedex 08).

Bordeaux : 22, cours du Maréchal-Foch, 33000 ☎ 56-52-65-95.

Lyon : 7, quai du Général-Sarrail, 69454 Cedex 03 ☎ 78-24-68-49.

Marseille : 12, bd Paul-Peytral, 13286 ☎ 91-54-92-01.

Nice : 31, rue du Maréchal-Joffre, 06000 ☎ 93-88-89-55.

Strasbourg : 15, av. d'Alsace, 67000 ☎ 88-35-31-04.

Divers

American Express, 11, rue Scribe, 75009 Paris ☎ 47-14-50-00.

Centre de documentation Benjamin-Franklin, 2, rue Saint-Florentin, 75001 Paris ☎ 47-03-36-13, pour trouver tous les renseignements sur New York et les U.S.A.

Librairies

Les librairies de langue anglaise à Paris sont nombreuses. En voici quelques adresses :

Librairie Attica, 23, rue Jean de Beauvais, 75005 ☎ 46-34-62-03.

Librairie Brentano's, 37, av. de l'Opéra, 75002 ☎ 42-61-52-50.

Librairie Galignani, 224, rue de Rivoli, 75001 ☎ 42-60-76-07.

Art

Si vous vous intéressez à l'art américain (ou européen), et que vous comptez visiter les musées à New York, un petit tour du côté des collections nationales sera une bonne préparation. Le Musée national d'Art moderne (Centre Georges Pompidou), le Musée d'Art moderne de la Ville de Paris (Palais de Tokyo) et le Musée d'Orsay présentent des pièces de l'art américain contemporain ou des compléments des grandes pièces européennes (impressionnistes, modernes) exposées dans les grands musées new-yorkais.

Belgique

Ambassade des États-Unis, bd Régent, 27, Bruxelles 1000 ☎ [32-2] 513-38-30.

Service des visas, 25, bd Régent, Bruxelles 1000, même téléphone.

Suisse

Ambassade des États-Unis, Jubiläumstrasse 93, 3005 Berne ☎ [41-31] 43-70-11.

Consulat général, même adresse ☎ [41-31] 43-72-87.

ALL AROUND
THE WORLD
AND ALSO AROUND
THE CORNER
FOR MATURE AUDIENCES ONLY
Oh! Calcutta!
100 ft.
Edison Theatre
240 West 47th Street
NEW YORK'S FUNNIEST
EROTIC MUSICAL COMEDY
ARTKRAFT STRAUSS
VAN WAGNER ADV
LANSING CENTRAL SCHOOL
THE NEW YORK AQUARIUM
OFF DUTY
TAXI
HARRY VLAC
WHOLESALE
36 W. 28 S

NEW YORK PRATIQUE DE A à Z

ARRIVÉE

Par avion

Trois aéroports desservent New York City :

Kennedy Airport (JFK), situé dans le sud-est du Queens, à la pointe sud du Van Wyck Expressway, se trouve à *17 miles*/28 km de Manhattan, I, B3. C'est le plus grand des trois aéroports de la ville. Vols nationaux et internationaux. Le trajet en voiture de Manhattan prend 1 h environ dans des conditions de trafic normales. *Renseignements voyageurs :* (718) 656-4444, 656-4520 ;

La Guardia Airport, situé dans le nord-est du Queens, sur Grand Central Parkway, se trouve à *8 miles*/14 km de Manhattan, I, B2. Il dessert avant tout les vols intérieurs. De là partent les *shuttles* (vols réguliers toutes les demi-heures ou toutes les heures) pour Boston ou Washington. Le trajet en voiture est de 30 mn environ. *Renseignements voyageurs :* (718) 476-5000 ;

Newark International Airport, situé à Newark (New Jersey), sur le New Jersey Turnpike, se trouve à *12 miles*/20 km de Manhattan, I, A2-3. Vols

Le taxi jaune new-yorkais, meilleur moyen de se déplacer en ville.

nationaux et internationaux. A 1 h 45 mn environ de Manhattan en voiture. *Renseignements voyageurs :* (201) 961-2000.

Douane

A l'arrivée aux États-Unis, les passeports et les bagages sont contrôlés. Pour les passeports, prévoir une longue file d'attente et un personnel pas toujours souriant! Une fois déclarée la durée de votre séjour, ils apposeront le tampon rouge déterminant le temps du séjour alloué. Montrer également un billet de retour. Pour toute prolongation de ce séjour, s'adresser à l'Immigration Bureau (☎ 206-6500). Prévoir au moins un mois à l'avance.

De l'aéroport à la ville

Taxis

C'est le moyen le plus simple et le plus rapide. Le prix est indiqué au compteur, ou *meter,* mais il faut régler aussi les péages *(tolls).* Vous pouvez partager un taxi à plusieurs, ce système de *share-a-cab* est très avantageux. Comptez 35 $ de JFK et 25 $ de La Guardia. Les billets de plus de 20 $ ne sont pas toujours acceptés. Pour Newark Airport, doublez le prix de la course et ajoutez les péages.

JFK Express Train (Train to the plain)

Le trajet est une combinaison bus/métro. Géré par le NYC Transit Authority, cet express relie JFK à 7 stations de métro desservant Manhattan et Brooklyn. Le prix du trajet est de 9 $ environ. Les stations desservies par le JFK Express Train sont : Jay St./Borough Hall (à Brooklyn), Broadway/Nassau St., Chambers St./Centre St., W 4th St./Washington Square, 34th St.-Herald Square/6th Ave., 47th-50th St./Rockefeller Center, 57th St./6th Ave.

Un bus transporte les passagers des différents terminaux des compagnies aériennes de JFK au métro. Ce service fonctionne tous les jours de 5 h à minuit, à peu près toutes les 20 mn. Prévoir environ 1 h 30 mn de trajet.

Bus Express pour l'aéroport

Carey Transportation Inc., renseignements : (718) 632-0500. Carey dessert les trois aéroports. 5 bureaux et arrêts à Manhattan : 145 Park Ave. (en face de Grand Central Station entre la 41e et la 42e rue), Port Authority Bus Terminal Center (42e rue et 8e Avenue), New York Hilton (53e rue W et 6e Avenue), Sheraton City Square (7e Avenue et 51e rue), Marriott Marquis Hotel (Broadway et 45e rue).

Le prix du trajet de JFK à New York City est de 11 $. De La Guardia, 9 $. Le même service existe de Newark à Port Authority Bus Terminal (8e Avenue et 41e rue). Renseignements : 564-8484.

Hélicoptère

Il existe un service régulier entre Manhattan et les aéroports. Il y a 2 héliports à Manhattan : E 34th St. ☎ [1-800] 645-3490 et E 60th St. ☎ [1-800] 221-1111.

De JFK : **New York Helicopter** ☎ [1-800] 645-3494. Tarif d'environ 65 $. Fréquents départs du Terminal de TWA jusqu'à la 34e rue E. Le trajet dure entre 15 et 20 mn.

De La Guardia : même compagnie, même numéro de téléphone. Départ de Main Terminal, jusqu'à l'héliport de la 34e rue E. Comptez un trajet de 6 à 10 mn.

Location de limousines

Des téléphones aux noms des compagnies se trouvent dans tous les aéroports. Diverses formules là aussi, à connaître : limousines pour une personne ou plus. Les tarifs varient selon les conditions. Vous pouvez réserver une limousine directement par votre compagnie de transport.

International Limousines Service, I.L. Network Ltd., 200 Central Park South ☎ 315-0680 ou I.L., 200 W. 79th ☎ 787-3373. Minibus de 10 personnes maximum. Tous les jours de 8 h à 19 h, jusqu'à 17 h le week-end. Sur réservation seulement. Dessert les 3 aéroports.

Sabra Car and Limo Service, 326 2nd Ave, New York 11128 ☎ 777-7171. Tarifs intéressants.

Par bateau

Si vous avez la chance d'arriver à New York par bateau, vous accosterez directement à Manhattan, au **Passenger Ship Terminal,** le long de l'Hudson, entre la 48e rue et la 52e rue. Chaque jetée correspondant à une rue, il suffit, pour trouver le numéro de la rue que vous voudrez prendre, de soustraire 40 au numéro de la jetée.

CHANGE

Vous pouvez changer vos francs contre des dollars dans les trois aéroports.

Voici également quelques adresses :

Citibank, 1 E 59th St. et 5th Ave., ☎ 371-7958. *Ouv. du lun. au ven. de 9 h à 16 h 30.*

Deak-Perera, *à JFK,* ☎ 656-8444. *Ouv. les sam. et dim. de 8 h à 21 h. A Rockefeller Center,* 630 5th Ave. *Ouv. du lun. au ven. de 9 h à 17 h.* Au 41 E 42nd St. (sur Madison Avenue), ☎ 883-0400. *Ouv. du lun. au sam. de 10 h à 15 h.*

Agence de change Reuter, Pan Am Building, 200 Park Ave. (45th St.), 3e étage - suite 332, ☎ 661-0826. *Ouv. de 8 h 30 à 16 h.* Peut-être le meilleur change à New York.

American Express, la plus importante compagnie américaine de travellers cheques et de cartes de crédit. Nombreuses adresses, dont : 125 Broad St. ☎ 797-3900 ; 65 Broadway ☎ 493-6500 ; 150 E 42nd St. ☎ 687-3700 ; 374 Park Ave. ☎ 421-8240 ; 199 Water St. ☎ 943-6947. American Express Tower. Financial Center ☎ (212) 640-4885.

Banques françaises

Crédit Lyonnais, 95 Wall St., ☎ 344-0500, 428-6100. *Ouv. du lun. au ven. de 10 h à 13 h et de 14 h à 15 h.*

Société Générale, 50 Rockefeller Plaza et 50th St. (entre la 5e rue et la 6e avenue), ☎ 830-6600, 437-4674. *Ouv. du lun. au ven. de 9 h à 15 h 30.*

Banque Nationale de Paris (B.N.P.), 499 Park Ave., ☎ 750-1400, 418-8200. *Ouv. du lun. au ven. de 9 h 15 à 15 h.*

COMPAGNIES AÉRIENNES

Delta, 100 E 42nd St., ☎ 239-0700 ; et 1 E 59th St. et 5th Ave., même numéro.

Eastern, 100 E 42nd St., ☎ 986-5000. Service de *shuttle* pour Boston et Washington à partir de La Guardia.

Air Canada, 120 Broadway et 51st St., ☎ 869-1900. *Ouv. du lun. au ven. de 9 h 30 à 17 h 30.*

Air France, 666 5th Ave. et 52nd St., ☎ 247-0100. *Ouv. du lun. au ven. de 9 h à 17 h.*

American Airlines ☎ (212) 455-6385, (800) 433-7300.

Continental Airlines, 1384 Broadway, ☎ 704-3025, (800) 221-1212.

Sabena, 720 5th Ave. et 56th St., ☎ 408-5080. *Ouv. du lun. au ven. de 9 h à 17 h.*

Swissair, 608 5th Ave. et 49th St., ☎ 995-8400. *Ouv. du lun. au ven. de 9 h à 17 h 30, le sam. de 10 h à 17 h 30.* Informations et réservations au 1 (718) 995-8000.

TWA, 100 E 42nd St., ☎ 290-2121, vols nationaux ; ☎ 290-2141, vols internationaux.

CONSULATS ET AUTRES INSTITUTIONS

Consulats

Belgique, 50 Rockefeller Plaza et W 50th St., ☎ 586-5100. *Ouv. du lun. au ven. de 10 h à 13 h et de 14 h à 16 h.*

Canada, 1251 Ave. of the Americas et W 50th St., ☎ 768-2400. *Ouv. du lun. au ven. de 8 h à 16 h.*

France, French Consulat, 934 5th Ave., ☎ 439-1400. *Ouv. du lun. au ven. de 9 h à 12 h, service des visas de 9 h à 13 h.*

Luxembourg, 801 2nd Ave. et E 42nd St., ☎ 370-9870. *Ouv. du lun. au ven. de 9 h 30 à 13 h et de 14 h à 17 h.*

Suisse, 665 5th Ave., ☎ 758-2560. *Ouv. du lun. au ven. de 9 h à 17 h.* Chancellerie, 444, Madison Ave., 33e ét., *ouv. de 9 h à 13 h.*

Quelques adresses françaises

Alliance française/Institut français, 22 E 60th St., ☎ 355-6100.

Église protestante française, 111 E 60th St., ☎ 838-5680.

Église Saint-Vincent-de-Paul, 127 W 23rd St. (entre les 6th et 7th Ave.), ☎ 243-4727. Messes en français tous les dimanches à 11 h.

Librairie de France, 610 5th Ave. (au Channel Gardens, à Rockefeller Center), ☎ 581-8810. *Ouv. du lun. au sam. de 10 h à 18 h.;* et 115 5th Ave. et 19th St., ☎ 673-7400. *Ouv. du lun. au sam. de 10 h à 18 h.*

CUISINE

Il existe à New York plus de 25 000 restaurants. Le choix y est donc immense. Vous trouverez, en fin de volume, une liste de restaurants classés par quartiers, prix et genres de cuisine (p. **226**).

Mais avant tout, il va falloir vous familiariser avec les habitudes gastronomiques des Américains, quelque peu différentes des nôtres.

Les repas

Trois repas principaux : le célèbre *breakfast,* le *lunch* (déjeuner) et le *supper* (dîner).

Le menu type d'un *breakfast* (entre 7 h et 8 h) est composé d'œufs au plat ou brouillés, bacon, toasts au beurre ou à la confiture, un verre de jus d'orange et une tasse de café au lait *(coffee)* ou de café *(black coffee).* On peut y ajouter un verre de lait, des *pancakes* (crêpes), des *waffles* (gaufres), un bol de céréales *(cornflakes* ou avoine, *oatmeal).* Il est suffisamment copieux pour mener jusqu'au dîner car le *lunch* (à 12 h) est très léger.

On grignote alors un sandwich, un hot-dog ou un hamburger qu'on accompagne souvent d'une boisson *(soda).*

Le dîner est consommé tôt, entre 17 h et 18 h 30. Il s'agit souvent d'une pièce de bœuf cuite à point et garnie de légumes. Les portions étant parfois gargantuesques, certains restaurants emballent les restes de votre repas dans un petit sac en papier *(doggy bag)* que vous pouvez emporter sans honte à la maison. *Take-out* signifie « à emporter » : c'est un service couramment proposé, y compris dans des restaurants de luxe.

Beaucoup de restaurants livrent les repas à domicile *(delivery),* pour une somme modique. Une dernière remarque : les New-Yorkais mangent constamment entre les repas, ce qui explique, en partie, le grand nombre de personnes... corpulentes.

Les établissements

On peut manger à n'importe quelle heure aux États-Unis : de brèves interruptions de service se produisent entre le déjeuner et le dîner, et les restaurants servent tard le soir. Enfin, quel que soit l'endroit où l'on choisit de se restaurer, le rapport qualité-prix est généralement excellent.

Les **coffee-shops** ou **snack bars** dispersés dans toute la ville proposent des sandwiches ou des plats simples et un service rapide. On peut s'asseoir au comptoir ou à une table. Ces établissements sont très fréquentés aux heures du *breakfast* et du *lunch*.

Les **délis** ou **delicatessen** servent toute sorte de sandwiches de charcuteries et de plats (souvent de la cuisine juive, d'Europe centrale ou orientale). On s'asseoit à une table, ou bien on emporte son repas. Le service y est en général moins rapide que dans un *coffee-shop*.

Les restaurants proprement dit sont également très nombreux à New York et vous aurez sûrement l'embarras du choix en ce qui concerne la cuisine et les prix. Aux États-Unis, la viande est normalement servie très cuite *(well done)*. Si l'on souhaite sa viande bleue ou saignante *(very rare)* ou à point *(medium)*, il faut clairement le spécifier.

La gamme de restaurants va du traditionnel **steak house** au restaurant gastronomique. Les grandes cuisines européennes, asiatiques et mêmes africaines ont trouvé de nombreux adeptes sur les rives de l'Hudson. Le palais des Américains s'est rapidement habitué aux épices, condiments et piments des cuisines étrangères, et leur goût s'est beaucoup raffiné.

Aujourd'hui, les grands chefs sont légion à New York, où la concurrence est de plus en plus vive. En outre, les nouvelles cuisines française et italienne ont bouleversé les habitudes et inspiré le renouvellement de la cuisine traditionnelle américaine.

Les boissons

Les Américains boivent souvent entre les repas et apprécient les boissons gazeuses avec beaucoup de glaçons. En s'attablant dans un restaurant, on se verra offrir un verre d'eau glacée, mais on aura plus de difficulté à commander un verre d'eau minérale, bien que quelques sources soient commercialisées et que l'on puisse trouver du *Perrier*. L'éventail des *soft drinks*, boissons non alcoolisées, est beaucoup plus large ; nombreuses sont à rapprocher des limonades *(seven up, sprite, team...)* et puis il y a le *Pepsi* et le *Coca-Cola* de réputation internationale ; les gourmands commanderont un *milk-shake* ou un *ice-cream soda* (boule de glace parfumée mélangée à un verre de lait ou de boisson gazeuse) ; thé ou café glacé rafraîchiront durant les chaudes après-midi d'été.

Le café léger, souvent servi à volonté au prix de la première tasse, n'a rien à voir avec l'*expresso* que l'on obtient dans les restaurants italiens. De plus en plus de restaurants ont des *espresso machines*, mais il faut penser à poser la question.

La bière surprend par sa légèreté. On y prend rapidement goût, et le nom de Milwaukee, capitale américaine de la brasserie, est célèbre. Le bourbon, le whisky américain, le plus souvent originaire du Kentucky, a ses lettres de noblesse, ses grandes marques, ses subtiles différences, comme l'écossais ou l'irlandais. Quant au gin et à la vodka, ils sont à la base d'innombrables recettes de cocktails ; un domaine qui vaut, lui aussi, la peine d'être exploré. On les trouvera dans les *Cocktail lounges*, les *Bars* et les *Taverns*.

Le vin

80 % des vignobles américains se trouvent en Californie, le reste se répartissant le long des Grands Lacs, dans l'État de New York surtout. En deux ou trois décennies, le vignoble californien est devenu l'un des plus réputés du monde.

Le vin californien de qualité paraît souvent court en bouche. Pour certains cépages, il peut souffrir d'un défaut d'acidité, voire d'une excessive richesse en alcool. Mais il peut quelquefois soutenir la comparaison avec les meilleurs crus français. La complexité du pinot reste pour la Californie un problème non résolu. On pense que l'avenir de la vigne se situe davantage dans l'Oregon et l'État de Washington, aux climats et terroirs plus favorables. La vigne est cependant cultivée partout : à l'est désormais avec des *Vinifera* (Virginie, par exemple), au sud (le Texas obtient quelques bons résultats, de même que le Nouveau-Mexique), etc.

Parmi les cépages californiens, citons le cabernet sauvignon, le chardonnay, le johannisberg riesling, les pinots blanc et noir, merlot, sauvignon blanc, zinfandel... Le cabernet sauvignon donne traditionnellement du vin de grande qualité, et le chardonnay, des vins secs, venant généralement des comtés Napa et Sonoma. Ces vins sont aujourd'hui parmi les meilleurs du monde.

ENFANTS

Activités diverses

Young Visitors, 175 W 88th St., ☎ 595-8100. Des excursions commentées en anglais, conçues pour les enfants de tout âge.

AT & Info Quest Center, 550 Madison Ave. et E 56th St., ☎ 605-5555. *Ouv. du mer. au dim. de 10 h à 18 h, le mar. de 10 h à 21 h (gratuit), fermé les lun. et jours fériés.* Situé dans le building AT & T, tout savoir sur les techniques de la communication, robots et ordinateurs.

Empire State Building et le Guinness World Record Exhibit Hall, 5th Ave. et 34th St., ☎ 736-3100. *Ouv. tous les jours, de 9 h 30 à 18 h ;* gratuit pour les moins de cinq ans.

Babysitters

Babysitter's Association, ☎ 865-9348.

Babysitter's Guild, 60 E 42nd St., suite 912, ☎ 682-0227. *Ouv. tous les jours de 9 h à 21 h.* Prix assez élevés, 4 h minimum. Pour les touristes, ils peuvent trouver des arrangements.

CASH, Student Employment Office, 21 Washington Place, ☎ 598-2971. *Ouv. du lun. au ven. de 9 h à 17 h.* Cet organisme dépend de NYU (étudiantes).

Défilés ou parades

New York adore les parades ; c'est la liesse dans les rues. Elles sont si fréquentes qu'on ne peut pas en dresser un strict calendrier. En voici quelques-unes, parmi les plus célèbres :

Easter Parade, à Pâques (la date varie tous les ans), sur la 5e Avenue.

Halloween, ou Nuit des Sorcières, le 31 oct. La parade se déroule le soir, à partir de 18 h, sur la 6e Avenue, à Greenwich Village. Tout le monde se déguise et les enfants en profitent pour ramener à la maison des friandises qu'on leur a données après la menace *treat or trick* (approximativement : « si vous êtes gentils avec nous et si vous nous donnez des bonbons, on vous laisse en paix, sinon... », suivi d'un air lourd de menaces).

Fête de l'Indépendance, le 4 juillet. Parade patriotique et colorée. Feux d'artifice sur l'Hudson River, et Harbor Festival, Fête du port.

Thanksgiving, le jour de la dinde farcie et de la « cranberry sauce ». Parade de Central Park vers le grand magasin Macy's (Herald Square).

Musées pour enfants

American Museum of the Moving Image, Zukor Theater, 34-31 35th St., Astoria, Queens, ☎ (718) 784-4742. *Ouv. du mar. au ven. de 12 h à 16 h, sam. et dim. de 12 h à 18 h.* Les premiers studios de cinéma sur la côte est entre 1919 et 1942. Valentino, Paula Negri... y ont travaillé.

American Museum of Natural History, Central Park W. et 79th St. ☎ 769-5100. *Ouv. t.l.j. de 10 h à 17 h 45.* De riches collections pour un des plus grands museum d'histoire naturelle du monde.

Brooklyn Children's Museum, 145 Brooklyn Ave., à Eastern Parkway and Atlantic Ave., ☎ (718) 735-4432. *Ouv. les mer., jeu. et ven. de 14 h à 17 h, les sam. et dim. de 12 h à 17 h, fermé lun. et mar.* Le musée est destiné aux enfants depuis 1899 ; ce pionnier a depuis acquis de nouvelles collections entre autres dans les domaines des sciences et techniques, de l'histoire et des sciences naturelles. Plus de 40000 objets.

New York polyglotte : autour de téléphones publics un blanc, un noir et un juif orthodoxe, réunis le temps d'un appel.

Children's Museum of Manhattan, 212 W 83rd St., ☎ 721-1234. *Ouv. t.l.j., sf mar., de 13 h à 17 h, le sam. de 12 h à 17 h.* Davantage un endroit où les enfants sont appelés à participer qu'un musée où ils contempleraient les objets d'art. Ici, beaucoup de manipulations, dans des domaines variés (histoire, nature).

Intrepid Sea Air Space Museum, Pier 86 W 46th St. et Hudson River, ☎ 245-0072. *Ouv. du mer. au sam. de 10 h à 17 h, t.l.j. en été (dernières admissions à 16 h, tarifs de groupes avec réservations).* Célèbre vaisseau de guerre transformé en musée géant. Les pionniers de l'aviation, les capsules Apollo, des films sur la Seconde Guerre mondiale ; on peut prévoir d'y passer une demi-journée.

Staten Island Children's Museum, à Snug Harbor, Staten Island, 1000, Richmond Terrace, building M. ☎ (718) 273-2060. De Manhattan, prendre le Staten Island Ferry à Battery Park, puis le bus nº 40 de Richmond Terrace à Snug Harbor (musée). *Ouv. du mer. au ven. de 13 h à 17 h, les sam., dim. et jours fériés de 12 h à 17 h, fermé les lun. et mar. (sauf pendant les vacances scolaires).*

Richmondtown Restoration, New York City Original, à Staten Island, ☎ (718) 351-1611. Par le Staten Island Ferry, puis prendre le bus nº 74 jusqu'à Richmond Road et Court Place. Marcher jusqu'au Bureau des Visiteurs (Courthouse Visitor's Center). Village colonial restauré sur mesure pour un pique-nique en famille. Les artisans y travaillent comme au temps des premiers colons. *Ouv. du mer. au ven. de 10 h à 17 h, les sam. et dim. de 13 h à 17 h.*

Noël

Les grands magasins rivalisent d'inventivité pour la décoration des vitrines. Un immense sapin illuminé se dresse à Rockefeller Center devant le RCA Building ; Trump Tower sur la 5e Avenue s'orne de sapins illuminés, les maisons se parent de Pères Noël gonflables...

Il est difficile d'élire la plus belle vitrine. En général, chacune adopte un thème et monte de véritables spectacles qu'enfants et adultes font la queue pour admirer. Dès le début de novembre, on perçoit l'agitation que cela entraîne. Les vitrines sont voilées de grandes tentures que l'on enlève petit à petit. La plupart des grands magasins se trouvant sur la 5e Avenue, il est facile de voir l'ensemble en une après-midi.

Quelques adresses prestigieuses : **Lord & Taylor,** 38th St. et 5th Ave. (la plus célèbre des décorations de Noël). — **Saks,** 5th Ave. et 50th St. — **FAO Schwartz,** GM Building, 5th Ave., entre les 58e et 59e rues. — Crèche napolitaine au **Metropolitan Museum,** 5th Ave. et 82nd St. (département d'art médiéval).

Théâtre

Hartly House Theater, 413 W 46th St. et 9th Ave., ☎ 246-9885. *Ouv. les sam. et dim.* 5 à 6 spectacles par an.

Little's People Co., Courtyard Playhouse, 39 Grove St. et 7th Ave., un bloc sud de la 4e rue W, ☎ 765-9540. *Ouv. d'oct. à juin ; 2 représentations les après-midi de week-end à 13 h 30 et 15 h.* Les enfants (3 à 8 ans) participent au spectacle.

Apple Magic Productions, 400 Lafayette ☎ 529-6659.

FÊTES ET AUTRES MANIFESTATIONS

Janvier

Nouvel An Chinois *(Chinese New Year's Festival),* première lune après le 19, cavalcade et feu d'artifice à Chinatown.

Masters (Championnats de tennis), Madison Square Garden.

Février

Foire nationale des Antiquaires *(National Antiques Show),* sur la 2e Avenue et la 32e rue, pour les vrais amateurs d'antiquités.

Lantern Day, la 15e nuit de la nouvelle année chinoise, à Chinatown et City Hall.

Mars

Fête de la Saint-Patrick *(St. Patrick's Day),* le 17, défilé des Irlando-Américains, le long de la 5e avenue. Les Américains étant pour beaucoup de souche irlandaise, c'est la plus grande fête ethnique new-yorkaise. Vous devrez porter un œillet vert ou quelque chose de vert, couleur nationale des Irlandais.

Défilé du Cirque Ringling Brothers et Barnum and Bailey, fin mars-début avr., au Madison Square Garden (7e Avenue et 33e rue).

Avril

Ouverture de la saison de **base-ball.**

Exposition d'œufs peints au Musée ukrainien, 2e Avenue et 12e rue.

Easter Parade *(Easter Sunday Fashion Parade),* le dimanche de Pâques, sur la 5e Avenue, entre les 48e et 59e rues. Défilé spontané où les New-Yorkais s'habillent avec imagination.

Mai

Ninth Avenue Street Festival, festival gastronomique ou Paddy's Market, entre les 37e et 59e rues. Musique, dégustation, et bateleurs.

Martin Luther King's Day, le 17, défilé sur la 5e Avenue.

Washington Square Outdoor Art Show, fin mai-début juin et fin août-début sept., exposition d'art en plein air à Washington Square (Greenwich Village).

Memorial Day, dernier lundi du mois.

Juin

Museum Mile, début juin, les musées situés entre la 82e et la 106e rue sur la 5e Avenue, ouvrent gratuitement, un soir par semaine, de 18 h à 21 h.

Shakespeare Festival, des représentations du répertoire shakespearien au Delacorte Theater à Central Park.

Metropolitan Opera, concerts, théâtre, danse, jazz, rock, tout au long de l'été.

Summer Festival, concerts au musée Guggenheim, au MOMA, au Rockefeller Center, et au South St. Seaport, tout au long de l'été.

Puerto Rican Day, le premier dimanche, défilé portoricain sur la 5e Avenue, de la 44e à la 86e rue.

Fête de Saint-Antoine, au début du mois, dans le quartier italien de Greenwich Village.

Cool Jazz Festival, fin juin-début juillet, des concerts pendant 10 jours dans la capitale mondiale du jazz.

Lower East Side Jewish Festival, mi-juin, sur East Broadway.

Juillet

Independence Day, le 4 juillet, feux d'artifice offerts par Macy's (à la pointe de Manhattan). Des régates, de la musique au South St. Seaport.

East of Obon, le sam. le plus proche de la pleine lune, fête japonaise dans Riverside Park (103e rue).

Festival Mozart *(Mostly Mozart)* mi-juil. à fin août, au Lincoln Center, des concerts en plein air.

Washington Square Music Festival, dans Greenwich Village.

Août

U.S. Open (championnats de tennis), à Flushing Meadows (Queens).

St. Stephen's Day, le dim. le plus proche du 28, fête des catholiques hongrois avec cavalcade sur la 5e Avenue.

Septembre

Labor Day, premier lundi de septembre.

Festa di San Gennaro, mi-sept., grand festival de Little Italy sur Mulberry St.

New York Film Festival, fin sept. à mi-oct., Alice Tully Hall, au Lincoln Center : le plus important festival cinématographique de New York.

Octobre

Pulaski Day Parade, début du mois, fête des Polonais sur la 5e Avenue.

Columbus Day parade, deuxième lundi du mois, fête de la découverte des Amériques, sur la 5e Avenue, défilé de tous les Latino-américains.

Marathon de New York, dernier dim. du mois. Cet événement rassemble plus de 20 000 participants du Verrazano-Narrows Bridge (Staten Island) à Central Park (67e rue).

Parade d'Halloween, le 31 (au soir), dans Greenwich Village, Ave. of the Americas. Les gens du Village se déguisent follement. Fêtes partout dans Downtown.

Ouverture de la saison du Philharmonic Orchestra.

Novembre

National Horse Show, début du mois, concours hippique à Madison Square Garden.

Veterans Day/Armistice Day, le 11 novembre.

Thanksgiving Day Parade, dernier jeu. du mois, défilé offert par le grand magasin Macy's (Broadway et 34e rue). Des personnages de Walt Disney et de bandes dessinées défilent dans les rues.

Décembre

Début du mois, **sapins de Noël** géants au Rockefeller Center, insolites au Museum d'histoire naturelle et au MOMA.

Richmond Restoration, début du mois, célébration de Noël en costumes d'époque.

Nuit de Chanukah, pendant la semaine de Noël, avec illuminations aux flambeaux à City Hall.

Le 31 décembre, à Times Square, des dizaines de milliers de New-Yorkais attendent le Nouvel An. A minuit, les klaxons des voitures, les sirènes des bateaux, les cris des gens se mêlent pour saluer l'année qui commence.

FUMER OU NE PAS FUMER?

Aux termes d'une loi récente, il est interdit de fumer dans la plupart des magasins, restaurants, banques, transports y compris taxis, lieux de travail et établissements publics de la Big Apple. Des sections « fumeurs » *(Smoking)* sont prévues dans les halls d'hôtels et les gares.

Attention aux fumeurs : les restaurants de plus de cinquante couverts sont désormais tenus de consacrer une partie de leur salle aux non-fumeurs. N'oubliez donc pas de demander à être placé au bon endroit. Les amendes sont lourdes pour les contrevenants : 50 $ par personne.

HÉBERGEMENT

L'hébergement à New York coûte cher : il absorbe souvent une grande partie du budget de séjour.

Hôtels

La ville étant inégalement desservie par les transports en commun, tenez-en compte lorsque vous choisissez votre hôtel. La plupart sont concentrés dans Midtown et Uptown, Downtown ne possédant que quelques rares établissements. Vous trouverez, en fin d'ouvrage, une liste d'hôtels classés quartier par quartier (p. **226**).

Il est souvent difficile de trouver une chambre à New York, il faut donc absolument réserver à l'avance. De nombreux hôtels proposent des tarifs « week-end » à des prix très intéressants (jusqu'à 50 % de rabais).

Une taxe de 8 % est perçue en sus des prix affichés, ce qui augmente sensiblement la facture au moment du règlement. Ne l'oubliez pas! Attention : le service téléphonique de l'hôtel, souvent très efficace, peut être facturé à prix d'or.

Pourboires ou tips

1 $ minimum aux portiers ou chasseurs lorsqu'ils hèlent un taxi ou vous aident à descendre. Le porteur sera rémunéré au nombre de bagages (1 $ environ par pièce).

Pour le reste, le service n'est pas compris. Le calcul du pourboire se fait en doublant le montant de la taxe qui figure en bas de l'addition.

Bed & Breakfast

Il existe quelques *Bed & Breakfast* à New York. Nous vous en fournissons ici une liste. Il suffit d'écrire pour recevoir une brochure détaillée de leurs activités et le mode d'emploi. Vous pourrez louer seul ou à plusieurs. Prévoyez votre location assez longtemps à l'avance.

Les prix s'échelonnent entre 35 $ et 75 $ pour une personne; à partir de 100 $ pour 4 personnes. Cartes de crédit : AE, MC, Visa.

Bed and Breakfast Accomodation Abode, 520 E. 76th St., ☎ 472-2000. *Ouv. du lun. au ven. de 9 h à 16 h.* 200 appartements environ à Manhattan ; une façon plus personnelle de rencontrer les New-Yorkais. Réserver très longtemps à l'avance.

City Light Bed & Breakfast, Ltd, 300 E. 79th St., PO Box 20-355, Cherokee Station, NY 10024, ☎ 737-7049.

New World Bed & Breakfast, 150 5th Ave, suite 711, NY 10011, ☎ 675-5600. Fondé en 1983 ; quelque 100 appartements à New York. Équipe dynamique augmentant sans cesse son « parc » de logements.

Urban Ventures, 306 W. 38th St., PO Box 426, NY 10024, ☎ 594-5650. *Ouv. du lun. au sam. de 9 h à 17 h.* Créé en 1979 ; 600 appartements env.

Les YMCA ou YWCA (Young Men's — ou Women's — Christian Association)

On pourrait comparer ce système aux auberges de jeunesse européennes ; à l'origine, ce service était offert par l'Église catholique. Le confort y est limité. Beaucoup d'Américains — des jeunes et moins jeunes — y séjournent à l'année.

Liste disponible auprès de YMCA c/o UCJC (Union chrétienne des jeunes gens), 5, place de la Vénétie, 75643 Paris Cedex 13 (☎ 45-83-24-97). YMCA est présent également en province.

YMCA Mc Burney, 215 W 23rd St., entre les 7e et 8e Avenues, NY 1001, ☎ 741-9226. 279 chambres.

YMCA Sloane House, 356 W 34th St., entre les 8e et 9e Avenues, NY 1001, ☎ 760-5850. 1 492 chambres.

YMCA Vanderbilt, 224 E 47th St., entre les 2e et 3e Avenues, NY 10025, ☎ 755-2410. 439 chambres. Mixte.

YMCA West Side, 5 W 63rd St., entre Broadway et Central Park West, NY 10023, ☎ 787-4400. 700 chambres. Mixte.

Pour les étudiants

International House, 500 Riverside Drive et 123rd St., ☎ 316-8400. Pour les étudiants, chercheurs, professeurs, à partir de 19 ans. Ce dortoir aux chambres doubles est ouvert de fin mai à début août. On peut louer à la journée (20 $ la première nuit, 13 $ les suivantes), à la semaine ou au mois.

International Student Center, 38 W 88th St., ☎ 787-7706, et 210 W 55th St., ☎ 757-8030. Auberges pour étudiants étrangers. L'une d'elle offre l'avantage d'être située près de Central Park et du musée d'Histoire naturelle. Prix par jour : 6 $; 5 jours de séjour maximum.

Échanges

Pour ceux qui veulent échanger leur logement en Europe contre un autre à New York, l'Association **STILE** (9, rue Charcot, 92200 Neuilly-sur-Seine, ☎ 47-47-28-88) propose des listes d'adresses à ses adhérents. Il faut s'y prendre longtemps à l'avance.

Location d'appartement

Si vous prévoyez un long séjour à New York et souhaitez avoir le confort d'un appartement (à partager ou pas), n'hésitez pas à passer une petite annonce dans le *Village Voice*. Les réponses sont rapides et sérieuses. C'est une solution pour se loger à des tarifs intéressants.

HEURE LOCALE

Il y a 6 h de décalage horaire entre New York et Paris. En raison des changements d'heures (été/hiver), ce décalage est de 7 h en avril et de 5 h en octobre.

En clair, quand il est 19 h à Paris, il n'est que 12 h à New York (en avril). Et en octobre, quand à Paris il est 17 h, il est 12 h à New York.

L'heure est indiquée par des chiffres allant de 1 à 12 complétés par les lettres a.m. (*ante meridiem,* avant midi) ou p.m. (*post meridiem,* après midi) : 1 a.m. = 1 h du matin, 1 p.m. = 13 h. On ne se fera jamais comprendre en disant : «il est vingt heures trente».

Horloge parlante : 976-1616.

HORAIRES

Banques

Elles sont ouvertes généralement du lundi au vendredi, de 9 h à 15 h, parfois jusqu'à 16 h. Quelques agences restent ouvertes plus tard le jeudi soir ou le samedi matin.

Bureaux

Beaucoup de bureaux ouvrent au public à 9 h, mais on y travaille dès 8 h. N'hésitez donc pas à téléphoner tôt.

Circulation

New York roule à toute heure du jour et de la nuit. Comparée à Paris, la circulation du dimanche est surprenante.

Les heures de pointe aux jours ouvrables sont assez prolongées : de 7 h 30 à 9 h et de 17 h à 18 h, avec des marges d'une heure avant et après.

Magasins et boutiques

Les grands magasins et les boutiques de vêtements ouvrent de 9 h à 18 h ; nocturnes le jeudi jusqu'à 20 h ou 21 h. Dans les quartiers «jeunes» et «branchés» — tels Greenwich Village, East Village, SoHo — les boutiques et galeries n'ouvrent pas avant 12 h.

Attention : La plupart des boutiques d'appareils électroniques et de matériel photographique appartiennent à des orthodoxes juifs et sont donc fermées le samedi. N'attendez pas le week-end pour faire vos courses de dernière minute !

Les restaurants

Ils ouvrent en général de 11 h ou 12 h à 15 h et de 18 h à 23 h. Beaucoup de cafétérias, snack-bars et *delis* servent sans interruption de 7 h à 20 h. Les New-Yorkais prennent tôt leurs repas : de 11 h à 13 h et de 18 h à 19 h 30.

INFORMATIONS TOURISTIQUES

Les services d'informations aux touristes sont nombreux. Le syndicat d'initiative de la ville s'appelle le **Convention and Visitors Bureau,** situé au 2 Columbus Circle, IV, B2 ☎ 397-8222. Métro : Columbus Circle/59th St. (lignes 1, A, B, C, D). *Ouv. tous les jours de 9 h à 18 h, les week-ends et jours fériés de 10 h à 18 h.*

Annexe, Times Square Information Center, 207 43rd St. et Broadway.

Il est conseillé de téléphoner ou d'y aller dès le début de votre séjour. Le personnel, très aimable, parle plusieurs langues (dont le français) et vous fournira cartes, plans, brochures et commentaires.

Quelques numéros de téléphone

Belmont Racing Results, ☎ 976-2323 ;

Dpt. of Parks & Recreation, public information, ☎ 360-8141 ou 360-1333 ;

Informations touristiques générales : 397-8222.

Jazzline : 463-0200 (l'actualité du jazz à New York) ;

WNCN Concert Line : 921-9129 (les concerts de musique classique) ;
Ticket Master : 555 W. 57th St., ☎ 307-7171 (pour obtenir des billets de théâtre à moitié prix).

JOURS FÉRIÉS

1er janvier : Jour de l'An *(New Year's Day).*

17 janvier : anniversaire de Martin Luther King *(Martin Luther King's Birthday).*

12 février : anniversaire de Lincoln *(Lincoln's Birthday).*

3e lundi de février : anniversaire de George Washington *(Washington's Birthday).*

Mars ou avril : Vendredi saint *(Holy Friday).*

Dimanche de Pâques *(Easter Sunday).*

Dernier lundi de mai : Memorial Day. Correspond à l'ouverture des plages (c'est-à-dire de tous les moyens de transport) de Long Island.

4 juillet : Independence Day, fête nationale.

1er lundi de septembre : Labor Day. Date de fermeture des plages et premier jour de la rentrée (l'équivalent de notre 1er mai).

2e lundi d'octobre : Columbus Day.

Yom Kippur (date variable) : Nouvel An juif.

Mardi après le 1er lundi de novembre : Election Day (tous les 4 ans pour l'élection présidentielle).

11 novembre : Veteran's Day.

Dernier jeudi de novembre : Thanksgiving Day (actions de grâce rendues en l'honneur des premiers immigrants).

25 décembre : Noël *(Christmas).*

Mais à New York, nombre de magasins, restaurants et bars restent ouverts pendant ces fêtes car le mélange d'ethnies est tel que personne ne célèbre les mêmes fêtes au même moment. Thanksgiving est la plus respectée et Yom Kippur vide la ville de ses habitants.

LANGUE

L'américain *(american english)*, se différencie du *british english* par l'accent, les expressions et l'usage de certains mots.

Voici quelques mots et expressions courantes :

A point .... *Medium*
Ascenseur .... *Elevator*
Automne .... *Fall*
Bien cuit .... *Well-done*
Billet aller-retour .... *Round-trip ticket*
Billet aller simple .... *One-way ticket*
Boîte de conserve .... *Can*
Cinéma .... *Movie*
Code postal .... *Zip code*
Courrier .... *Mail*
Enfants .... *Kids*
Essence .... *Gasoline, gas*
Flic .... *Cop*
Guichet .... *Ticket booth ou Ticket office*
Magasin .... *Store*
Nom de famille .... *Last name ou family name*
Pantalons .... *Pants*
Pharmacie .... *Drugstore, ou Discount store*
Placard .... *Closet*
Premier étage .... *Second floor*
Prénom .... *First name*
Quai (train, métro) .... *Track*
Quai maritime .... *Dock*
Rasoir .... *Razor blade*
Réparer .... *To fix*

Restaurant (salle de)	*Dining room*
Rez-de-chaussée	*First floor*
Salon	*Lounge*
Second étage	*Third floor*
Tampons	*Tampons*
Téléphone (longue distance)	*Long distance call*
(P.C.V.)	*Collect call*
Toilettes	*Rest room*
(femmes)	*(ladies)*
(hommes)	*(men's room)*
Trottoir	*Sidewalk*
Type, mec, gars	*Guy*
Vacances	*Vacation*
Vestiaire	*Checkroom, cloakroom*

Quelques expressions familières :

Cool, groovy, far out, solid, fine, great	Super, d'accord
Cool out!	Du calme!
How are you doing? Yo what's happ'ning?	Comment ça va?
Munchies	Petite faim urgente nécessitant un repas rapide (style fast food)
To nosh	Pignocher
To rap, rapping	Bavarder, bavardage
Rip off	Voler, piquer
What a drag!	Quelle barbe! quel ennui!

Slangs et accents new-yorkais

New York est très riche en *slangs* (argots). Ses couches successives d'immigrants ont laissé des expressions ou des accents caractéristiques. A Harlem règne l'accent des Noirs, l'anglais du Barrio a une forte influence espagnole, l'accent des Juifs ashkénazes s'est imposé à Brooklyn, comme l'accent chinois à Chinatown.

LIEUX DE CULTE

Parmi les centaines de lieux de culte à New York, nous avons sélectionné les plus connus et les plus accessibles.
Voir aussi p. **38**, « Quelques adresses françaises ».

Églises catholiques

Church of Our Saviour, 59 Park Ave. et 38th St., ☎ 679-8166.

Holy Apostles, 300 9th Ave. et 29th St., ☎ 807-6799.

St. Patrick's Cathedral, 5th Ave. et 50th St., ☎ 753-2261.

Temples protestants

St. Bartholomew's, 109 W 50th St. et Park Ave., ☎ 751-1616. (Épiscopale.)

St. Thomas, 5th Ave. et 53rd St., ☎ 757-7013. (Épiscopale.)

Synagogues

Fifth Avenue Synagogue, 5 E 62nd St., ☎ 838-2122.

Spanish and Portuguese Synagogue, 8 W 70th St., ☎ 873-0300.

Temple Emanu-El, 1 E 65th St. et 5th Ave., ☎ 744-1400.

MÉDIAS

Journaux

Quotidiens

The New York Times : une institution new-yorkaise aux informations complètes et sérieuses. Le *Sunday New York Times* du week-end, découpé en sections et pesant plus d'un kilo, est un événement à ne pas man-

Le New York Times *dominical,* Sunday New York Times, *est une lourde institution : un kilo de papier imprimé, une journée de lecture pour le New-Yorkais.*

quer. Sa lecture attentive vous apprendra tout sur les loisirs, l'immobilier, la culture, la mode et le monde des affaires de la Big Apple.

Wall Street Journal : autre source d'information, mesurée, plus axée sur les nouvelles économiques et boursières.

Le *Daily News,* le *New York Newsday* et le *New York Post* contiennent davantage de scandales, de potins, de gros titres et de photos.

Hebdomadaires

New York Magazine : l'hebdomadaire des *yuppies* (*Young Urban Professional,* ou «jeune cadre dynamique»). Intéressant pour ses articles de fond sur des thèmes new-yorkais et ses pages loisirs. Sélection de restaurants, de films (sans horaires), de concerts, d'excursions, etc. Sa rubrique *Sales and Bargains* fournit quelques tuyaux sur les soldes. C'est *le* magazine de New York.

The New Yorker : le magazine préféré de la gauche intellectuelle new-yorkaise. Articles sur le théâtre, le cinéma, l'opéra, la littérature. Son point fort est d'engager des écrivains connus qui, chaque semaine, publient un récit. Très bonne sélection des événements culturels.

The Village Voice : non-conformiste, contestataire, très sensible à l'air du temps. Tous les événements nocturnes importants y figurent. Cet hebdomadaire est célèbre pour ses articles sur l'art, le théâtre et la musique. Petites annonces en tout genre (particulièrement utiles pour la recherche d'appartements).

Mensuels

Esquire : le magazine de l'homme moderne. Une institution depuis les années 30 ; les plus grandes plumes y traitent de tous les sujets.

Rolling Stone : bimensuel destiné aux amateurs de culture rock, blues ou jazz. Longues interviews de personnalités en vue et excellents articles de fond sur l'actualité. Une légende !

Radio et télévision

A New York, les amoureux de la T.V. et de la radio seront comblés : la ville possède 7 chaînes T.V., plusieurs chaînes câblées et plus de 50 stations de radio. Quelques-unes d'entre elles fonctionnent 24 h sur 24.

Télévision

Les 3 grandes chaînes sont **A.B.C.**, **C.B.S.** et **N.B.C.** **P.B.S.** est une chaîne culturelle subventionnée, aux émissions souvent passionnantes.

Les chaînes câblées sont des chaînes payantes auxquelles la plupart des grands hôtels sont abonnés. Elles vous réserveront des surprises : des films haut de gamme, mais aussi des émissions invraisemblables produites par des sectes religieuses, des associations pornographiques ou des psychiatres, des conversions religieuses en direct, des aveux intimes télévisés et des numéros de téléphone de call-girls...

Pour les amateurs de vidéo-clips, les chaînes **M.T.V.** (par câble) et **Channel 68** proposent des programmations non-stop.

Radio

Voici un choix des stations-radios de la région new-yorkaise :

W.N.E.W. (102.7 F.M.), *Rock around the clock,* les grands tubes. — **W.D.R.E.** (92.7 F.M.), le rock des nouveaux groupes américains ou anglais. — **W.C.B.S.** (100.1 F.M.), un solide mélange de classiques du rock, des années 50 à aujourd'hui. — **W.Y.N.Y.** (103.5 F.M.), pour les inconditionnels du *country and western.* — **W.N.Y.C.** (93.9 F.M.), la station de musique classique. **W.B. 40** (88 F.M.), jazz 24 h sur 24.

PARCS ET JARDINS

Les 5 *boroughs* de New York possèdent 1 700 km de parcs, jardins et espaces verts. Zoos et jardins botaniques ont été conçus avec génie et miraculeusement préservés des vagues de construction qui agitent périodiquement New York. Au printemps et en été, les promenades et les pique-niques y sont partout encouragés. Le soir, des concerts et des représentations théâtrales y sont proposés.

Ci-dessous, une sélection dont vous trouverez les descriptions dans les itinéraires :

Central Park

En plein centre de Manhattan, **Central Park** (voir p. **117**) est un havre de paix. N'hésitez pas à le parcourir et profitez des multiples activités qu'on peut y trouver. Néanmoins, ne vous y promenez pas seul(e) le soir et évitez les endroits isolés.

Jardins botaniques

Brooklyn Botanic Garden, 1000 Washington Ave., Brooklyn, ☎ (718) 622-4433. Métro : Eastern Parkway/Brooklyn Museum (ligne 2) ou Prospect Park/Empire Blvd.-Flatbush Ave. (lignes D, Q, S). *Fermé le lun. D'avr. à sept. : du mar. au ven. de 8 h à 18 h, les sam., dim. et jours fériés de 10 h à 18 h. D'oct. à mars : du mar. au ven. de 8 h à 16 h 30, les sam., dim. et jours fériés de 10 h à 16 h 30.* Voir aussi p. **218**.

New York Botanical Garden, Southern Blvd. et Webster Ave., Bronx, ☎ 220-8700. Métro : Bedford Park Blvd./Grand Concourse (ligne D). *Ouv. tous les jours de 10 h à 16 h;* gratuit pour les moins de 6 ans. Situé dans le Bronx Park, des hectares et des hectares d'arbres, de fleurs et de plantes extraordinaires. Voir aussi p. **215**.

Zoos et aquariums

Bronx Zoo, Fordham Road et Bronx River Parkway, ☎ (212) 220-5100. Métro : Bronx Park East (ligne 2); E 180th St. (lignes 2, 5).

Marcher jusqu'à l'entrée Bronxdale. *Ouv. toute l'année, à partir de 10 h, du lun. au sam. jusqu'à 17 h, les dim. et jours fériés jusqu'à 17 h 30 ; en nov., déc. et janv. jusqu'à 16 h 30.* Gratuit les mar., mer. et jeu., et pour les moins de 2 ans. Les enfants de moins de 16 ans doivent être accompagnés. Un « must » ! Une pépinière d'activités et de découvertes. Voir aussi p. **215**.

New York Aquarium, Surf Ave., et W 8th St., Brooklyn, à Coney Island, ☎ (718) 265-3474. Métro : W 8th St./NY Aquarium (lignes D, F). Un pont pour les piétons vous amène directement à l'entrée. *Ouv. toute l'année, de 10 h à 16 h 45, à 17 h 45 le week-end. En hiver, le Children's Cove et les spectacles de dauphins sont fermés.* Gratuit après 14 h, du lun. au ven. (sauf jours fériés). Voir aussi p. **218**.

POIDS ET MESURES

Liquides

1 *pint* = 0,473 litre	1 litre = *2,1 pints*
1 *quart* = 0,946 litre	1 litre = *1,0 quart*
1 *gallon* = 3,785 litres	1 litre = *0,2 gallon*

Longueurs et distances

1 *inch* (pouce) = 2,54 cm	1 cm = *0,033 foot*
1 *foot* (pied) = 30,48 cm	1 mètre = *1,09 yard*
1 *yard* = 91,4 cm	
1 *mile* = 1,609 km	1 kilomètre = 0,62 mile

Poids

1 *oz* (ounce-once) = 28,35 g	100 g = *3,5 oz*
1 *lb.* (pound-livre) = 453,5 g	1 kg = *1,2 lb. (pound-livre)*
1 *ton* = 0,9 tonne	1 tonne = *1,1 ton*

Superficies

1 *mile*^{2} = 2,5 km^2	1 m^2 = *1,1 yard*
1 *acre* = 0,4 hectare	1 km^2 = *0,3 mile*
	1 hectare = *2,4 acres*

POSTE ET TÉLÉCOMMUNICATIONS

Poste

Central Post Office, 8th Ave. et W 33rd St., NY 10001, ☎ 967-8585. *Ouv. tous les jours, 24 h sur 24.*

Une autre adresse : Lexington Ave. et 45th St., NY 10017, dans l'East Side, *bureau ouv. les dim. et fêtes de 11 h à 15 h, les samedis de 9 h à 13 h.*

En général, les bureaux de poste sont ouverts de 8 h à 18 h, du lundi au vendredi, et les samedis de 9 h à 13 h.

Deux tarifs pour le **courrier** : carte postale, 33 cents (pour l'Europe) ; lettre par avion, 44 cents ou plus selon le poids (doubler si la lettre pèse plus d'une 1/2 once). Il faut compter un délai d'une semaine environ dans le sens États-Unis-Europe.

Les timbres s'achètent à la poste, au guichet, ou dans les distributeurs automatiques (dans ce cas, se munir de monnaie). On trouve des timbres dans les bureaux de tabac mais ils sont vendus beaucoup plus chers.

Attention : il n'y a pas de cabines téléphoniques dans les bureaux de poste.

Télégrammes : s'adresser à **Western Union,** ☎ (800) 325-6000.

Poste restante : les lettres doivent porter la mention « General Delivery, c/o (nom de la ville) Main Post Office ».

Téléphone

Nombreuses cabines téléphoniques dans toute la ville, le plus souvent en état de marche. Si vous n'en trouvez pas dans la rue, essayez dans une gare. Coût d'une communication urbaine : 25 cents pour les 3 premières minutes. Les cabines ont toutes des numéros de téléphone que l'on peut appeler.

Indicatif téléphonique de Manhattan et du Bronx : 212. Pour Brooklyn, Queens et Staten Island : 718. Pour appeler en-dehors de votre zone, composez le 1 + l'indicatif + le numéro à 7 chiffres.

Exemple : 1 + 718 (indicatif pour Brooklyn) + les 7 chiffres de votre numéro.

Pour avoir l'opératrice, composez le 0. L'opératrice peut composer votre numéro, mais cela coûte plus cher. Pour tout appel en Europe, composez directement le 011 + 33 (indicatif France) + indicatif de la ville + votre numéro. Ou passer par l'opératrice... ce qui est parfois nécessaire si l'on appelle de la rue ou de certains téléphones privés.
Appels en P.C.V. : faites le 0 et demandez un *collect call,* l'opératrice composera pour vous ; pour un appel en P.C.V. avec préavis, demandez un *person to person collect call.*

Renseignements téléphoniques : faites le 411. Pour tout renseignement en-dehors de NYC, faites le 555-1212.

Lorsqu'un numéro de téléphone est précédé de l'indicatif 800, c'est qu'il est gratuit.

Enfin, des **téléphones gratuits** sont installés dans les trois aéroports pour permettre au voyageur de faire localement des réservations d'hôtels.

POURBOIRES ET TAXES

Pourboires

A New York, le service n'est jamais compris et il doit être calculé séparément.

Au restaurant, le serveur attend 15 % du prix du repas. Pour calculer facilement le montant du pourboire, il suffit de doubler la taxe municipale (Tx : 8,25 %) qui figure sur votre reçu. Laissez le montant sur la table.

Il est coutume de donner 15 à 20 % du prix de la course aux chauffeurs de taxis, 10 à 15 % aux coiffeurs.

On ne donne pas de pourboires aux réceptionnistes, aux garçons d'ascenseur, dans les théâtres et les cinémas.

Taxes

La municipalité de New York prélève une taxe de 8,25 % du prix de vos achats (repas, vêtements, cadeaux, hôtels...). Pour éviter, donc, de mauvaises surprises, n'oubliez pas d'ajouter la taxe aux prix affichés dans les restaurants, magasins, etc.

PROGRAMME

Si vous ne disposez que de quelques jours pour visiter New York, nous vous proposons quelques idées pour organiser votre temps. Deux programmes vous permettront de voir l'essentiel de la Grosse Pomme en un week-end et en cinq jours.

Si vous disposez d'une semaine ou plus, n'oubliez pas les innombrables musées de la ville, particulièrement le Guggenheim, le Whitney et la Frick Collection.

Autour de Manhattan, les *boroughs* du Bronx et de Brooklyn méritent une visite.

New York en 1 week-end

Premier jour

Matin : Manhattan en bateau (croisière de 3 heures) : **Circle Line,** Pier

(Quai) 83, en bas de la 43e rue W (sur l'Hudson), ☎ 563-3200. De mi-mars à mi-novembre, tous les 3/4 d'heure, à partir de 9 h 45.

Après-midi : tour en car de Manhattan : **Short Line Tours/American Sightseeing,** 166 W. 46th St., ☎ 354-4740. — **Gray Line,** 254 W. 54th St., ☎ 397-2620. — **New York Big Apple Tours,** 203 E 94th St., ☎ 410-4190.

Soir : Times Square (voir p. **123**).

Second jour

Matin : Empire State Building. — 5e Avenue et Rockefeller Center (voir p. **94 et 106**). — Central Park (voir p. **117**).

Après-midi : Battery Park (voir p. **87**). — Ferry pour la Statue de la Liberté (voir la rubrique « Visite de la ville et excursions organisées », p. **201**).

Soir : sortie et dîner Downtown (voir p. **133, 145**).

New York en cinq jours

Premier jour

Matin : le Financial District (voir p. **85**). — Ferry pour la Statue de la Liberté (voir p. **201**).

Après-midi : City Hall, Chinatown, Little Italy (voir p. **111**).

Soir : dîner à Greenwich Village, SoHo (voir « Où s'arrêter ? » p. **144** et **150**).

Second jour

Matin : **Circle Line** (croisière autour de Manhattan, voir ci-dessus).

Après-midi : 5e Avenue (voir p. **94**). — Museum of Modern Art (p. **183**).

Soir : Times Square (voir p. **123**).

Troisième jour

Matin : E 42nd St. et Nations unies (voir p. **123**). — Park Avenue (voir p. **202**).

Après-midi : Central Park (voir p. **117**). — Metropolitan Museum of Art (voir p. **176**).

Soir : Upper West Side et Lincoln Center (voir p. **151**).

Quatrième jour

Matin : SoHo et Tribeca (voir p. **145**).

Après-midi : les *Villages* (voir p. **133**).

Soir : dans les boîtes du *Village*.

Cinquième jour

Matin : Harlem (voir p. **161**). — La Marketa (voir p. **211**).

Après-midi : St John-the-Divine et Columbia University (voir p. **166**). — The Cloisters et Fort Tryon (voir p. **206**).

Soir : les bars et les restaurants de l'Upper East Side (voir p. **240**).

Les plus belles vues sur New York

New York vue du ciel

Grimpez ! La vue des gratte-ciel donne des ailes.

Empire State Building, 34th St. et 5th Ave., ☎ 736-3100. 2 plate-formes d'observation : 86e et 102e étages. *Tous les jours, de 9 h 30 à minuit (fermé à Noël et le 1er janvier).* Demi-tarif pour les moins de 12 ans.

R.C.A. Building, 30 Rockefeller Plaza (entrée à l'angle des 49e et 50e rues, sur la 5e Avenue), ☎ 489-2947. 70e étage. *Tous les jours d'avr. à oct. de 10 h à 20 h 45 ; puis de 10 h 30 à 19 h de nov. à mars.* Demi-tarif pour les moins de 12 ans.

World Trade Center, au World Trade Plaza (Lower Manhattan), ☎ 466-7397. Une des célèbres tours jumelles possède une grande terrasse ouverte au 110e étage. *Tous les jours de 9 h 30 à 21 h 30.* Demi-tarif pour les 6-12 ans ; les moins de 6 ans entrent gratuitement.

Les promenades panoramiques

Pont de Brooklyn, New York à travers les filins. A voir tôt le matin ou au coucher de soleil (Métro Brooklyn Bridge/City Hall, ligne 4).

Promenade de Brooklyn Heights. Sur l'autre rive de l'East River, une superbe vue d'ensemble sur Manhattan.

Riverside Park. Du côté d'Hudson River, vue sur les falaises du New Jersey et le George-Washington Bridge.

SANTÉ ET SOINS MÉDICAUX

Hôpitaux

Nombreux sont les hôpitaux à New York. Une nuit à l'hôpital coûte 300 $ environ et les hôpitaux privés ont excellente réputation. Voici une liste des meilleurs hôpitaux privés de Manhattan :

Beekman Downtown, 170 William St., ☎ 312-5000.

Beth Israel, Stuyvesant Square et 17th St., ☎ 420-2000.

Lenox Hill Hospital, Park Ave. et 77th St., ☎ 439-2424.

Manhattan Eye & Ear, 210 E 64th St., ☎ 838-9200.

Mount Sinai, 5th Ave. et 100th St., ☎ 241-6500.

New York Hospital-Cornell, 525 E 68th St. et York Ave., ☎ 746-5000.

New York University Medical Center, 550 1st Ave. et 20th St., ☎ 263-7300.

St Vincent's Hospital, 7th Ave. et 11st St., ☎ 790-7000.

Divers

American Dental Center : 586-3030.

Doctor's Walkin : 683-1010.

Immediate Medical care of Manhattan : 496-9620.

Centre anti-poison : 340-4494 ; 764-7667.

Médicaments

Les pharmacies *(pharmacies, drugstores* ou *discount stores)* vendent, outre des médicaments, des parfums, cosmétiques et accessoires de toilette. Par ailleurs, tous les grands magasins ont des rayons pharmacie. Pour les médicaments délivrés sur ordonnance, il faut en général s'adresser au comptoir situé au fond du magasin. Quelques marques de médicaments utilisés couramment contre la fièvre et les états grippaux : *Bayer, Bufferin, Contact, Tylenol.*

Pharmacie de nuit : Kaufmann, 557 Lexington Ave. et 50th St., ☎ 755-2266.

A Manhattan, il est pratiquement impossible de faire venir un docteur chez vous. Une seule adresse qui regroupe des médecins acceptant de se déplacer : **Doctors On Call,** 718-238-2100. Certains parlent un peu français et la consultation n'est pas hors de prix (environ 50 $).

SÉCURITÉ

La criminalité à New York n'y est pas aussi galopante qu'on le dit. Elle est tout de même très importante, malgré des services de police organisés et efficaces. Les pickpockets abondent dans les gares et les quartiers fréquentés (tel Times Square). Attention donc à vos sacs, portefeuilles et appareils photos.

En outre, des rues et des quartiers sont à éviter à certaines heures : le soir, Central Park est à éviter absolument, sauf si vous assistez à un concert ; la nuit, le quartier d'Harlem n'est pas un endroit sûr pour les piétons ; le soir et la nuit, la 42e rue (ouest) et les rues adjacentes à l'ouest de la 8e Avenue (le quartier des peep shows) ne sont pas conseillées ; certains secteurs de l'East Village (le Bowery, les avenues A, B, C, D) sont à éviter tard le soir.

Partout à New York, soyez prudents : le soir, évitez les rues et quartiers isolés.

SHOPPING

Voir aussi « Carnet d'adresses » p. **249.**

Le shopping new-yorkais est une expérience unique. On y trouve tout, sous toutes les formes et à tous les prix. D'ailleurs, les New-Yorkais consomment follement. Toujours à l'affût des soldes, ils comparent les prix, à la recherche de réductions, si minimes soient-elles. Dans la ville, il y a toujours des soldes quelque part. Elles sont impressionnantes, car souvent les prix sont réduits de moitié ou des deux tiers. Les grandes époques des soldes, à ne pas manquer, ont lieu immédiatement après les fêtes de Noël et au début du mois de juillet.

Il ne faut jamais se contenter du premier prix. Comparez les prix entre les différents magasins et boutiques. Souvent, des prix « soldes » chez l'un représentent le double des prix affichés chez un autre ! Avec ses milliers de boutiques et de commerces et plus de 30 grands magasins, New York est le paradis des acheteurs et l'enfer des grippe-sous.

Vous trouverez que les prix du matériel électronique (audio, hi-fi, ordinateurs) et photographique sont exceptionnels par rapport à ceux que l'on connaît en Europe. Il est normal de trouver des appareils photos au tiers du prix pratiqué dans le Vieux Continent ! C'est donc le moment pour acheter ; mais faites attention aux différents courants, voltages et prises. Par ailleurs, n'oubliez pas que l'on peut très souvent marchander. Soyez donc patient, et sachez exactement ce que vous voulez acheter. Enfin, n'oubliez pas, pour votre retour, le contrôle douanier...

En outre, les bonnes affaires ne manquent pas dans les boutiques de vêtements et de chaussures de sport. On y trouve des chemises, des baskets, des pantalons, des jeans, des chaussures de tennis à des prix imbattables.

Le lèche-vitrine à New York est affaire de temps comme d'argent. Les quartiers sont assez bien divisés pour que les visiteurs trouvent toujours quelque chose à acquérir. Vous pouvez partout régler vos achats avec des dollars *(cash),* des chèques de voyage *(travellers checks)* et des cartes de crédit *(charge)* ; les chèques personnels ne sont pas acceptés.

Les quartiers les plus intéressants pour le shopping sont les suivants :

Madison Avenue (à partir de la 60ᵉ rue et jusqu'à la 80ᵉ rue, IV, C1-2 ; V, C3. Boutiques élégantes, chères, et d'excellente qualité.

Le **Upper East Side** (à partir de la 57ᵉ rue, le long de Madison Ave., IV, C1-2) est le plus européanisé ; les boutiques de couturiers italiens ou français s'y succèdent. Les antiquaires et marchands d'art portent eux aussi des noms prestigieux.

La **5ᵉ Avenue** et la **57ᵉ rue** (IV) regroupent les grands bijoutiers et les magasins élégants.

Orchard et Delancey Streets, II, C1. Un vaste marché aux puces spécialisé dans les vêtements et les chaussures. Beaucoup de commerçants du quartier ferment le vendredi après-midi et le samedi en raison du sabbat juif, et restent ouverts le dimanche. Un quartier moins prestigieux, mais très intéressant.

Broadway (entre Canal St. et la 14ᵉ rue), II, B1 ; III, C2-3. Grande concentration de magasins de surplus, armée et autres jeans.

Greenwich Village (8ᵉ rue), III, BC3. Beaucoup de boutiques jeunes.

SoHo, II, B1, a un genre différent. Bien que « branché », il tente de garder un côté sage. Designers, mobilier contemporain et galeries d'art contemporain en font un quartier très animé le samedi. On y trouvera des boutiques de jeunes couturiers et chausseurs et d'autres magasins à la mode (vêtements anciens, artisanat).

Columbus Avenue (de la 60ᵉ rue à la 90ᵉ rue), IV, B1-2 ; V, B2-3. Le Upper West Side est le dernier quartier à la mode. Les boutiques y poussent comme des champignons et les nouveaux designers y ouvrent leurs premiers magasins : Parachute, Charivari, Beau Brummel... Il est agréable de s'y promener le dimanche et de se mêler à la foule.

Les magasins d'équipement photographique et électronique sont groupés près de **Herald Square,** III, B1.

S'ORIENTER

La meilleure manière de s'orienter dans la ville est la marche. New York s'y prête et son plan est très simple. Pour vous y retrouver, il suffit de connaître la division en 5 *boroughs* : Bronx, Brooklyn, Manhattan, Queens et Staten Island.

L'île de Manhattan est le cœur de New York. Elle est formée de 3 grandes parties : Downtown (ville basse), Midtown (ville moyenne) et Uptown (ville haute).

Downtown est, historiquement, la partie la plus ancienne de New York. On y verra l'Hôtel de Ville et Wall Street, le quartier des affaires. Elle s'étend de Battery Park, au sud, à la 14e rue (14th St.), au nord. D'énormes gratte-ciel ornent cette partie sud de Manhattan et on y trouve les quartiers à la mode de SoHo, Tribeca, Greenwich Village et l'East Village. Washington Square en est un de ses points de repère.

Midtown se situe entre la 14e rue et la 59e rue (59th St.) On se promène dans des quartiers aussi divers que Chelsea, Gramercy, Times Square et Rockefeller Center. Les deux grandes gares ferroviaires — Pennsylvania Station à l'ouest, et Grand Central Terminal à l'est — se trouvent également dans cette partie de la ville.

Uptown comprend la partie de Manhattan au nord de la 59e rue. Central Park en est le noyau. A l'est, l'Upper East Side est le quartier résidentiel élégant de New York. A l'ouest se situent l'Upper West Side et Lincoln Center. Au nord s'étendent Harlem, El Barrio et Morningside Heights (Columbia University).

Pour les New-Yorkais, *downtown* veut aussi dire « au sud » et *uptown,* « au nord ». Ainsi, lorsqu'on se déplace de Battery Park à Washington Square, on va *uptown.*

Le plan de Manhattan

A partir de 1807, New York a été conçue autour d'un plan en grille qui lui a donné son aspect de ville organisée. Le piéton s'y oriente facilement. La grille ne commence qu'au nord de Houston Street, quoique le plan s'impose véritablement à partir de la 14e rue (Midtown).

12 avenues quadrillent Manhattan du sud au nord. Elles sont numérotées de l'East River à l'Hudson (du sud au nord). Ainsi, la Première Avenue (1st Ave.) est à proximité de l'East River et la Douzième Avenue (12th Ave.) longe l'Hudson, à l'ouest. Quelques-unes des avenues portent des noms : Park Avenue (Quatrième Avenue), Avenue of the Americas (Sixième Avenue), puis Lexington Avenue et Madison Avenue qui ont été ajoutées au plan d'origine. L'avenue Broadway, un ancien sentier indien, traverse l'île en diagonale du sud-est au nord-ouest.

La circulation automobile s'y fait, généralement, à sens unique dans la direction nord-sud, par alternance. Une exception importante est Park Avenue où l'on peut circuler dans les deux sens.

Dans la ville haute (Uptown), plusieurs avenues portent des noms : Lenox Avenue (Sixième Avenue), Adam Clayton Powell, Jr. Boulevard (Septième Avenue), Central Park West ou Frederick Douglass Boulevard (Huitième Avenue), Columbus Avenue (Neuvième Avenue), Amsterdam Avenue (Dixième Avenue), West End Avenue (Onzième Avenue).

Les rues ont été organisées dans le sens est-ouest, mais leur ligne de partage est la Cinquième Avenue (5th Ave.), qui divise les rues numérotées en East Side (côté est) et West Side (côté ouest). Ainsi, le 50 W 14th St. se trouve sur la 14e rue à l'ouest de la Cinquième Avenue. D'une avenue à l'autre, les numéros changent de centaine : par exemple, le 75 W 55th St. se trouve entre la Cinquième Avenue et l'Avenue of the Ameri-

Le New York discount *et ses nombreux* bargain stores *: la guerre des soldeurs a pignon sur rue.*

cas (Sixième Avenue), alors que le 75 E 44th St. est situé entre la Cinquième Avenue et Park Avenue (Quatrième Avenue).

La circulation dans les rues paires va dans le sens ouest-est ; les impaires roulant dans le sens est-ouest.

Les *Crosstown Streets* traversent Manhattan dans les 2 sens. Les plus importantes sont les 14e, 34e, 42e, 57e et 72e rues. Les *blocks* sont des pâtés de maisons fermés par les rues et les avenues. Ils sont plus longs dans le sens est-ouest (d'une avenue à une autre avenue). Un *block* est l'unité de distance utilisée couramment dans la ville : une distance de « x » *blocks* sépare un lieu d'un autre.

SPECTACLES

New York est sans doute l'une des grandes capitales mondiales de la culture. Ses représentations théâtrales et lyriques, ses spectacles de danse, ses concerts de musique classique figurent parmi les plus importants au monde. Une visite de la ville mérite un détour par l'une des nombreuses salles de spectacle. Le *New York Times, The New Yorker, New York Magazine* et le *Village Voice* rendent compte régulièrement de leur programmation.

Théâtre

La Grosse Pomme est la capitale théâtrale des États-Unis. Les comédies musicales de Broadway comme la dernière pièce d'avant-garde y ont pignon sur rue, et la ville regorge de comédiens et comédiennes, avec ou sans succès.

Broadway : avec plus de 40 salles de théâtre, la « Grande Voie Blanche » *(The Great White Way)* est aujourd'hui essoufflée : les derniers succès de Broadway ont été des spectacles d'origine française mis en scène par des Anglais *(Les Misérables, Les Liaisons dangereuses).* C'est pourtant dans ces grandes salles du quartier de Times Square que les plus célèbres acteurs américains se sont fait un nom.

Cependant, Broadway propose des spectacles de qualité, souvent très classiques : des comédies musicales, des spectacles importés d'Angleterre, des pièces du répertoire classique américain et des œuvres contemporaines de dramaturges connus.

Le prix du billet tourne autour de 40 $. Il est donc conseillé de faire la queue aux guichets du **T.K.T.S.**, où l'on se procurera des billets à moitié prix pour le jour même. Deux adresses pour cela : la mezzanine du 2 World Trade Center *(ouv. t.l.j. sf dim. de 11 h à 17 h 30 ; sam. de 11 h à 13 h pour les représentations en soirée ; mer., sam., dim. de 11 h à 20 h pour les matinées)* et à Duffy Square, Broadway et 47th St. *(ouv. t.l.j. sf dim. de 15 h à 20 h pour les représentations en soirée ; mer., sam. de 10 h à 14 h pour les matinées)*, ☎ 354-5800.

Off-Broadway (qui signifie « hors Broadway ») comprend une quinzaine de productions montées dans des théâtres de taille moyenne (100 à 400 places). Ces salles se situent, généralement, à Greenwich Village et Upper West Side. Si le prix des billets est de 15 $ environ, la qualité des spectacles et du jeu varie beaucoup d'un théâtre à l'autre. On peut y voir jouer Robert de Niro, Al Pacino ou bien des inconnus qui bâclent une pièce facile.

Off-Off-Broadway : il y a plus de 250 théâtres dans cette catégorie. On y présente une variété infinie de pièces allant de l'avant-garde au répertoire classique international, dans des salles pouvant accueillir une centaine de spectateurs. Les moyens financiers y sont plus modestes qu'ailleurs mais les représentations souvent pleines de fougue et d'invention.

Cinéma

Il existe de très bonnes salles de cinéma à New York, où l'on pourra apprécier des films hollywoodiens ou d'art et d'essai. Les nombreuses salles autour de Times Square ne sont pas très propres et le public a tendance à participer bruyamment au déroulement du film.

Voici une liste quelque peu exhaustive :
57th Street Playhouse : 110 W. 57th St., ☎ 581-7360.
Carnegie Hall Cinema : sur 7th Avenue, entre 56th et 57th Streets. ☎ 265-2520. La salle de cinéma du Carnegie Hall présente des œuvres du répertoire classique, de préférence européen.
The 8th Street Playhouse : sur 8th Street, entre 5th et 6th Avenues. ☎ 674-6515. Cette salle donne des films nouveaux pendant la journée et le soir, des films-culte.
The Film Forum : 57 Wall Street, près de la 6th Avenue. ☎ 727-8110. Ce cinéma d'art et d'essai est très bon dans sa spécialité.
The Paris : 4, W. 58th Street, près de la 5th Avenue et du Plaza Hotel. ☎ 980-5656. Pour ceux qui souhaitent voir des films français, lors de leur séjour à New York.

Des films sont par ailleurs programmés régulièrement à la cinémathèque du **Museum of Modern Art.** En outre, le New York Film Festival présente en septembre et octobre, au Lincoln Center, des films très récents.

Danse moderne et ballets

Depuis que Martha Graham a présenté ses chorégraphies à la **92nd St. Y** dans les années 30, New York est un centre important de la danse moderne. Aujourd'hui, la ville est indiscutablement la capitale mondiale de la danse, avec ses dizaines de compagnies de danse moderne et de ballet, point de chute des grands chorégraphes de ce siècle (Alvin Ailey, Trisha Brown, Merce Cunningham, Murray Louis, Alwyn Nikolaïs et Paul Taylor) et passage obligatoire des grandes compagnies américaines et étrangères.

New York au cinéma

Les cinéphiles se régalent à New York : ils peuvent accomplir un pèlerinage sur les lieux mêmes de tournage de leurs films préférés, sans oublier une visite obligée au musée du Cinéma et de la Télévision **The Astoria Motion Picture and Television Foundation,** aux n°s 31-34 de la 35e rue à Astoria dans le Queens.

Sur les quais, *On the Waterfront* (Elia Kazan; 1954)

Marlon Brando et Lee J. Cobb en viennent aux poings près de l'ancien quai de la compagnie maritime Holland-America Line, à Hoboken (New Jersey).

Sept ans de réflexion, *The Seven-year Itch* (Billy Wilder; 1955)

La célèbre scène où la jupe de Marilyn Monroe se soulève joliment au passage du métro a été tournée au 590 Lexington Avenue (près de la 51e rue).

Diamants sur canapé, *Breakfast at Tiffany's* (Blake Edwards; 1961)

Audrey Hepburn prend son petit déjeuner à l'aube devant les vitrines du célèbre joaillier Tiffany (57e rue et Cinquième Avenue).

West Side Story (Robert Wise; 1961)

De nombreuses scènes de ce film ont été tournées dans l'ancien quartier d'immigrants situé près de Lincoln Center, plus précisément, sur les 67e et 68e rues entre Amsterdam Avenue et West End Avenue.

Rosemary's Baby (Roman Polański; 1968)

Mia Farrow vient habiter le formidable immeuble néo-gothique The Dakota, situé au 1 de la 72e rue W et Central Park West.

Macadam Cow-boy, *Midnight Cow-boy* (John Schlesinger; 1969)

La scène où John Voight et Dustin Hoffmann arrêtent la circulation a été tournée au coin de la 58e rue et de la Sixième Avenue.

Le Parrain, *The Godfather* (Francis Ford Coppola; 1971, 1975)

Une grande partie de l'action se déroule dans l'ancien quartier d'immigrants situé sur la 6e rue entre les avenues A et B.

Kramer contre Kramer, *Kramer vs. Kramer* (R. Benton; 1979)

Le fils de Dustin Hoffmann va à l'école P.S.6 (Madison Avenue et 82e rue).

Manhattan (Woody Allen; 1979)

Woody Allen et Diane Keaton sont assis sur un banc de Sutton Square (Sutton Place et 58e rue E). Le pont dans l'arrière-plan est le Queensboro Bridge qui enjambe l'East River.

Recherche Susan désespérément, *Desperately Seeking Susan* (Susan Seidelman; 1985)

Dans ce film, la discothèque (21e rue W) s'appelait "The Danceteria". Elle a fermé depuis. Les quiproquos et les rencontres au bord de l'eau se déroulent sur Battery Park (Financial District). Quant à la boutique de fripes où Madonna et Rosanna Arquette font leurs achats, il s'agit de «Love Saves the Day» (119, Deuxième Avenue et 7e rue).

After Hours (Martin Scorsese; 1986)

Le café ouvert la nuit où le héros se réfugie pour échapper à ses poursuivants s'appelle le «Moondance Diner» (Grand Street et Sixième Avenue). Le quartier de SoHo a servi de lieu de tournage.

Le ballet est également bien implanté dans la ville, avec la compagnie du New York City Ballet — dirigée pendant de longues années par le maître Balanchine — et la plus classique American Ballet Company.

On peut obtenir des billets aux guichets des salles ou à moitié prix pour le soir même au **S.E.A.T.S.**, à Bryant Park (42e rue et 6e Avenue, *ouvert de 11 h à 14 h et de 15 h à 19 h,* ☎ 382-2323).

Musique classique et opéra

Entre octobre et avril, plus d'une centaine de concerts et récitals de musique classique ont lieu chaque semaine à New York. Le choix est vaste :

des concerts du New York Philharmonic Orchestra dirigé par Zubin Mehta, du Brooklyn Philharmonic de Lukas Foss, jusqu'aux nombreux concerts offerts par les grands orchestres, chanteurs, ensembles ou autres interprètes de passage qui se côtoient dans la ville.

L'opéra est roi à New York. Les grands directeurs et chanteurs du genre se donnent rendez-vous devant un public charmé jusqu'à l'extase. Au Lincoln Center, deux compagnies d'opéra se partagent les amateurs new-yorkais : le célèbre Metropolitan Opera House et le New York City Opera, au répertoire plus populaire et américain.

Billets aux guichets des salles, et, à moitié prix pour le soir même, au **S.E.A.T.S.**, à Bryant Park (voir ci-dessus).

SPORTS

Le sport occupe une place centrale dans la vie des New-Yorkais, dont le sport préféré est sans doute le base-ball, suivi de près par le basket-ball et le football américain. En été, le sport est pratiqué partout : à Central Park, sur les grandes avenues, dans les squares, sur les cours. Tôt le matin, à l'heure de la pause de midi, tard le soir, les New-Yorkais font du jogging, du vélo, jouent au tennis, au squash, au basket-ball et au base-ball.

Officiellement, la ville de New York accueille des équipes professionnelles dont les matchs sont suivis avec intérêt. Les supporters new-yorkais donnent souvent l'impression d'être prêts à mourir pour leur équipe préférée...

Pour obtenir des renseignements téléphoniques concernant les événements et les équipements sportifs à New York, composez le 976-1313.

Base-ball

La saison commence au printemps et s'achève en octobre. Deux équipes se partagent les supporters new-yorkais : les « Mets » au Shea Stadium (métro : Willett's Point/Shea Stadium-Roosevelt Ave. [ligne 7], dans le Queens, ☎ [718] 507-8499), et les « Yankees » au Yankee Stadium (métro : 161st St./Yankee Stadium/River Ave. [lignes 4, C, D] Bronx, ☎ 293-6000). Les longs matchs de base-ball sont de grands événements populaires.

Basket-ball

La saison commence en octobre et s'achève en avril. Les deux équipes de géants de la région sont les « Knicks » (Madison Square Garden, 34th St. et 7th Ave., ☎ 465-6741), et les « Nets » (Rutgers Center, New Jersey, ☎ [1.201] 935-8888).

Bateau

Les amateurs de régates peuvent assister à la **Governor's Cup Yacht Race** et à la **Mayor's Cup Schooner Race** (régate de goélette), qui ont lieu respectivement aux mois d'août et d'octobre.

Course à pied

Le New York Marathon, le plus célèbre des marathons internationaux, avec plus de 17 000 participants, dont de nombreux Français, part de Staten Island pour arriver à Central Park. On peut admirer l'impressionnant passage des coureurs sur le pont de Brooklyn. L'événement a lieu le dernier dimanche du mois d'octobre.

Si vous éprouvez le besoin de faire du jogging, contactez le **New York Roadrunner's Club**, 9 E 89th St., ☎ 860-4455.

Course cycliste

Apple Hap a lieu en octobre et couvre 75 km.

Football américain

Deux équipes également pour ce sport proche du rugby. Les « Jets » et les « New York Giants » (Meadowlands Stadium, New Jersey, ☎ [1.201] 935-8222).

Hippisme

Pour les amateurs de courses à cheval, les hippodromes d'**Aqueduct** (Ozone Park, Queens, ☎ [1.718] 641-4700), et de **Belmont** (Queens, ☎ [1.718] 641-4700) proposent de vastes programmes.

La *Belmont Stakes* — course de pur-sang — a lieu au mois de juin, chaque année. Le **National Horse Show** (Salon national du Cheval et de l'Équitation) se tient au Madison Square Garden (34th St. et 7th Ave.) chaque année en novembre.

Hockey

D'octobre à avril, les « New York Rangers » jouent ce sport rapide sur glace, très apprécié en Amérique du Nord (Madison Square Garden), ☎ 465-6741.

Pratiquer un sport

Bowling

Madison Square Bowling Center, 4 Pennsylvania Plaza, sur la 7e Avenue, entre la 33e rue et la 32e rue W, ☎ 465-6741. *Ouv. du lun. au ven. de 9 h 30 à 16 h 30, en soirée le week-end jusqu'à minuit.* Droits d'entrée et location de chaussures (moins cher en semaine).

Plages

New York possède beaucoup de plages et de stations balnéaires. Il est facile d'y accéder à partir de Manhattan, mais, en été, elles sont noires de monde.

L'océan Atlantique n'est pas chaud sous ces latitudes et il faut attendre le mois de juin pour s'y plonger. Les plages publiques ouvrent en mai et ferment en septembre.

Coney Island-Brighton Beach : la grande plage de New York. Encombrée, bruyante et populaire, mais d'accès facile par le métro (Stillwell Ave./Coney Island, lignes B, D, F, N ; Brighton Beach, ligne D).

Jones Beach : elle offre des piscines propres et 10 km de plage, moins fréquentée que la précédente. De mi-mai jusqu'à début septembre, le Long Island Railroad (chemin de fer) propose le « Jones Beach Special » (train et bus), à partir de Penn Station (☎ 739-4200).

Long Beach : encore moins de monde qu'à Jones Beach. Prenez le « Jones Beach Special », puis changez à Jamaica, direction Long Beach.

Patinage

Rockefeller Center Skating Pond, 1 Rockefeller Plaza, ☎ 757-5730. Patinage romantique en musique et en plein air. Uniquement en hiver.

Sky Rink, 450 W 33rd St., 16e étage, ☎ 695-6555. Toute l'année (couverte) ; patinage en musique le vendredi soir.

The Ice Studio, 1034 Lexington Ave., entre la 73e rue et la 74e rue E, 2e étage (au-dessus de la pâtisserie), ☎ 535-0304. *Ouv. toute l'année, t.l.j. sf lun. et mer. Les mar., jeu., ven. de 20 h 30 à 22 h ; sam. de 12 h à 13 h et de 17 h 15 à 18 h 15 ; dim. de 12 h à 13 h, et de 14 h 35 à 15 h 35 et de 17 h 15 à 18 h 15.* 5 $ l'heure, 6 $ l'heure et demie, location de patins : 2,50 $. Patinoire couverte.

Voir aussi Central Park, p. **119.**

Patins à roulettes

Beaucoup de New-Yorkais font du patin à roulettes. Le dimanche à Central Park (près de Sheep Meadow), vous verrez de véritables artistes : ils sautent, ils dansent, ils font du break dancing, chaussés de patins souvent très sophistiqués. Suivez la pente vous aussi, mais attention aux chaussées défoncées et aux automobilistes !

Pour la location de patins à roulettes :

Peck & Goodie Skates, « Your Roller Skate Specialists », 919 8th Ave. (magasin), ☎ 246-6123.

Central Park Skaters Inc., 105 W. 72nd St., ☎ 787-3911.

Pour l'**équitation,** le **tennis,** le **canotage,** voir p. **119.**

TAILLES ET POINTURES

Hommes

Complets	U.S.A.	36	38	40	42	44	46	48
	Eur.	46	48	50	52	54	56	58
Chemises	U.S.A.	14	14 1/2	15	15 1/2	16	16 1/2	17
	Eur.	36	37	38	39	41	42	43
Chaussures	U.S.A.	6 1/2	7	8	9	10	10 1/2	11
	Eur.	39	40	41	42	43	44	45

Femmes

Blouses et cardigans	U.S.A.	32	34	36	38	40	42	44
	Eur.	40	42	44	46	48	50	52
Tailleurs et robes	U.S.A.		10	12	14	16	18	20
	Eur.		38	40	42	44	46	48
Bas ou chaussettes	U.S.A.		8	8 1/2	9	9 1/2	10	10 1/2
	Eur.		0	1	2	3	4	5
Chaussures	U.S.A.		5 1/2	6	7	7 1/2	8 1/2	9
	Eur.		36	37	38	39	40	41

TEMPÉRATURE

Les différences de températures, souvent importantes entre le jour et la nuit et selon les saisons, ont imposé l'usage de la climatisation *(air conditioning).* Toutefois, les habitations sont refroidies à l'excès en été et surchauffées en hiver. Il convient donc de s'habiller en conséquence.

Les températures sont souvent indiquées en degrés Fahrenheit, le tableau ci-dessous vous sera donc utile :

°C	100	40	35	30	20	15	10	0
°F	212	104	95	86	68	59	50	32

Pour convertir les °F en °C, soustraire 32 et diviser par 1,8.
Par exemple : 77 °F − 32 = 45, divisé par 1,8 = 25 °C.

TOILETTES

Il n'y a pas de toilettes publiques à New York, et celles des gares et des lieux publics sont à éviter. En revanche, de nombreux restaurateurs ou propriétaires de *coffee-shops* vous autorisent à pénétrer dans les w.-c. de leurs établissements (la séparation des sexes y est très strictement observée). Demandez le *rest room.*

TRANSPORTS

Il y a quatre moyens de transport principaux à New York : le bus, le métro, les taxis, et la marche à pied. Mais vous pouvez toujours louer un vélo si vous êtes téméraire, ou vous laisser tenter par une paire de patins à roulettes...

Les plans de métro et de bus sont gratuits. On peut se les procurer à **Grand Central Station,** aux bureaux d'informations. Certaines stations de métro peuvent également les fournir, mais c'est un coup de chance! Quant aux cartes routières, les stations de service Exxon les offrent gracieusement.

Pour tout renseignement sur les déplacements en bus ou en métro, un numéro de téléphone, 24 heures sur 24 : (1.718) 330-1234.

Objets perdus (bus et métro) : ☎ (718) 330-1234.

Autobus

Ils circulent Uptown (nord de la ville), Downtown (sud de la ville) et Crosstown (transversalement, d'est en ouest et vice et versa) pour certaines rues seulement, indiquées sur le plan de bus.

Mettez un *token* (jeton) dans la boîte près du conducteur; sinon, déposez l'équivalent en monnaie, mais pas de cents ou de billets. Attention, vous devez avoir la monnaie exacte. Les *tokens* s'achètent dans les stations de métro, à la pièce ou en paquet *(pack)* de 10. 1 *token* coûte 1 $ et 15 c au moment où nous rédigeons ce guide. Demandez un ticket de transfert *(add-a-ride)* permettant une correspondance avec un autre bus. Les arrêts s'obtiennent en tirant sur une cordelette ou en appuyant sur une bande noire, dans les nouveaux bus. En général, les bus s'arrêtent tous les 2 ou 3 blocks dans le sens nord-sud, et à chaque avenue dans le sens est-ouest. Les arrêts sont signalés par des panneaux bleus, comportant le numéro du bus et parfois un croquis du trajet. Soyez vigilant, il n'est pas toujours aisé de les repérer.

Port Authority Bus Terminal (Gare centrale des Autocars), 8th Ave., entre la 40e et la 41e rue, ☎ 564-8484. De là partent et arrivent les compagnies **Greyhound Bus** et **Trailways Bus** ☎ 971-6363.

George-Washington Bridge Bus Terminal, Broadway et 178th St., ☎ 564-1114.

Métros (subway), voir plan pp. 8-9

Ils circulent Uptown ou Downtown et sont *local* ou *express,* et très peu traversent la ville d'est en ouest. Certains quartiers sont mal desservis ou avec peu de *local stops.* Les entrées des stations ne se trouvent pas sur le même trottoir selon la direction (Downtown ou Uptown). Si vous voulez aller au sud (Downtown), l'entrée du métro est sur le côté ouest de l'avenue, pour le nord (Uptown), sur le côté est. Regardez bien, c'est indiqué à l'entrée du métro. Faites attention de vous trouver du bon côté de la direction désirée car peu de stations sont équipées de plateformes de correspondances.

Le trajet, comme pour le bus, coûte 1 $ et 15 c. Les trains *express* s'arrêtent rarement, contrairement aux *locals* qui desservent toutes les stations. La destination et le type de train *(express* ou *local)* sont affichés sur les wagons.

Bus et métros circulent tous les jours 24 h sur 24. Les heures de pointe se situent entre 8 h et 9 h et de 17 h à 18 h.

Taxis

Ils sont 11 000, et ils sont jaunes... C'est la marque de New York! Le plus sûr moyen d'arriver à destination si l'on ne peut pas prendre le métro ou le bus. A l'exception des *Checker Cabs,* plus gros, et en voie de disparition, les taxis n'embarquent que 4 passagers à la fois.

Le tarif de la course est indiqué au compteur, auquel il faut ajouter un pourboire d'environ 15 à 20 %. Les taxis portant des publicités sur le toit majorent leur tarif de 50 cents à partir de 20 h. Les taxis libres se signalent par leur numéro éclairé sur le toit. Quand ils ne travaillent plus, *off duty* est également éclairé.

Pour toute plainte ou en cas de perte d'objets dans un taxi : **The Taxi & Limousine Commission,** ☎ 302-8294.

A plusieurs, le taxi est souvent le moyen le plus avantageux de se déplacer. Et la folle conduite des chauffeurs de taxi new-yorkais peut être un souvenir de voyage impérissable.

Le métro new-yorkais

Le célèbre *subway* new-yorkais a été inauguré en 1904. La ligne I.R.T. (Interborough Rapid Transit Company) reliait alors City Hall au sud et la 145e rue au nord. Très vite, plusieurs sociétés privées sont venues concurrencer cette première compagnie de métro par la construction de voies souvent parallèles qui visaient la même clientèle, d'où l'aspect souvent absurde du réseau : dans le sens sud-nord, l'East Side n'est véritablement desservi que par une seule ligne, alors que le West Side en possède trois.

Le réseau n'est devenu propriété de la municipalité qu'en 1940.

Des chiffres

— 1 milliard d'usagers par an;
— 630 rames circulent aux heures de pointe sur 1 370 km de voies (le plus grand réseau du monde) et desservent 462 stations;
— la station *Smith/9th St.* (à Brooklyn) est la plus élevée de tout le réseau : 28 m au-dessus de la chaussée; la station *191th St.* (sur Broadway) détient le record de profondeur : 55 m au-dessous de la surface;
— les trains les plus rapides atteignent 85 km à l'heure.

Des faits

Des travaux de rénovation récemment entrepris par la M.T.A. (Metropolitan Transit Authority) visent à remettre en état les belles stations du début du siècle, décorées de mosaïques toutes différentes.

Pour combattre les graffitis, les autorités municipales ont fait l'achat de wagons spécialement conçus pour que la peinture des bombes ne puisse y adhérer.

Par ailleurs, les obèses (très nombreux aux États-Unis) ont quelque difficulté à s'installer sur les sièges étroits des nouveaux wagons japonais de la ligne I.R.T., destinés à l'origine aux menus sujets de l'Empire du Soleil Levant...

Enfin, il existe dans cette ville pas comme les autres des milliers de «mordus» du *subway* regroupés dans une dizaine d'associations de métrophiles!

Bicyclette

La circulation à New York est, les jours ouvrables, trop chaotique et dangereuse pour faire du vélo en toute tranquillité. Cependant, le week-end, certains quartiers — Wall Street, City Hall — se prêtent agréablement à des promenades à bicyclette; Central Park est également un lieu idéal.

A noter : les fous à bicyclette qui se faufilent à toute allure entre les véhicules, un sifflet aux lèvres, sont des coursiers.

Quelques adresses

Canal Street Bicycle, 417 Canal St., (6th Ave.), ☎ 334-8000.

Andy's Bicycles in the Park, 72nd St., Boathouse à Central Park, ☎ 861-4137.

Bicycle Habitat, 244 Lafayette St. et Spring St., ☎ 431-3315.

Pedal Pusher, 1036 2nd Ave. (entre la 68e et la 69e rue), ☎ 288-5592.

6th Avenue Bicycles, 546 Ave. of the Americas (à l'angle de la 15e rue), ☎ 255-5100.

Munissez-vous de deux pièces d'identité et de liquide pour la caution.

De nombreux magasins de cycles louent des bicyclettes (prévoir une carte de crédit).

Location de voiture

Il est plus avantageux de louer sa voiture à l'aéroport. Les agences de location proposent de multiples formules (assurances, kilométrage illimité, etc.). Mais si vous avez l'intention de ne rester qu'à Manhattan, il est déconseillé d'utiliser une voiture : le stationnement est difficile, les parkings sont chers, ainsi que les contraventions ; la marche, le métro et le bus sont d'agréables moyens de se déplacer.

A J.F.K.

Avis, ☎ (718) 244-5400, (800) 331-1212.
Budget, ☎ (718) 656-6013, (800) 527-0700.
Hertz, ☎ (800) 654-3131, (800) 654-3131.
National, ☎ 632-8300, (800) CAR-RENT.

A La Guardia

Avis, ☎ (718) 507-3600.
Budget, ☎ (718) 639-6400.
Hertz, ☎ (800) 654-3131.

A Newark

Avis, ☎ (201) 961-4300.
Dollar-Rent-a-Car, ☎ (212) 406-1751.
Hertz, ☎ (800) 654-3131.

A New York

Avis, ☎ (1.800) 331-1212. Aux 217 E 43rd St. et 460 W 42nd St.

Budget, ☎ 807-8700, pour toute location dans Manhattan.

Dollar, 329 E 22nd St., entre la 1re et la 2e Avenue, ☎ 420-0870, et 226 W 56th St., entre Broadway et la 8e Avenue, ☎ 399-3590.

Hertz, ☎ (1.800) 654-3131, pour toute location. Aux 150 E 64th St. ; 310 E 48nd St., 250 W 34th St. et 127 W 55th St.

National, ☎ (1.800) 328-4567, pour toute location. Aux 337 E 64th St. ; 21 E 12nd St. ; 305 E. 80th St.

Rent-A-Wreck, 157 E 84th St., entre Lexington Ave. et la 3e Avenue, ☎ 721-0080 ; 203 W 77th St., entre Broadway et Amsterdam Ave., ☎ 769-1160. Si vous souhaitez louer une quasi-épave pour pas cher.

Thrifty, 16 Court, Brooklyn, ☎ 586-5680.

Renseignements parkings

Municipal Parking, 8th Ave. et 53rd St.

Municipal Lot, Leonard St. et Lafayette St.

Les parkings privés sont dispersés dans la ville ; les tarifs à l'heure s'échelonnent de 7 à 9 $.

La fourrière ou *Cars towed away* se trouve sur la West Side Highway et la 36e rue. Parking Violations Bureau, Towed-Vehicule Info.,☎ 566-6014.

Chemin de fer

Les gares

Grand Central Terminal, 42nd St., ☎ 532-4900. Une navette souterraine *(shuttle)* relie la Grand Central Station et Times Square (West Side).

Pennsylvania Station, 7th Ave., entre la 31e rue W et la 33e rue (West Side), ☎ 739-4200.
Long Island Railroad, ☎ (718) 454-5477.
New Jersey Transit, ☎ (201) 460-8444.

De Grand Central Station, départs des lignes pour New Haven, le Connecticut, Harlem et le Hudson.

De Pennsylvania Station, départs des lignes pour le New Jersey et Long Island.

Les lignes

Amtrak, à Grand Central et Penn Station ; renseignements horaires et prix, ☎ 582-6875. Lignes à destination de Boston, Chicago, la Floride et le Canada. *Metroliner* (trains rapides, réservation obligatoire), ☎ 582-6387.

Conrail, à Pennsylvania Station, voir **New Jersey Transit.**

Long Island Railroad, à Pennsylvania Station, horaires et prix, ☎ (718) 454-5477. Dessert Long Island.

Metro North, à Grand Central Station, informations, horaires et prix, ☎ 532-4900. Dessert la vallée de l'Hudson.

New Jersey Transit, à Pennsylvania Station, renseignements horaires et prix, ☎ (201) 460-8444, (800) 722-2222. Dessert le New Jersey.

M.T.A., à Grand Central Station, informations horaires et prix, ☎ (212) 532-4900. Dessert la banlieue de Westchester Country et le Connecticut.

PATH ou Port Authority Trans-Hudson. Pour aller de NYC au New Jersey (et vice versa). Le long de la 6e Avenue, il y a 5 stations du PATH jusqu'à Hoboken et Jersey City : 33rd St., 23rd St., 14th St., 9th St., et Christopher St. La station PATH du World Trade Center dessert Hoboken et Newark. Pour tous renseignements, ☎ (201) 963-2677 ou (800) 234-7284.

URGENCES

Ambulance, police, pompiers : 911.

Agression : 577-7777.

Dentistes : 679-3966.

Médecins : 385-1152.

Perte ou vol de cartes de crédit ou travellers cheques (American Express) : (1.800) 221-7282 (appel gratuit).

VISITES ET EXCURSIONS ORGANISÉES

A pied

Adventure on a Shoestring, 300 W 53rd St., ☎ 265-2663. Visites à thèmes : le Fulton Fish Market, répétitions de shows de Broadway, les petits déjeuners à New York...

Backstage on Broadway, 228 W 47th St., suite 346, ☎ 575-8065. Tarifs pour les enfants. Montre l'envers du décor des shows.

Fulton Village, 109 South St. ☎ 571-0445. Les halles aux poissons depuis 1837. Se lever tôt, tours entre 5 h et 8 h du matin !

Lou Singer Tours, 130 Edward St., Brooklyn, NY 11021, ☎ (718) 875-9084. Tours gastronomiques de Manhattan ou Noshing in New York. Une dizaine de parcours sont proposés, mais ce passionné de New York organise aussi des visites sur mesure. Attention aux portions des tours gastronomiques car elles peuvent nourrir un bataillon...

The Municipal Art Society, ☎ 935-3960. Se renseigner directement auprès d'eux. L'Art Society organise, par ailleurs, une visite de la gare Grand Central, monument à l'architecture du style des Beaux Arts.

Museum of the City of New York Walking Tours, 5th Ave. et 103rd St., ☎ 534-1672. Un grand choix de promenades conçues par des spécialistes de la ville.

En bus

Sightseeing Bus Tours Inc., 166 W 46th St., ☎ 768-9075, 354-5122. Large programme d'excursions (certaines visites en langues étrangères). Tours en hélicoptère.

Harlem Spirituals, Inc., 1697 Broadway, New York 10036, ☎ 302-2594 ; 302-2595. Le Français Lucien Corcos a créé la première société qui propose des visites guidées du Harlem noir. Trois visites : « Harlem on Sunday » (les gospels dans les églises du quartier), « Harlem on a Weekday » (la vie quotidienne à Harlem), « Harlem by night » (la cuisine noire américaine et les boîtes de nuit).

Manhattan Sightseeing Bus Tours, 166 W 46th St., ☎ 354-5122.

New York Big Apple Tours, Inc., 203 E 94th St., (suite 1-D), ☎ 410-4190.

Harlem your Way Tours Unlimited, 129 W 130th St., ☎ 690-1687.

Shortline Tours Sightseeing, 166 W 46th St., entre la 6e et la 7e Avenue, ☎ 354-4740. Pour groupes et charters.

En hélicoptère

Island Helicopter Sightseeing, héliport de la 34e rue sur l'East River, ☎ 683-4575. *Tous les jours (sauf Noël et 1er janvier) de 9 h à 21 h.* A partir de 41 $ par personne, minimum de 2 passagers par vol.

En bateau

Circle Line, Pier 83 et W 42nd St., ☎ 563-3200. Une croisière de 3 h autour de l'île de Manhattan.

Seaport Line, 19 Fulton St. (suite 308), ☎ 406-3434. Excursion d'une heure et demi dans New York Harbor.

Staten Island Ferry, au South Ferry Station, près de Battery Park, ☎ 806-6940. Le trajet de Manhattan à Staten Island ne coûte que 25 cents aller et retour. Magnifique vue de Manhattan et de la Statue de la Liberté, un « must » à New York. Cette promenade est recommandée au coucher du soleil.

Statue of Liberty Ferry, Circle Line, Battery Park, ☎ 269-5755.

A bicyclette (environs de New York)

Country Cycling Tours, 140 W 83rd St., entre Columbus Ave. et Amsterdam Ave., ☎ 874-5151. Pendant une journée, transport aller et retour et location de vélos garantis.

NEW YORK DANS L'HISTOIRE

A l'origine, rien ne prédestinait cette île fertile et vallonnée, peuplée d'Algonquins vivant de l'agriculture et de la pêche, à devenir l'une des plus grandes métropoles du monde. Il faut attendre l'époque de la course aux épices pour que les grands navigateurs partis à la recherche du légendaire passage du Nord-Ouest vers l'Asie découvrent Manhattan et apprécient son site abrité.

Le premier est l'Italien Giovanni da Verrazano, à bord de la *Dauphine.* En 1524, il baptise le territoire « Terre d'Angoulême » et, de retour sur le Vieux Continent, en vante les mérites à son commanditaire, François Ier. Mais le roi de France ne s'intéresse guère à cette contrée lointaine ni à cette baie profonde. L'année suivante, le Portugais Esteban Gomes explore la région pour le compte de Charles Quint. Désormais, Manhattan est entré dans l'histoire occidentale.

LA NOUVELLE-AMSTERDAM

Au début du XVIIe s., Henry Hudson, marin anglais au service de la Compagnie hollandaise des Indes orientales, remonte le fleuve qui porte aujourd'hui son nom et s'enthousiasme pour cette île nichée au fond d'une baie splendide. Mais, plus préoccupés par la recherche d'une route commerciale vers l'Asie que par la colonisation de terres vierges, les affréteurs hollandais de l'expédition restent indifférents aux descriptions d'Hudson. Quelques années plus tard, en 1614, un marin hollandais, contraint de passer l'hiver sur l'île, dessine la première carte de Manhattan. A son retour aux Pays-Bas, son récit sur l'amabilité des Indiens et l'abondance des fourrures décide ses compatriotes à tenter une aventure commerciale dans cette région de l'Amérique du Nord.

En 1621 commence la colonisation de la province de la Nouvelle-Hollande (comprenant les États actuels de New York et de New Jersey), financée par la Compagnie des Indes occidentales. Pour mieux organiser le troc des fourrures avec les Indiens, les marchands hollandais ouvrent un comptoir à la pointe sud de l'île, dans l'actuel quartier de Wall Street. La jeune colonie est baptisée « Nouvelle-Amsterdam ». Son emplacement décidera, en grande partie, du développement ultérieur de la ville de New York, qui ne cessera de progresser vers le nord.

Ces premières années de colonisation voient l'arrivée de familles hollandaises, de Wallons francophones et des premiers esclaves noirs. En 1626, le gouverneur provincial, Peter Minuit, achète Manhattan aux Indiens pour soixante florins, ce qui de nos jours correspondrait à 24 dollars.

Trois ans plus tard, la nouvelle colonie compte près de 300 habitants européens et un millier d'Indiens ; sa principale ressource est le commerce des peaux avec l'Europe. Sous l'impulsion de ses gouverneurs, la Nouvelle-Amsterdam devient vite un important centre commercial où la tolérance religieuse et politique est de rigueur. Des habitants des colonies anglaises environnantes viennent s'y installer. En 1641, un voyageur français rapporte qu'il a entendu 18 langues différentes dans cette ville dynamique peuplée de Hollandais, d'Anglais, de Wallons, de Scandinaves, de Huguenots exilés après la Saint-Barthélemy, d'Africains, d'Allemands, d'Indiens. L'année 1654 voit l'arrivée des premiers juifs en provenance du Brésil. Une seule fausse note dans ce tableau : les rapports entre les colons et les Indiens s'étant détériorés, des soulèvements sanglants se succèdent entre 1643 et 1655.

De 1647 à 1664, Peter Stuyvesant, le dernier des gouverneurs hollandais, établit le code municipal et crée des forces de police et un corps de sapeurs-pompiers. Pour protéger sa ville contre les incursions des Anglais, il fait ériger une palissade fortifiée barrant Manhattan d'est en ouest, sur l'emplacement actuel de Wall Street (d'où le nom de la rue).

LA NOUVELLE YORK

La prise de Manhattan par les Anglais en 1664 met fin à la présence hollandaise en Amérique du Nord. Les nouveaux maîtres rebaptisent la ville «New York» en l'honneur du Duc d'York. L'histoire anglaise de Manhattan ne connaît qu'une courte interruption : en 1673-1674, les Hollandais reprennent la ville, la rebaptisent cette fois-ci «Nouvelle-Orange», mais ils la rendent très vite aux Anglais en échange du Surinam, qui leur paraît avoir plus d'avenir commercial.

L'anglais devient la langue officielle de la province, bien qu'une grande partie de la population continue à parler le néerlandais jusqu'au milieu du XVIIIe s. Les échanges avec le reste de l'Amérique du Nord augmentent. Le nombre des protestants français s'accroît considérablement après la révocation de l'édit de Nantes, en 1685. L'esprit d'entreprise ne cesse de se renforcer, alors que se resserrent les liens commerciaux avec l'Angleterre. La ville continue son expansion vers le nord de l'île : la palissade de Wall Street, devenue inutile, est abattue en 1699. Le XVIIIe s. voit la fondation du premier théâtre à Maiden Lane, l'affermissement de la liberté de la presse et la fondation du premier établissement d'enseignement supérieur, King's College, ancêtre de l'Université de Columbia.

En 1763, le Traité de Paris confirme la perte du Canada par les Français et la suprématie anglaise en Amérique du Nord. Cette dernière est remise en question dès 1776, lorsqu'éclate la guerre d'Indépendance américaine. En 1783, les Américains obtiennent, avec l'aide des Français, le départ des troupes anglaises. New

York, dont les constructions atteignent Grand Street et dont la population dépasse 20 000 habitants, a été occupé par les Anglais pendant toute la durée des combats et n'a donc pu participer à l'effort révolutionnaire. En revanche, la ville est dévastée par des incendies qui détruisent les bâtiments de l'époque hollandaise. De 1784 à 1790, New York assure le rôle de capitale de la jeune nation; en 1789, Georges Washington y est investi président des États-Unis d'Amérique.

LES PORTES DE L'AMÉRIQUE

Malgré des épidémies successives de fièvre jaune qui font fuir les habitants vers Greenwich Village, la population atteint 60 000 âmes au début du XIXe s. Afin d'éviter une croissance anarchique, un plan d'urbanisme est adopté en 1811. Dorénavant, les nouvelles rues seront orientées d'est en ouest et les nouvelles avenues du sud au nord. Pour simplifier la recherche des adresses, ces nouvelles voies seront désignées par des numéros. En 1825, l'ouverture du canal de l'Érié, reliant les Grands Lacs à la côte Est, fait de New York une étape obligée entre l'Europe, la côte atlantique américaine et le Midwest. Devançant par là-même Boston et Philadelphie, ses deux rivales traditionnelles, New York devient un centre manufacturier important. Sa main-d'œuvre lui est fournie par l'immigration massive qui vient de commencer et qui assurera sa suprématie dans les années à venir : 14 000 immigrants débarquent dans le port en 1830; cinq ans plus tard, ils seront 32 000 et, en 1860, 212 000. La grande famine irlandaise et les révoltes ouvrières de 1848 font grossir les rangs des nouveaux arrivants; entre 1840 et 1860, la population new-yorkaise passe de 300 000 à 800 000 habitants.

La petite ville portuaire du début du XIXe s. devient donc l'agglomération la plus peuplée des États-Unis. Les problèmes de logement et la spéculation foncière prennent des proportions gigantesques, encore aggravées par l'étroitesse de l'île. C'est à cette époque que débute le cycle infernal des constructions et des démolitions, si caractéristique de New York.

UNE CITÉ MÉGALOMANE

De 1861 à 1865, pendant la guerre de Sécession, New York confirme sa position de premier port et de premier centre manufacturier et financier du pays.

En 1863, de graves émeutes contre le mode de conscription dans l'armée nordiste paralysent la ville pendant trois jours. Après la fin des hostilités, des transformations spectaculaires menées à un rythme soutenu façonnent New York telle que nous la connaissons aujourd'hui. En 1867 est inauguré Prospect Park, à Brooklyn, le premier grand parc à l'européenne; mais il faut attendre 1880 pour assister à la métamorphose d'un rectangle de 4 km de long sur 1 km de large en un des hauts lieux de la ville : **Central Park.**

Le système de communication et de transports en commun ne cesse de s'améliorer. L'année 1868 voit la mise en service du premier métro aérien (Elevated Train). Le développement du réseau permet l'urbanisation accélérée de zones jugées jusque-là trop éloignées. Ainsi, les entrepreneurs urbanisent l'Upper West Side et Harlem. Au cours des années 1880 et 1890, 5 millions d'immigrants européens arrivent dans le port de New York. A la même époque, le Metropolitan Opera House ouvre ses portes, Carnegie Hall accueille ses premiers auditeurs et le Metropolitan Museum est inauguré. Sur le plan des prouesses techniques, c'est pendant cette période qu'**Edison** installe sa première centrale électrique, que l'on édifie les ancêtres des gratte-ciel et que l'ouverture du Brooklyn Bridge établit la première liaison terrestre entre Manhattan et Long Island. Enfin, en 1886, la Statue de la Liberté offerte par la France aux États-Unis est installée à l'entrée de la baie la plus active du monde.

En 1898, New York acquiert sa physionomie actuelle en annexant les municipalités environnantes de Brooklyn, du Bronx, du Queens et de Staten Island. Les cinq *boroughs* (arrondissements) s'unissent pour constituer le *Greater New York.* Avec ses 3,4 millions d'habitants, la nouvelle métropole devient, après Londres, la deuxième agglomération du monde. Mais New York possède aussi un autre record, beaucoup moins glorieux : à la même époque, 70 % de la population vit dans des taudis.

La fin du XIXe s. et les premières décennies du XXe s. sont marquées par l'avènement des *robber barons :* Vanderbilt, Whitney, Carnegie, Morgan et Rockefeller amassent des fortunes colossales en tirant profit des gigantesques transformations foncières et financières de la ville et du pays. Peu appréciés par leurs concitoyens, ces multimilliardaires s'efforcent de faire oublier leur avidité par des œuvres philanthropiques qui finiront par accroître le rayonnement de la ville. Des institutions telles que le Carnegie Hall, la Frick Collection, la Public Library, la Morgan Library ou encore le Cooper-Hewitt Museum doivent leur existence aux largesses de ces barons de l'industrie. De cette époque date la grande tradition new-yorkaise du mécénat et de la philanthropie.

La première ligne de métro souterrain, qui relie Brooklyn Bridge et la 145e rue dans le West Side, est mise en service en 1904. A partir de cette période, la zone résidentielle de Harlem, au nord de Manhattan, devient le lieu de prédilection de la nouvelle bourgeoisie noire. Les musiciens, comédiens, peintres et écrivains noirs s'y installent, favorisant ainsi le phénomène de *Black Harlem* des années 20 et 30. Beaucoup de Noirs d'origine rurale viennent également s'établir dans ce célèbre quartier.

Le point final de la conquête urbaine et ferroviaire de Manhattan est la construction des grandes gares de Pennsylvania et de Grand Central, qui facilitent les relations entre la ville et le continent. En 1913, la population dépasse les 5 millions d'habitants.

Au lendemain de la Grande Guerre, en 1920, la **Prohibition** ou «Loi Sèche», votée par le Congrès, instaure l'interdiction des boissons alcoolisées et entraîne par là-même la constitution d'un énorme réseau de contrebande dominé par des gangs puissants et organisé à partir de New York. C'est d'ailleurs des quartiers d'immigrants de Manhattan que sortent des gangsters tels que Al Capone, Lucky Luciano et «Dutch» Schultz.

Le krach boursier d'octobre 1929 marque le début de la Grande Dépression. Les faillites se multiplient, le chômage tou-

A l'extrême sud de Downtown Manhattan, Battery Park

che la moitié de la population active et la production industrielle s'effondre. Pour faire face à cette crise sans précédent et à la corruption rampante dans les services municipaux, la population élit à la mairie en 1933 **Fiorello La Guardia,** en qui elle voit un homme providentiel. « La Petite Fleur », comme on le surnomme, est un politicien rusé qui sait tirer profit de ses origines italiennes ; il lance une vaste politique sociale d'assainissement financier et de centralisation du pouvoir municipal.

est une bouffée d'air frais en plein quartier financier.

NEW YORK, CAPITAL OF THE WORLD

Avec l'entrée en guerre des États-Unis en 1941, le port de New York prend un nouvel essor. L'arrivée de milliers d'intellectuels européens persécutés par le nazisme ou chassés par le conflit favorise le développement intellectuel de la ville. Elle accueille des célébrités, telles qu'Albert Einstein, Fernand Léger, Thomas Mann, Claude Lévi-Strauss, Salvador Dali, Igor Stravinsky,

André Breton, Arturo Toscanini, Saint-John Perse, Bertolt Brecht et Darius Milhaud. C'est à partir des années 1939 - 1945 que New York commence véritablement à rivaliser avec les grandes places financières et culturelles européennes. A la signature de l'Armistice, elle est la seule métropole occidentale à sortir indemne du conflit, et s'impose comme la capitale du monde.

Dans les années 50, l'O.N.U. et les grandes compagnies et banques multinationales choisissent d'installer leur siège dans la métropole américaine. A cette époque commencent à affluer les immigrants d'origine portoricaine ou de langue espagnole, qui prennent le relai de l'immigration européenne. La population des 5 *boroughs* dépasse alors les 7 millions d'habitants.

LA MÉTROPOLE EN FAILLITE

Malgré cette montée en puissance, New York subit à partir de 1960 une dégradation rapide. Les difficultés créées par l'exode des classes aisées, le départ de nombreux commerces et la détérioration des services publics, culminent dans les violentes émeutes des quartiers noirs, qui se succèdent tout au long des années 60.

En 1974 - 1975, la municipalité se trouve dans l'impossibilité de rembourser ses dettes et de payer ses employés. Le gouvernement de l'État, les banques et les syndicats s'unissent pour empêcher le dépôt de bilan de la ville et créent la M.A.C. (Municipal Assistance Corporation), organisme destiné à gérer les affaires municipales et à rétablir l'équilibre budgétaire. Le redressement financier est achevé au début de 1976. Mais, en plein été 1977, une panne d'électricité de 25 heures débouche sur le pillage et le vandalisme. Manhattan devient le symbole des aspects les plus inquiétants de la société urbaine contemporaine.

LA MÉTROPOLE RENAISSANTE

En novembre 1977, Edward Koch est élu maire de New York sur un programme d'assainissement des finances et de renaissance de la ville. Le recensement de 1980 révèle un déclin de la population blanche et une augmentation importante des *Hispanics,* autrement dit des Latino-américains, qui forment avec les Noirs la moitié de la population. Mais, peu à peu, les banques, les sociétés et les jeunes diplômés sont de nouveau attirés par Manhattan. Le secteur du bâtiment connaît une reprise et le chômage diminue. Les milieux d'affaires font à nouveau confiance à la ville et y modernisent leurs installations. En 1985, après la réélection de Koch à la mairie, la réduction des budgets sociaux décidée par le président Reagan inquiète les spécialistes, qui mettent en garde contre l'élargissement du fossé existant entre les riches et les pauvres. D'immenses tâches restent à accomplir sur le plan de la protection sociale. Aux élections de 1989, et pour la première fois de son histoire, New York se choisit un maire noir, David N. Dinkins.

En 1986, New York fête avec éclat le centenaire de la Statue de la Liberté et rend hommage aux millions d'immigrants qui ont fait d'elle le symbole du monde moderne.

NEW YORK AUJOURD'HUI

New York est toute en spectacles et en contrastes. C'est une «record-ville» : plus de 7 millions d'habitants, premier centre financier international, mecque du marché de l'art, locomotive de modes, cerveau des États-Unis. Parce qu'elle est chaotique et interlope, on y découvre des images dures, surprenantes, bien ancrées dans la vie new-yorkaise : trous béants d'immeubles calcinés dans le South Bronx, déchéance humaine devenue familière dans Manhattan. Voilà son purgatoire. Parce qu'elle est ouverte et libérale, on s'y plaît. Et elle demeure la métropole la plus «porteuse» de l'Ouest, son rêve magique.

L'EMPIRE DU BILLET VERT

Au lendemain de la Seconde Guerre mondiale, New York prend le relais de la City londonienne. De nos jours, les courtiers de Wall Street dictent leurs lois aux grands marchés financiers. Des livres, des films, des articles leur sont consacrés : les *golden-boys* deviennent de véritables vedettes médiatiques. Mais le krach d'octobre 1987 a mis au jour la vulnérabilité de ces colosses aux pieds d'argile. En ébranlant les confiances, aurait-il fait perdre à ces hommes d'argent la place mythique qu'ils occupaient dans l'imaginaire new-yorkais?

Dans cette ville où tous les habitants boursicotent, on s'est posé en cette occasion d'importantes questions sur l'*american dream.* Avec ce krach, la prospérité part-elle vers d'autres rivages? Est-ce la fin d'une époque faste? Mais New York se veut foncièrement optimiste, la Bourse ne peut que reprendre de plus belle.

SURENCHÈRE ET SURCONSOMMATION

A New York, comme nulle part ailleurs aux États-Unis, on est saisi par la vocation mercantile de la société américaine. Les commerçants s'y montrent plus avisés qu'en Europe. De jour comme de nuit, ils sont au service de leurs clients. Quelques noms de magasins indiquent même leurs horaires d'ouverture : *Seven-Eleven,* ouvert de 7 h du matin à 11 h du soir, dans les faits 24 h sur 24! A tous les coins de rue, une épicerie assure systématiquement une permanence nocturne. La nationalité de son propriétaire change à chaque nouvelle vague d'immigration. Aujourd'hui, il s'agit de *korean markets!* Vêtements, gadgets ou disques se trouvent aussi à n'importe quelle heure. Ici s'arrête le respect du sommeil et du sacro-saint week-end : chaque habitant est un client en puissance.

Dans les quotidiens, aux impressionnants suppléments, des feuillets entiers de publicité sont réservés aux occasions du jour dans telle ou telle boutique. Des *coupons,* tickets détachables, permettent d'avoir des remises sur certains articles. Le *discount* est la clé magique d'une activité à part entière, le *shopping.* On dira d'une personne qu'elle est un *good shopper,* c'est-à-dire qu'elle achète à bon escient. Mais à New York, le shopping devient vite course aux affaires. Quand on fait ses achats dans cette ville, on n'a que l'embarras du choix car les prix qui s'y pratiquent sont extrêmement compétitifs. On est sûr d'y dénicher le mouton à cinq pattes, un *bargain.*

LE MONDE DANS UNE POMME

Cette soif de consommation est la juste revanche des fils et petits-fils d'immigrants qui peuplèrent la Big Apple, la Grosse Pomme, par vagues successives. La population new-yorkaise actuelle est très significative du melting-pot. Elle est des plus hétérogènes : Portoricains, Italiens, Russes, Allemands, Autrichiens, Polonais, Scandinaves, Chinois, Vietnamiens, sans parler des Noirs qui représentent 1,8 million d'individus. Avec 2,5 millions de juifs, New York est la plus grande ville juive du monde. Elie Wiesel, prix Nobel de la paix et porte-parole de la condition israélite, y réside. Des juifs orthodoxes, reconnaissables à leur si typique costume religieux, occupent des quartiers entiers de Brooklyn et tiennent des commerces dans Manhattan (textiles et diamants). Quant à la population de langue espagnole, elle est si nombreuse que l'affichage municipal et la publicité sont bilingues.

Chaque nationalité a voulu créer son espace en y apportant ses particularités. Ainsi sont nés Little Italy, El Barrio et Chinatown. Quant aux frontières raciales, elles sont aujourd'hui encore perceptibles autour d'Harlem et du Bronx. Néanmoins, l'implantation ethnique n'est plus fixe. Elle ne cesse de changer de lieu : des parties de la ville sont investies, du jour au lendemain, par de nouveaux arrivants.

LA CAPITALE DE L'ÉNERGIE

Le cosmopolitisme de la métropole est tel qu'un étranger peut très bien y travailler sans maîtriser parfaitement l'anglais. Ici le labeur est une règle : l'ascension sociale récompense celui qui n'hésite pas à retrousser ses manches. Car quiconque vient à New York y reste pour réussir.

Le dynamisme de la ville ne tient qu'à l'énergie créatrice de ses habitants, à la fièvre d'entreprendre, au sentiment d'urgence. Le New-Yorkais est infatigable. Il possède plus qu'un autre citoyen américain ces vertus d'outre-atlantique : l'amour du tra-

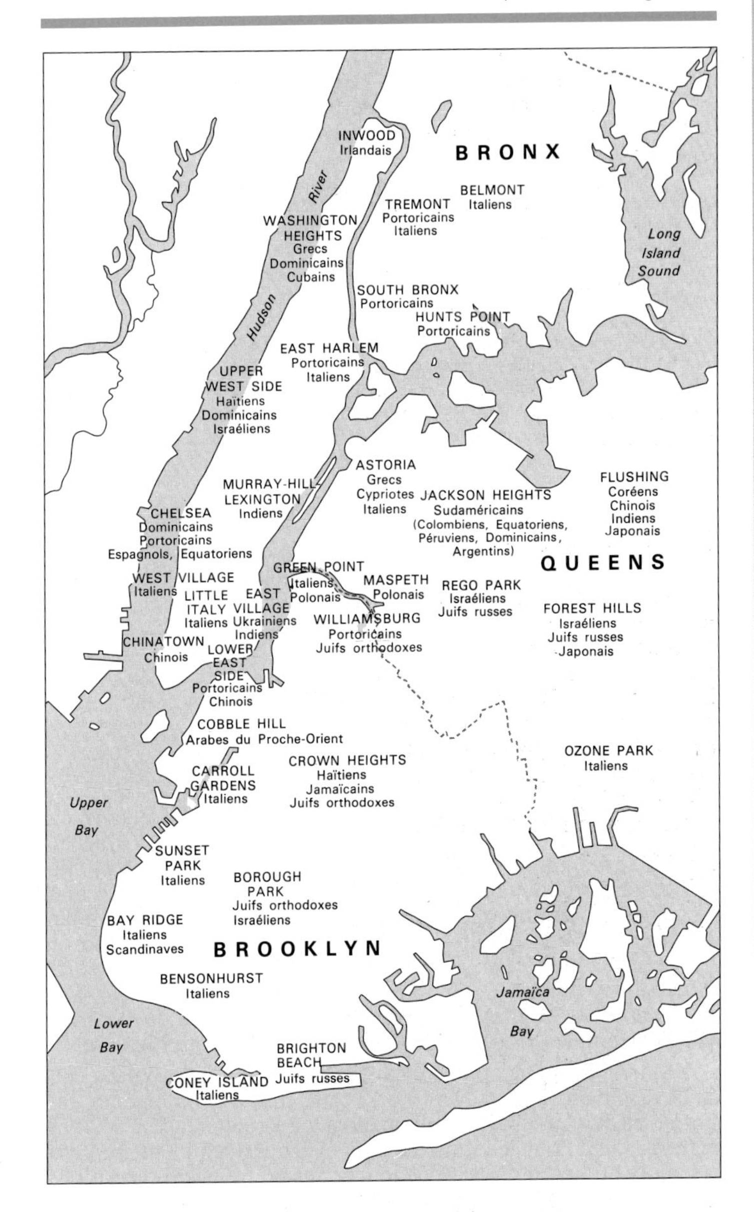

Répartition des diverses nationalités dans les 5 boroughs de New York (source : « New York City Street Smarts », par Saul Mill, Holt, Rinehart and Winston, N. Y., 1983)

vail bien fait, le souci d'efficacité et l'amabilité professionnelle. C'est surtout ici qu'on rencontre des yuppies *(Young Urban Professionals),* cette nouvelle « espèce » de jeunes cadres supérieurs « qui en veulent ».

La vie quotidienne en témoigne. On va à l'essentiel. Les affaires ne traînent pas, les démarches administratives sont simplifiées, les paperasses réduites au minimum.

Les conseils d'Edward Koch, ancien maire de New York

Ed. Koch est un véritable «nationaliste» new-yorkais. Il adore sa ville natale et le dit à qui veut l'entendre.

«New York est une ville qui bouge sans cesse. L'architecture change d'année en année. Ici, les immigrants sont les bienvenus et il est très facile de se faire naturaliser Américain. D'ailleurs, 30 % des habitants de New York sont nés à l'étranger.

«Mes trois quartiers préférés sont SoHo, South Street Seaport et Greenwich Village.

«A SoHo, je m'arrête au " Broome Street Bar " ou à la " Manhattan Brewery " pour grignoter quelque chose. A South Street Seaport, près du Financial District, j'admire les voiliers et je m'arrête au " Liberty Café ", au bord de l'eau. A Greenwich Village, je me promène autour de Washington Square Park, de la 4e rue, de la 8e rue et de Sheridan Square.

«Les cuisines chinoise et italienne sont mes préférées. A Chinatown, le " Peking Duck " prépare le canard mieux qu'à Pékin. Pour les poissons et les fruits de mer à la chinoise, rien ne vaut le " Sun Lok Kee ".

«Vous savez, nos restaurants de cuisine étrangère sont souvent meilleurs que ceux des pays d'origine. La qualité de nos produits est supérieure.

«Mes restaurants italiens préférés sont " Marcello's ", où je vais souvent, et " Il Mulino ", où il vaut mieux réserver à l'avance car c'est très fréquenté.»

CHAOS ET ORDONNANCE

A la verticalité ordonnée des gratte-ciel, au quadrillage rationnel des artères, s'oppose le paysage de la vie urbaine, un horizon prodigue et exubérant, strié de sirènes hurlantes, congestionné d'embouteillages. Plus d'une heure est nécessaire pour parcourir en voiture, dans les cahots que provoque le macadam défoncé, les 4 kilomètres séparant l'East River de l'Hudson. Le peintre Mondrian a bien perçu cette dynamique et l'a superbement transcrite dans son tableau *Broadway Boogie-Woogie* (exposé au Moma), composition lyrique formée de verticales et d'horizontales vibrant d'un courant électrique multicolore.

Martin Scorsese aime comparer l'animation de sa ville à celle de la Rome antique. A New York, cette confusion apparente dissimule en fait un ordre subtil, analogue à la cohérence d'un morceau de jazz, dont les mouvements syncopés semblent improvisés, alors qu'ils sont le fruit de longues et minutieuses répétitions.

Dans la réalité, plusieurs exemples viennent attester du bien-fondé de cette image. Sur la 42e rue, la foule des dealers est au rendez-vous. Chacun d'eux possède son bout de trottoir, son coin de rue, bref un territoire bien délimité. La vente s'effectue là, selon un scénario concerté. Le délabrement de certains quartiers pourrait faire penser à tort qu'ils sont à l'abandon : les propriétaires laissent leurs immeubles se détériorer pour inciter les locataires au départ. Parfois il arrive qu'ils y mettent eux-mêmes le feu pour toucher les primes d'assurance. Le métro new-yorkais est lui aussi trompeur : le service y est très efficace bien qu'il soit dans un état lamentable.

UPTOWN-DOWNTOWN

Sur le plan culturel, New York est coupée en deux : Uptown et Downtown, le nord et le sud.

Uptown, c'est la ville aux valeurs traditionnelles, huppée et sage, élitiste et intimidante, celle des grands musées, des restaurants réputés, des résidences cossues, des bijoutiers et des magasins prestigieux (Tiffany's, Bloomingdale's, etc.), donnant sur fifth Avenue ou Madison Avenue, la «rue du Faubourg-Saint-Honoré» new-yorkaise.

Downtown, qui commence au sud de la 33e rue, est plus conviviale. Il y fait bon vivre. C'est le royaume des créateurs et des artistes-vedettes, des cafés branchés, des restaurants et des boîtes à la mode. Dans Chelsea, SoHo et Tribeca, on trouve une profusion de lofts où habitent peintres, sculpteurs, danseurs, stylistes, musiciens et écrivains. Ainsi le peintre Julian Schnabel, l'actuelle coqueluche de la société new-yorkaise comme le fut un temps Andy Warhol, y a élu domicile.

Ces deux parties de Manhattan, Uptown et Downtown, aux objectifs souvent contradictoires, ont créé ensemble la renommée culturelle et internationale de la ville. Les vaches maigres, on les vit à Downtown, la consécration, on la connaît à Uptown.

Le point commun d'Uptown et de Downtown, le centre de gravité de Manhattan, le lieu de rencontre entre bohème et bourgeoisie, c'est Central Park, lieu de sports, de loisirs, de création et de défoulement. Il assure l'équilibre entre les quartiers bigarrés ou élégants, libéraux ou conservateurs. Alechinsky, membre du groupe Cobra, offre une vision hallucinée de ce parc tentaculaire : «Je l'ai découvert du 30e étage; les parterres d'herbe, les chemins, les rochers se sont transformés en une espèce de monstre qui dévorait les piétons et les taxis jaunes.»

DE L'ENFANT TERRIBLE A LA JEUNE FILLE RANGÉE

Aujourd'hui, cette ville tant controversée, qu'on taxe volontiers de nouvelle Babylone, subit un phénomène de *gentrification,* c'est-à-dire d'embourgeoisement. Après s'être exilés en banlieue, les jeunes bourgeois aisés reviennent à Manhattan, bousculant les habitudes, transformant les quartiers et provoquant une ascension vertigineuse des prix de l'immobilier. Les familles d'immigrants, les vieux habitants, les petits commerçants et les jeunes artistes sont obligés de partir à leur tour en périphérie pour trouver des loyers raisonnables. Les rues et faubourgs populaires changent de visage, du jour au lendemain, sous les coups des bulldozers. Les promoteurs font fortune. Et les New-Yorkais s'interrogent sur l'identité de leur ville. Des inquiétudes s'expriment sur la disparition de quartiers entiers au profit de grandes tours d'habitation. Déjà, dans les années 50, on voulait raser SoHo. Vivre à Manhattan est désormais un privilège.

L'ARCHITECTURE A NEW YORK

DES WIGWAMS AU STYLE FÉDÉRAL

Lorsque les Hollandais arrivèrent à Manhattan, les Indiens habitaient des huttes en bois aux parois doublées d'écorces, appelées *wigwams,* et que l'on peut donc considérer comme les premières manifestations de l'architecture new-yorkaise.

Les époques coloniales hollandaise puis anglaise n'ont malheureusement laissé que de rares vestiges architecturaux. La Dyckman House est, avec son avant-toit saillant et son porche, un exemple typique de ferme hollandaise des XVIIe et XVIIIe siècles. L'architecture georgienne fut naturellement importée de l'Angleterre des rois George (1714-1790). St. Paul's Chapel, inspirée de St. Martin's-in-the-Fields à Londres, en est le plus beau fleuron avec la Morris-Jumel Manson et Fraunces Mansion Tavern.

Le style fédéral (1789-1825) est celui de la jeune République, en réaction au style georgien qui rappelait la domination britannique. L'austérité et la simplicité s'imposent. Les frontons et les colonnes corinthiennes sont remplacés par des toits plats et des colonnes doriques. Parmi les rares bâtiments publics de cette époque, citons le City Hall et la Gracie Mansion. Il reste davantage de résidences privées, telles la James Watson House à Wall Street, Hamilton Grange ou encore l'Abigail Adams Smith House.

LES REVIVALS

La période des *revivals,* c'est-à-dire des reprises de styles d'autres pays, s'étend sur tout le XIXe siècle. L'un des plus importants, le Greek Revival, populaire à partir de 1830, s'inspire des éléments et des proportions de l'architecture classique : frontons, colonnes et portiques séduisent les commerçants new-yorkais. La rangée d'hôtels particuliers de Washington Square North, à Greenwich Village, en est un beau témoignage, tout comme le rez-de-chaussée de la Citibank au n° 55, Wall Street.

Le Gothic Revival a un faible pour les plans asymétriques. A l'intérieur, des pièces circulaires alternent avec des salles carrées ; à l'extérieur, les façades se couvrent d'ornements. Trinity Church,

De l'élégante 57e rue, on découvre à l'arrière-plan l'I.B.M. Building (à gauche), la silhouette élancée de la Trump Tower (au centre) et, au premier plan, le toit et les tourelles du Crown Building.

les deux cathédrales St. Patrick's et Grace Church, représentent à merveille le style néo-gothique.

L'Italianate (néo-Renaissance italienne) s'impose de 1845 à 1860, et inspire des centaines de rangées de *brownstones,* résidences construites en grès brun provenant des carrières de Nouvelle-Angleterre. Les *brownstones* étaient à l'origine des maisons individuelles mais elles ont été transformées en appartements au XXe siècle. On en trouve de beaux exemples à Greenwich Village, Chelsea, Gramercy Park et Harlem.

Le style néo-Renaissance italienne se répand également grâce au développement de l'architecture en fonte *(voir promenade « Au pays des lofts : SoHo et Tribeca »).* Le Romanesque néo-roman, très répandu dans la seconde moitié du XIXe siècle, est bien représenté par la Marble Collegiate Church, par l'aile sud de l'American Museum of National History ou encore par l'élégant De Vinne Press Building.

Autour de 1900, les Revivals font place à ce qu'on appelle l'Éclectisme, les clients choisissant leur style préféré : le néo-georgien (Harvard Club), le néo-classique ou néo-roman (ancienne gare de Penn Station et Metropolitan Museum), le style Beaux-Arts (Custom House), le néo-Renaissance allemande (Dakota) ou flamande (West End Collegiate Church).

LE SIÈCLE DES GRATTE-CIEL

L'augmentation du prix des terrains et la densité de population conduisent les architectes et les urbanistes à construire de plus en plus haut, en utilisant pour ce faire des innovations techniques. Le premier ascenseur est installé en 1859 au Haughwout Building et, à la même époque, la fonte puis l'acier offrent davantage de liberté. En 1902, on édifie le Flatiron Building dans le style Renaissance. Onze ans plus tard, le Woolworth Building, « cathédrale gothique du commerce », devient le plus haut bâtiment du monde. Ces immeubles élevés ont besoin d'un soubassement géologique pour leurs fondations. Or, on ne trouve de schiste à proximité de la surface qu'à Downtown et Midtown, ce qui explique la forte concentration de gratte-ciel dans ces deux secteurs de Manhattan.

En 1916 est adoptée une loi de planification urbaine qui calcule le volume des buildings en fonction de leur surface au sol. Ainsi sont érigés les fameux immeubles à retraits successifs que Paul Morand décrivait comme « des escaliers sans rampe ». De la même époque date le décret pour la prévention des incendies qui impose les légendaires escaliers métalliques sur les façades des bâtiments. En 1925, l'Exposition des Arts décoratifs à Paris influence un grand nombre d'architectes américains et inspire entre autres le Chrysler Building et le Chanin Building. Par la suite, la brique, la céramique et la pierre sont remplacées par l'acier, le verre et l'aluminium. Le nouveau style d'architecture s'efforce de mettre en évidence la structure des bâtiments, comme on le voit avec le Mc Graw-Hill Building, le Daily News Building ou la Lever House. Le gratte-ciel new-yorkais est alors repris dans toutes les grandes villes du monde, et grâce à lui l'architecture américaine acquiert ses lettres de noblesse.

New York

Les gratte-ciel ! Il y en a qui sont des femmes et d'autres des hommes ; les uns semblent des temples au Soleil, les autres rappellent la Pyramide aztèque de la Lune. Toute la folie de croissance qui aplatit sur les plaines de l'Ouest les villes américaines et fait bourgeonner à l'infini les banlieues vivipares s'exprime ici par une poussée verticale. Ces in-folios donnent à New York sa grandeur, sa force, son aspect de demain. Sans toits, couronnés de terrasses, ils semblent attendre des ballons rigides, des hélicoptères, les hommes ailés de l'avenir. Ils s'affirment verticalement, comme des nombres, et leurs fenêtres les suivent horizontalement comme des zéros carrés, et les multiplient. Ancrés dans la chair vive du roc, descendant sous terre de quatre ou cinq étages, portant au plus profond d'eux-mêmes leurs organes essentiels, dynamos, chauffage central, rivetés au fer rouge, amarrés par des câbles souterrains, des poutrelles à grande hauteur d'âme, des pylônes d'acier, ils s'élèvent, tout vibrants du ballant formidable des étages supérieurs ; la rage des tempêtes atlantiques en tord souvent le cadre d'acier, mais, par la flexibilité de leur armature, par leur maigreur ascétique, ils résistent. Les murs ont disparu, ne jouant plus ancun rôle de soutien ; ces briques creuses dont la construction est si rapide qu'on peut monter d'un étage par jour, ne sont qu'un abri contre le vent et ces granits, ces marbres qui garnissent la base des édifices n'ont que quelques millimètres d'épaisseur et ne constituent plus qu'un ornement ; les plafonds en lattis sont simplement agrafés aux charpentes, le toit est fait de feuilles d'acier. Tout bois est interdit, même en décoration ; tout l'effort, accru par l'altitude, est troué par ces cages ignifugées que traversent une vingtaine d'ascenseurs et tant de faisceaux de fils électriques qu'on dirait des chevelures...

Paul Morand, *New York*
Éd. Flammarion, 1930

Depuis quelques années, le post-modernisme réagit contre le fonctionnalisme de l'époque précédente. Il puise son inspiration dans le style fédéral et dans l'architecture classique, et remet à l'honneur les colonnes, les arcs, la brique et la pierre. L'exemple le plus représentatif en est l'AT & T Building (Madison Av.), dont l'élégante corniche et les énormes proportions classiques sont dues à John Burgee et à Philip Johnson, le doyen des architectes new-yorkais. Le post-modernisme, qui en est encore à ses débuts, prend un essor considérable grâce à Robert Venturi et Robert Stern.

FINANCIAL DISTRICT
Time is money

Pl. II. — *Métro :* Bowling Green/Broadway (ligne 4) ; South Ferry/Battery Park (ligne 1) ; Whitehall St./South Ferry (ligne R). *Bus :* lignes 1, 6.

Le financial District, ou quartier des affaires, se concentre autour de Wall Street, à la pointe sud de Manhattan. Dans ce quartier historique qui résume à lui seul la fabuleuse épopée new-yorkaise, la chapelle Saint-Paul, datant du XVIIIe s., côtoie les 110 étages du Word Trade Center. Depuis l'établissement des premiers colons hollandais en 1614, ce district est le centre financier, politique et juridique de la ville ; mais il suffit de s'y promener aux heures de bureau pour comprendre qu'il exerce une domination sur l'ensemble de l'économie mondiale.

Contrairement au reste de la ville qui grouille de monde jour et nuit, Wall Street vit seulement les jours ouvrables. Le soir et le week-end, le quartier reste vide, à l'exception des quelques flâneurs et cyclistes qui s'aventurent dans ses rues désertes. Il est donc pratiquement réservé aux *commuters* (banlieusards) dont le rythme de vie est le fameux « métro - boulot - dodo ».

Mais des changements s'annoncent. Depuis plusieurs années déjà, les activités financières gagnent d'autres quartiers de Manhattan et même la banlieue. En outre, trois récents projets urbains sont en passe de transformer le quartier, dont le nombre de résidents doublera dans les années à venir. D'abord, le centre commercial et gastronomique du South Street Seaport proposera une centaine de restaurants et de boutiques. Ensuite, Battery Park City commence lui aussi à prendre forme sur une esplanade en remblai, à l'ouest du World Trade Center. Ce nouveau complexe urbain est conçu dans l'esprit du Rockefeller Center, avec de grands buildings, des boutiques, des restaurants et plus de quatorze mille logements haut de gamme. Enfin, la South Ferry Tower, dominant l'embarcadère du ferry de Staten Island du haut de ses soixante étages de logements, modifiera la vie du quartier et le célèbre *skyline* de Manhattan.

Au centre de la Chase Manhattan Plaza, le sculpteur français Jean Dubuffet, très populaire aux États-Unis, a planté son Groupe des quatre arbres.

Un peu d'histoire

Le quartier des affaires n'a pas toujours appartenu exclusivement aux gens de finances. A l'époque de la Nouvelle-Amsterdam, Wall Street et Trinity Church marquaient seulement la limite septentrionale de la ville. Au sud s'entassaient les logements, les entrepôts, les quais, les banques et les bureaux maritimes du port naissant. La ville, avec ses petites voies tortueuses et ses canaux, était construite selon le plan des cités européennes, et ses rues portaient les noms qu'elles ont gardés depuis.

Lorsque l'espace commença à manquer, on entreprit de gagner du terrain sur l'eau en remblayant les rives à l'est de l'île. Par l'accumulation de troncs d'arbres, de pierres et de vieilles coques de bateaux, on réussit à faire reculer l'East River, de Pearl Street à Water Street, puis jusqu'à South Street en 1796.

Cependant, la ville poursuivait son extension vers le nord : en 1800, Canal Street marquait la nouvelle limite. La vie de New York, à cette époque, gravitait autour du commerce maritime. Les voiliers mouillaient dans l'East River, où se trouvaient les quais. La ville était donc tournée vers l'est, vers Pearl St., Front St. et South Street. Les négociants habitaient d'élégantes demeures à Battery, à Bowling Green et sur Greenwich Street, emplacement actuel du World Trade Center. Plus au nord, dans l'actuel Tribeca, vivaient les artisans et les ouvriers.

Dans les années 1830, l'accroissement des activités portuaires et le début de l'immigration massive accélèrent la fuite des classes aisées vers le nord de l'île. De belles résidences furent édifiées dans ce qui était encore la campagne : Second Avenue (l'East Village actuel), Lafayette Street et Washington Square. Ainsi, les maisons bourgeoises des négociants et des affréteurs furent remplacées par les sièges des banques, des compagnies d'assurances et autres entreprises. Quant aux centaines de milliers de nouveaux arrivants, ils furent alors entassés dans les quartiers de Greenwich Street, à l'ouest, et de Cherry Street, à l'est.

De tout temps, donc, un des casse-tête de la communauté financière fut la recherche d'espace libre. Obligée d'être installée dans un périmètre réduit, à proximité du port, elle n'avait d'autre solution que de construire en hauteur. En 1889 s'ouvrait la longue course vers les nuages, avec la construction du premier gratte-ciel de Manhattan, qui, du n° 50 de Broadway, dominait de ses 11 étages la pointe sud de l'île. A l'est, la construction du Brooklyn Bridge, en 1883, permit à des milliers d'employés de bureau d'accéder facilement au quartier. A l'ouest, les bateaux approvisionnaient les halles centrales du Washington Market.

Au cours du XXe s., l'importance de Wall Street n'a cessé de grandir dans le monde. Il a pris son véritable essor et largement dépassé ses concurrents européens depuis la fin de la Seconde Guerre mondiale. A la fin des années 50 et au début des années 60, plusieurs sociétés ont décidé, toujours à cause du manque d'espace chronique, de se déplacer *uptown,* et il a semblé, pendant un moment, que la communauté financière délaisserait son quartier traditionnel. Mais la confiance renouvelée de la plupart des banques et des grandes sociétés réussit à enrayer l'exode et à relancer la construction, comme en témoignent les buildings de Water Street, les tours du World Trade Center et le complexe de Battery Park City.

BOWLING GREEN

Pl. II, B3. — Métro : Bowling Green/Broadway (ligne 4).

A l'époque coloniale hollandaise, le « terrain de boules » n'était qu'un simple marché aux bestiaux marquant le point de départ de Broadway, un ancien sentier indien. Selon la tradition, c'est à cet endroit précis que les Hollandais achetèrent Manhattan aux Indiens pour 24 dollars de tissus et de divers colifichets. En 1733, quelques fanatiques du jeu de boules louèrent l'emplacement à la Couronne britannique pour la somme symbolique d'un grain de poivre par an. Dans les années qui précédèrent la Révolution américaine, le parc devint peu à peu un lieu de promenade, de réunion ou d'épanchements collectifs. En 1776, lors de la proclamation de l'Indépendance, la foule y abattit la statue équestre du roi d'Angleterre George III, le plomb étant ensuite récupéré pour fondre des balles. Les révolutionnaires en colère épargnèrent heureusement la grille d'origine que l'on peut toujours admirer. Au début du XIXe s., le « Green » était entouré des plus belles demeures de la ville et rassemblait tous les élégants.

Custom House (Bureau des Douanes), II, B3

Construit en 1907 avec toute l'exubérance du style Beaux-Arts, il se trouve au sud de la place, sur l'emplacement de l'ancien fort Amsterdam bâti par les Hollandais en 1626. Sur sa façade, quatre sculptures représentent, de gauche à droite, l'Asie méditative, l'Amérique confiante dans l'avenir, l'Europe entourée de ses réussites passées, l'Afrique sommeillant entre le sphinx et le lion. Les chapiteaux des 44 colonnes entourant le bâtiment sont couronnés par des sculptures en pierre qui évoquent Mercure, dieu du Commerce. La corniche est décorée par 12 statues en marbre qui symbolisent les 12 plus grands centres de l'Histoire. A l'intérieur, l'immense coupole (40 m × 25 m) du hall d'entrée et sa lucarne ovale en font l'une des plus belles salles publiques de la ville. Au pied de la coupole, des fresques décrivent la saga des explorateurs des États-Unis et l'arrivée d'un paquebot dans la baie de New York. Parmi les passagers, on reconnaît, interviewée par des journalistes, la divine Greta Garbo.

Plusieurs immeubles commerciaux du bas de Broadway présentent un intérêt certain. Au no 25 se dresse l'ancien siège de la compagnie maritime **Cunard Line** (1921). Construit à l'époque des paquebots, dans l'euphorie des années 20, ce building de style Renaissance italienne cache derrière sa façade à colonnes un extraordinaire espace intérieur inspiré de la Villa Madama par Raphaël à Florence. La décoration de son hall d'entrée et de sa grande salle, où se trouvaient autrefois les guichets, les fresques des plafonds et des murs, les dimensions de sa coupole (20 m de haut sur 60 m de long) rappellent l'époque faste des voyages maritimes transatlantiques. Lorsque en 1976 la compagnie Cunard quitta les lieux, la Poste vint s'y installer. La nouvelle décoration, avec ses lampes fluorescentes et ses faux-plafonds, n'est pas particulièrement heureuse.

En face, au no 26, se dresse l'ancien immeuble de la **Standard Oil Corporation** (1922), compagnie pétrolière fondée par John D. Rockefeller. Sa façade courbe épouse les contours de Broadway, tandis que sa tour, que l'on peut mieux observer depuis Battery Park, respecte l'orientation nord-sud des rues et des immeubles d'Uptown. Lors de la conception du bâtiment, son architecte privilégia la ligne d'horizon de l'ensemble de Manhattan au détriment de la base du building. Des lampes à pétrole ornementent la façade et le haut de la tour. A l'intérieur, dans le grand hall de style Renaissance, les noms des fondateurs de la société sont gravés dans le marbre.

BATTERY PARK

Pl. II, B3. — Métro : South Ferry/Battery Park (ligne 1) ; Bowling Green/Broadway (ligne 4) ; Whitehall St./South Ferry (ligne R).

En arrivant à Battery Park, entre State Street et Battery Place, on peut admirer l'une des dernières entrées de métro **(Subway Kiosk)** inspirées par l'architecture ottomane, et datant de l'inauguration de la ligne IRT en 1904.

Situé à la pointe extrême sud de l'île, Battery Park n'était à l'origine qu'un îlot rocheux dont la batterie de canons protégeait la ville. Des remblayages successifs ont comblé le bras de mer qui le séparait de Manhattan. Ce parc reste aujourd'hui l'un des plus animés de toute la ville. A l'heure du déjeuner, les employés de bureau du quartier viennent s'asseoir pour manger un sandwich ou un bretzel et jouir d'un moment de calme. Contrairement aux autres parcs de la ville, drogués et dealers y sont rares. Le week-end, quelques musiciens jouent pour les nombreuses familles qui s'y promènent. C'est parmi ces badauds, sur la **Dewey Promenade,** que plusieurs scènes du film *Recherche Susan désespérément* (S. Seidelman, 1985) ont été tournées. A l'angle ouest, la caserne de pompiers **(Engine Company)** possède une vue superbe sur la Statue de la Liberté.

A gauche se dresse le Castle Clinton.

Castle Clinton National Monument, II, B3 (1807). Le fort, construit pendant la guerre de 1812, avait pour fonction de protéger la ville contre les attaques britanniques. C'est peut-être grâce à l'existence de ces fortifications que New York doit de n'avoir pas subi le sort de Washington.

Baptisé Castle Clinton en l'honneur d'un ancien maire de la ville, De Witt Clinton, le fort fut désaffecté en 1824 et loué par la municipalité. Jusqu'en 1854, il servit de centre de loisirs et d'Opéra, sous le nom de Castle Garden, puis il fut transformé en centre d'accueil des immigrants. Précurseur direct d'Ellis Island, il vit défiler entre 1855 et 1890 plus de 7 millions de nouveaux arrivants. Enfin, de 1896 à 1941, les locaux accueillirent le New York Aquarium. Castle Clinton abrite aujourd'hui un **musée** consacré à l'histoire du fort et du parc. *(Ouv. t.l.j. de 8 h 30 à 17 h).*

A gauche de la fortification, sur la Dewey Promenade, près de laquelle se trouve la **statue de Giovanni da Verrazano,** on découvre toute la **baie de New York.** De cet endroit privilégié*** où convergent l'Hudson et l'East River, on peut admirer, de gauche à droite : Brooklyn Heights, II, D3, Governor's Island, I, A2, Staten Island, I, A3, Liberty Island, I, A2, et la Statue de la Liberté, I, A2, Ellis Island, I, A2, et, finalement, le New Jersey, I, A2. En face, le **Verrazano-Narrows Bridge,** I, A3, est le plus long pont suspendu du monde (1,2 km de long). Les guichets et l'embarcadère du ferry de la Statue de la Liberté et d'Ellis Island se trouvent au bout de la promenade.

PEARL STREET

A l'est de Battery Park, **Pearl Street,** II, B3, (rue des Perles) doit son nom aux coquilles d'huîtres qui jonchaient autrefois le rivage. A l'angle de State Street, le **Seamen's Church Institute,** II, B3, fondé en 1834, accueille les marins et leurs familles. Sur l'emplacement actuel de ce bâtiment se trouvait la maison natale de Herman Melville, l'auteur de *Moby Dick.* Plus au sud, sur State Street, la **John Watson House** (1800) est la dernière survivante de la grande époque des résidences élégantes donnant sur la baie. Son toit plat à balustrades, ses murs de brique, sa cheminée et ses minces colonnes ioniques en font un bel échantillon du style fédéral. Mr. Watson, son propriétaire, était un armateur qui profitait de la disposition stratégique de cette maison pour recevoir les signaux qu'un de ses employés lui faisait parvenir depuis Staten Island. Il était ainsi le premier averti de l'arrivée de ses propres navires et de ceux de ses concurrents.

Devant la **Peter Minuit Plaza,** II, B3, la gare maritime sert de terminus aux ferries de Staten Island et de Governor's Island.

Fraunces' Tavern

Pl. II, B3. — 54 Pearl Street, à l'angle de Broad Street, ☎ 425-1778.

Le négociant français Étienne de Lancey, chassé de son pays par la révocation de l'édit de Nantes, fit construire ce bâtiment en 1719 pour en faire sa résidence personnelle. Le modeste immeuble de brique se situait alors sur la berge du fleuve. En 1764, un Français des Antilles, Samuel Fraunces (lire « Français ») acquit la propriété et y ouvrit une auberge, la Queen's Head Tavern. Ses compétences lui valurent d'être rapidement nommé intendant auprès de George Washington. Son auberge devint ainsi l'un des lieux de réunion préférés des sociétés révolutionnaires et des dirigeants de la toute jeune nation. C'est chez Fraunces que, le 4 décembre 1783, après le départ des Anglais, le général Washington fit ses adieux à ses troupes.

Ce haut lieu historique fut malheureusement ravagé, au XIXe s., par plusieurs incendies qui n'épargnèrent que le mur occidental. Le reste du bâtiment a donc dû être reconstitué en se fondant sur divers exemples de l'architecture de l'époque. Le rez-de-chaussée abrite un restaurant, le premier étage un musée commémoratif de la guerre d'Indépendance. Parmi les objets exposés se trouvent des armes ayant appartenu au Marquis de La Fayette *(ouv. t.l.j. sf. sam. et dim., de 10 h à 16 h)*.

Plus loin, entre Pearl Street et William Street, là où commençaient les quais au XVIIIe s., **Hanover Square,** II, B3, nous ramène aux origines de la colonie anglaise. Baptisée ainsi en l'honneur de la famille des rois d'Angleterre, cette place occupait alors le centre d'un quartier résidentiel aisé. Le grand incendie de 1835, qui ravagea une grande partie de la ville, se déclara à cet endroit.

Au n° 1 Hanover Square, l'**India House,** belle maison de style Renaissance italienne, date de 1837. Elle fut l'une des premières constructions new-yorkaises utilisant le grès brun *(brownstone)*. Depuis 1928, elle sert de siège à un club privé pour hommes d'affaires.

*WALL STREET**

Pl. II, B3. — Métro : Wall St./William St. (ligne 2) ; Broad St./Wall St. (ligne J).

Wall Street, siège de la Bourse et des grandes banques, est le centre financier de la planète. Longue de 500 m seulement, la rue commence à Broadway et s'achève sur l'East River ; elle confère son nom à tout le quartier. Celui-ci réunit, entre autres, le **Stock Exchange,** les immeubles de la **Citibank,** de la **Morgan Guaranty** et de la **Chase,** l'une des plus grandes réserves d'or mondiales, l'ancien siège du gouvernement fédéral et la plus ancienne paroisse de la ville.

Le célèbre **mur** *(wall)*, n'était qu'une palissade de bois érigée par les Hollandais en 1653 pour protéger la Nouvelle-Amsterdam contre les attaques britanniques. Il suivait le tracé actuel de la rue de l'East River à l'Hudson, et était percé de deux portes : l'une sur Broadway, l'autre sur Pearl Street.

A l'angle de Pearl Street et de Wall Street, on jouit d'une vue superbe sur le véritable canyon urbain formé par deux rangées de gratte-ciel. La perspective se referme sur la façade de grès brun de **Trinity Church,** II, B3.

Au n° 55 se dresse l'imposant immeuble de la Citibank (1842), banque fondée par Alexander Hamilton, premier secrétaire au Trésor des États-Unis. On commença par construire un temple néo-grec de 3 étages à colonnes ioniques pour accueillir la Bourse du Commerce. Il fallut un attelage de 40 bœufs pour transporter chacune des 12 colonnes instrumentales de la façade à travers le dédale des rues du quartier. En 1907, l'immeuble fut rénové et sa capacité doublée : au-dessus de sa coupole de 24 m de haut, on édifia trois nouveaux étages avec, cette fois-ci, une façade à colonnes corinthiennes.

Chase Manhattan Bank, II, B3

A droite, William Street mène au **One Chase Manhattan Plaza.** En 1960, l'édification de ce building de 243 m de haut déclencha un véritable renouveau de la construction car il restaura la confiance dans l'avenir du quartier. Bâti en verre et aluminium et entouré d'un parvis, l'immeuble représentait à l'époque une innovation remarquable. Son jardin fut conçu par le sculpteur Isamu Noguchi et son parvis ornementé du *Groupe de quatre arbres* de Jean Dubuffet. A 30 m sous le parvis, le 5e sous-sol de la banque renferme la plus grande chambre-forte du monde : son volume est de 10 600 m³ et sa longueur supérieure à celle d'un terrain de football. Malheureusement, les visites sont interdites.

Federal Reserve Bank of New York, II, B3

Au nº 33 de Liberty Street, elle s'enorgueillit de ressembler à son modèle, le Palais Strozzi à Florence. La « Fed » est la banque des banques américaines. Dans ses cinq sous-sols est entreposée une partie de l'or de la Réserve fédérale américaine et des lingots appartenant à 70 pays différents. Pour accomplir une transaction internationale, il suffit que le pays débiteur donne l'ordre de déplacer la quantité requise de lingots de sa cellule dans celle du pays créditeur.

Pour visiter gratuitement la « Fed », on peut réserver à l'avance (Public Information Office, ☎ 720-6130).

L'annexe Downtown du musée Whitney, II, B3 *(ouv. du lun. au ven. de 11 h à 15 h)* se trouve à proximité, au Federal Reserve Plaza, 33, Maiden Lane. A l'heure du déjeuner, des concerts et des films sont proposés au public.

Nassau Street est le centre des fast-foods et des divers magasins destinés aux dizaines de milliers d'employés de bureau qui travaillent dans le quartier. Au croisement de Nassau Street, de Broad Street et de Wall Street se trouve le **Federal Hall National Memorial,** II, B3, imposante structure de style néo-classique, édifiée sur l'emplacement du siège du gouvernement fédéral lors des débuts de la jeune République. Construit en 1842, cet immeuble à colonnes doriques servit d'abord de Bureau des Douanes, et ensuite de Trésorerie fédérale. La **statue de George Washington,** en haut des marches, commémore la cérémonie d'investiture du premier président des États-Unis en 1789.

A l'angle sud-est du carrefour se trouve la **Morgan Guaranty Trust,** II, B3 (1913), banque fondée par J. Pierpont Morgan. Sa façade exhibe encore les traces d'un attentat anarchiste à la bombe qui fit 33 morts et 400 blessés en 1920. A l'intérieur, les dimensions du grand hall d'entrée sont atténuées par l'immense lustre de cristal (5 m de haut).

Le Stock Exchange, II, B3

A l'angle sud-ouest, enfin, le fameux **New York Stock Exchange** (entrée au 20, Broad Street) est le sanctuaire de la finance et de l'industrie américaines. Un Américain sur six est détenteur d'actions et, chaque jour, plus de 30 millions de titres changent de mains. Le bâtiment, de style néo-classique, date de 1903. Son fronton sculpté représente *L'Intégrité sauvegardant les Œuvres de l'Homme.*

En 1789, le Congrès américain mit en vente des obligations dans le but de rembourser les dettes contractées durant la guerre d'Indépendance. Pour vendre et gérer ces obligations, 24 courtiers s'engagèrent en 1792, par l'accord de Buttonwood, à organiser périodiquement un marché d'actions *(Stock Market)* sous un arbre situé au 68, Wall St. En 1812, le marché se développa à la faveur de la guerre entre les États-Unis et l'Angleterre. Mais ce fut surtout grâce au financement de la guerre de Sécession (1861-1865) que la Bourse new-yorkaise étendit son influence sur toute la nation. Au cours du demi-siècle suivant, elle connut une expansion quasi-illimitée du fait de l'industrialisation du pays et du peuplement de l'Ouest. La Première Guerre mondiale amena une période de prospérité et de spéculation effrénée qui déboucha sur le Krach de 1929. Pour éviter la répétition d'une nouvelle dépression, la Bourse se dota alors d'organismes de surveillance et de régulation de la circulation des titres. Au lendemain de la Seconde Guerre mondiale, le Stock Exchange de New York était devenu la plus puissante place financière du monde. Elle le demeure aujourd'hui, même si certains domaines du marché financier mondial sont dominés par Londres ou Tokyo. Plus de 4400 titres sont négociés ici quotidiennement par les 1366 courtiers qui composent le Stock Exchange.

La **galerie de la corbeille** mérite une visite pour l'agitation frénétique des courtiers et pour la salle immense dont le plafond s'élève à 15 m de haut *(Ouv. du lun. au ven. de 9 h 30 à 16 h)*. Visite graduite, ☎ 938-2025.

Les amateurs d'architecture conquérante ne doivent pas manquer, dans le quartier, les mosaïques dorées, rouges et oranges du hall art-déco de l'**Irving Trust Co.** (1932), au nº 1 Wall Street. En outre, le hall d'entrée de la **Bank of New York** (1927) au nº 48 Wall Street mérite le détour, ainsi que l'entrée art-déco du 70 Pine Street.

D'autres immeubles valent par leurs superstructures : la coupole de la **Bank of New York**; la couronne et la flèche gothiques du 70 Pine Street; le sommet pyramidal du **Manufacturer's Hanover Trust** (1929) au 40 Wall Street. Leurs silhouettes sont des pièces essentielles de l'horizon traditionnel de Downtown.

Trinity Church*, II, B3

L'église actuelle est la troisième du nom, la première datant de 1698. Construite en 1846, cette église épiscopale imposa le style néo-gothique à New York. Sa façade en grès brun *(brownstone)* fit scandale à l'époque, car cette pierre n'était pas considérée comme un matériau noble. Jusqu'à l'apparition des gratte-ciel, sa flèche de 85 m dominait l'horizon new-yorkais. Aujourd'hui, elle offre un spectacle déroutant au milieu des tours qui l'enserrent de toute part. Ses grandes portes d'entrée sont inspirées de celles du Baptistère de Florence. Dans son joli cimetière reposent quelques-uns des premiers colons hollandais, la plus ancienne tombe datant de 1681. Parmi les personnages célèbres qui y sont enterrés figurent Alexander Hamilton, financier et père de l'Indépendance américaine, tué en duel, et le peintre Robert Fulton, l'inventeur du bateau à vapeur. Citons encore la croix érigée à la mémoire de Caroline Webster Astor, la redoutable douairière new-yorkaise de la fin du XIXe s., et, au fond, le Monument aux Martyrs de la Révolution. Trinity Church, dont le chœur se produit tous les dimanches à 11 h 15, s'est adaptée à la vie effervescente du quartier et propose, à l'heure du déjeuner, des concerts, des films et des conférences. Musée de l'Eglise, ☎ 602-0773.

A l'est de Broadway, au nº 120, le tristement célèbre **Equitable Building** occupe un pâté de maisons entier. Construites en 1915, ses deux tours de 40 étages accueillent dans leurs 40 ha de surface locative 13000 employés. A l'époque, le public protesta contre la taille du building, préjudiciable à la lumière et à l'aération des rues adjacentes, si bien que dès 1916, la ville adopta la première réglementation des États-Unis, qui codifiait les dimensions et la forme des gratte-ciel. On peut voir les effets de ces règles d'urbanisme dans le building de l'Irving Trust Cº (1932), à l'angle de Broadway et de Wall Street.

Au 140 Broadway, la **Marine Midland Bank** fut construite par Skidmore, Owings et Merril, architectes de la tour Chase. Édifié en 1967, l'immeuble sombre et son parvis sont égayés par la sculpture orange *(cube)* d'Isamu Noguchi. Au nord, on aperçoit les deux tours jumelles du World Trade Center.

*WORLD TRADE CENTER***

Pl. II, B2. — Métro : Cortland Street/World Trade Center (lignes 1, R); Chambers St./Church St. (ligne A); Chambers St./W Broadway (ligne 1).

Comme une grande partie du Downtown, le World Trade Center occupe des terrains gagnés sur l'Hudson. Les fondations des deux tours s'enfoncent à plus de 20 m de profondeur. La terre de ces excavations a été déposée derrière un mur de soutènement, à l'ouest du chantier, créant ainsi un nouveau remblai qui a permis la construction de Battery Park City.

Des six bâtiments disposés autour de la plaza de 2,5 ha, les plus connus sont les deux tours jumelles **(One** et **Two World Trade Center)** qui s'élèvent à 409 m de hauteur (110 étages), possèdent 21 800 fenêtres et 1/2 ha de superficie locative par étage. Pour des raisons de sécurité, les fenêtres ne s'ouvrent pas et les tours ne peuvent osciller de plus de 28 cm sur leur base. Les 50 000 employés et les 80 000 visiteurs quotidiens produisent 50 tonnes de déchet et consomment 8,5 millions de litres d'eau. Enfin le Centre regroupe plus de 500 sociétés et organismes commerciaux ainsi que le Bureau des Douanes de New York et du New Jersey.

Les 2 tours sont les plus hautes du monde après le building **Sears Roebuck** à Chicago. De même que l'Empire State Building ou que la tour Eiffel, le World Trade Center a attiré de nombreux risque-tout désireux de faire parler d'eux. Le plus connu est l'équilibriste français Philippe Petit qui traversa sur une corde raide l'intervalle séparant les deux tours, et dont on peut toujours voir la signature sur la plate-forme d'observation. Les annales retiennent aussi l'ouvrier du bâtiment au chômage qui, un beau jour de juillet 1975, se jeta en parachute du haut des tours et déclara à l'atterrissage qu'il avait accompli cette prouesse pour protester contre la pauvreté dans le monde. Enfin, en mai 1977, l'alpiniste George Willig escalada une des faces de la South Tower (Two World Trade Center) à l'aide d'un équipement spécialement conçu pour l'ascension de l'immeuble. A son arrivée, après 3 heures et demie d'escalade, les policiers qui l'attendaient en haut l'inculpèrent d'atteinte à la propriété. Mais finalement, la municipalité renonça à demander 250 000 dollars de dommages et intérêts, et l'affaire se régla à l'amiable, par une amende de 1,10 dollars (soit 1 cent par étage) et la promesse de ne pas récidiver.

Pour les amateurs de sculptures, un *stabile* de 25 tonnes, œuvre de Calder *(Les Trois Ailes rouges)* orne le parvis du côté ouest de la North Tower (One World Trade Center). Le sous-sol *(Concourse Level)* abrite un centre commercial, une gare ferroviaire, des stations de métro et un parking. On trouve également de nombreux fast-foods *(ouv. du lun. au ven. de 7 h à 19 h ; le sam. de 7 h à 17 h).* Au sommet de la **North Tower** (One W.T.C.), on peut manger dans l'un des plus élégants restaurants de New York **(The Cellar in the Sky),** dont les qualités gastronomiques ne font pas l'unanimité chez les critiques. L'autre restaurant, **Windows on The World,** est pour sa part l'objet d'une condamnation universelle... La **South Tower** (Two W.T.C.), ☎ 466-7377 ne possède qu'une cafétéria, mais sa plate-forme d'observation (au 107e étage) offre une vue unique** sur toute la région *(ouv. tous les jours de 9 h 30 à 21 h 30).*

BATTERY PARK CITY

Pl. II, B3. — Métro : Cortland St./World Trade Center (ligne 1) ; Rector St./Greenwich St. (ligne 1).

Le plus récent complexe de Manhattan a été conçu par les architectes Cooper et Eckstut sur 47 ha de remblais, le long de l'Hudson. Surnommé le « Rockefeller Center des années 80 », ce projet en cours de réalisation rassemblera 14 000 logements et 1 800 ha de bureaux dans des immeubles de hauteur, de couleur et de matériaux différents. S'il fait appel à plusieurs bureaux d'architectes, certaines spécifications d'ensemble sont imposées : la hauteur des immeubles ne doit pas dépasser la limite convenue ; seules la brique et la pierre peuvent être utilisées dans la construction des immeubles, qui doivent tous comporter impérativement des corniches à leur sommet. Battery Park City respectera aussi l'architecture traditionnelle du Financial District : ses rues prolongeront les voies déjà existantes, et 30 % de sa superficie sera réservée aux espaces publics. D'ores et déjà, sa promenade sur l'Hudson, longue d'1 km, attire de nombreux New-Yorkais.

Enfin, les 10 000 pièces d'acier qui composaient l'ancien restaurant de la tour Eiffel seront utilisées à Battery Park City pour construire un restaurant français et offrir ainsi une vue imprenable sur cette autre Française d'Amérique : la Statue de la Liberté.

OÙ S'ARRÊTER ?

Les restaurants ne manquent pas dans le quartier ; le World Trade Center possède à lui seul plus de 25 établissements qui se partagent l'énorme clientèle. On trouve des restaurants de qualité moyenne qui proposent un déjeuner au-dessus de 140 FF et des fast-foods. Seul le **Cellar in the Sky,** situé au sommet du One World Trade Center, mérite qu'on s'y arrête : vue superbe. Au n° 15 State Street, la cafétéria du **Seamen's Church Institute** propose des repas corrects à des prix raisonnables. Enfin les nombreux cafés et restaurants du **South Street Seaport** offrent des menus très variés dans un cadre extérieur très original.

FIFTH AVENUE
Épine dorsale de Manhattan

Pl. III, BC1, Pl. IV, BC3. — *Métro :* 59th St./Lexington Ave. (ligne 4) ; 34th St./Ave. of the Americas (lignes B, D) ; 5th Ave./42nd St. (ligne 7).

La **Cinquième Avenue**** la plus célèbre des artères new-yorkaises, constitue l'épine dorsale de Manhattan et la ligne de partage entre l'East Side et le West Side. Son rôle de point de repère est important puisque toutes les rues la prennent pour axe de référence : la numérotation part de la Cinquième Avenue et augmente ensuite en direction de l'East River (est) ou de l'Hudson (ouest).

On y trouve les magasins les plus renommés, les hôtels les plus luxueux, les clubs les plus fermés et les paroisses les plus chics de la ville. Il faut s'y promener aux heures de bureau, lorsque l'animation est à son comble. A l'époque de Noël, la Cinquième Avenue offre un spectacle féerique avec ses illuminations et les vitrines des grands magasins pleines de crèches et d'automates. Beaucoup de New-Yorkais y amènent leurs enfants et continuent leur promenade jusqu'au sapin géant et à la patinoire de Rockefeller Center.

Un peu d'histoire

Dès 1850, les vieilles familles new-yorkaises délaissent l'agitation du bas de la ville et s'installent dans le voisinage de la Cinquième Avenue, à la hauteur de la 34e rue. Les élégantes résidences des Astor, des Vanderbilt, des Schermerhorn, des Morgan, se dressent dans le quartier le plus distingué de la ville. Mais, à la fin du siècle, les choses se gâtent. Les commerçants, à la recherche de leur clientèle, envahissent le quartier. Des grands magasins et des hôtels sont construits sur la Cinquième Avenue de sorte que ses résidents aisés décident d'abandonner leurs demeures et de continuer leur mouvement vers le nord.

Aujourd'hui, à l'exception de l'Olympic Tower et de Trump Tower, l'essentiel du quartier résidentiel s'est regroupé au-delà de la 59e rue, à proximité de Central Park.

*L'EMPIRE STATE BUILDING****

Pl. III, BC1. — Métro : 34th St./Ave. of the Americas (lignes B, D), ☎ 736-3100.

Au no 350 de la Cinquième Avenue, à l'angle de la 34e rue, se dresse sa formidable silhouette de 102 étages. Il est impossible de ne pas remarquer ce symbole traditionnel du paysage new-yorkais. Sa base de 5 étages couvre 1 ha de terrain, sa flèche culmine à 443 m. Les tons gris du granit, de l'aluminium et du nickel font ressortir les retraits symétriques, les proportions de la façade et la simplicité de l'ornementation Art déco. Les dimensions grandioses de ce gratte-ciel apparaissent pleinement lorsque l'on prend du recul et qu'on le compare aux immeubles environnants, hauts pourtant de 30 étages.

Quelques chiffres

L'Empire State Building a détrôné en 1931 le Chrysler Bulding, qui était jusqu'alors le plus haut bâtiment du monde. Il a conservé son record pendant plus de 40 ans, jusqu'à ce que la tour Sears Roebuck, à Chicago, puis le World Trade Center le relèguent en troisième position.

L'Empire State a une surface locative de 654 000 m^2, mais sa surface totale est de 1 212 000 m^2. Il possède 6 500 fenêtres. Son escalier est composé de 1 860 marches, et ses 73 ascenseurs sont capables de transporter 10 000 personnes à l'heure. Le phare, au bout de sa flèche de 65 m de haut, a une portée de 150 km. Le soir, ses trente étages supérieurs sont illuminés ; leur éclairage varie selon les saisons et les événements : il est vert le 17 mars, jour de la Saint-Patrick, patron des Irlandais ; il est blanc à Pâques. Le blanc et le bleu célèbrent les grandes victoires des équipes de base-ball de la ville. Enfin, le bleu-blanc-rouge est utilisé à l'occasion des élections et des fêtes nationales. Pour conclure, notons que l'Empire State accueille 15 000 travailleurs tous les jours et 2 500 000 visiteurs par an.

Un peu d'histoire

Depuis la première moitié du XIXe s., le pâté de maisons où se dresse actuellement l'Empire State Building est un des hauts lieux de la ville de New York. En 1827, la famille Astor achète le terrain. En 1859, John Jacob II et William Astor y bâtissent deux hôtels particuliers, qui céderont bientôt la place au Waldorf-Astoria, l'hôtel le plus sélect de Manhattan, dont le bar est fréquenté par Guggenheim, Morgan et Frick.

Mais, une fois de plus, le quartier se transforme et en 1929 l'hôtel est vendu et se réinstalle au coin de Park Avenue et de la 50e rue. Des entrepreneurs décident de l'abattre et d'édifier en 18 mois et avec un budget limité à 50 millions de dollars, le plus haut gratte-ciel au monde. Le 1er octobre 1929, commence la démolition du Waldorf-Astoria. Les étapes de la construction sont suivies attentivement par les journaux. Les ouvriers sont baptisés les *skyboys* (les « gars du ciel »), et l'on bâtit au rythme de 4 étages et demi par semaine, avec un record de 14 étages et demi en deux semaines. L'inauguration, le 1er mai 1931, est un événement national : depuis son bureau à la Maison Blanche, le président Hoover appuie sur l'interrupteur qui illumine l'ensemble du gratte-ciel. Le premier suicide réussi date de 1933 ; une quinzaine d'autres suivront. La même année, Hollywood utilise la flèche désormais célèbre dans un des montages du film *King Kong :* le gorille éperdument amoureux de sa fiancée se réfugie au sommet de l'immeuble où il est attaqué par l'aviation américaine. En 1945, la science-fiction devient réalité lorsqu'un bombardier s'écrase contre le 79e étage du bâtiment, tuant 14 personnes sur le coup. Cependant, malgré la publicité faite autour de lui, l'Empire State n'a pas été une réussite immédiate sur le plan commercial : à cause de la grande Dépression, il a fallu attendre 1941 pour parvenir à louer l'ensemble des bureaux. Il est reconnu monument historique en 1986.

Visite

Le monumental hall d'entrée est haut de 3 étages et long de 30 m. Ses murs sont en marbre européen dans des tons rose et gris. Son plafond est plaqué argent et orné de motifs géométriques. A l'entrée se trouve aussi un panneau où figurent les 7 merveilles du monde et l'Empire State.

Le guichet permettant d'accéder aux 2 plates-formes d'observation est situé au sous-sol *(Concourse Level ; ouv. de 9 h 30 à 24 h)*. Attention : l'état de visibilité est affiché au guichet. On peut aussi y visiter le **Guinness World Record Exhibit,** salle des records mondiaux. Du plus grand au plus petit et au plus bizarre *(ouv. du lun. au dim. de 9 h 30 à 17 h 30)*.

Du haut de ses 100 m, la cathédrale Saint-Patrick's défie les 189 m de l'Olympic Tower.

La **plate-forme du 86e étage** permet de se promener sur un balcon protégé par des grilles, tandis que celle du 102e étage est entièrement couverte et vitrée. On y accède par des ascenseurs ultra-rapides. Le **panorama** *** est spectaculaire, surtout à l'heure du coucher du soleil, lorsque les lumières s'allument. De par sa position au centre de Manhattan, l'Empire State offre la vue la plus complète de New York : l'amas des gratte-ciel de **Downtown,** la bifurcation des anciennes routes postales à City Hall Park, le début du quadrillage des rues au-dessus de Houston Street, les gratte-ciel de Midtown, Central Park et Harlem.

GRANDS MAGASINS

A l'angle de la Cinquième Avenue et de la 34e rue se trouve le grand magasin **B. Altman,** III, C1, qui fut en son temps l'un des précurseurs de l'intrusion commerciale dans le quartier résidentiel le plus chic de la ville. Construit en 1906, le bâtiment hérita d'une sobre façade imitant un palais florentin afin de ne pas déparer le voisinage. On raconte aussi que c'est sur le conseil personnel de J. P. Morgan — résident du quartier de l'époque — que Mr. Altman n'afficha pas aussitôt son nom sur le magasin. Benjamin Altman, fils d'un chapelier du Lower East Side, était l'un des « princes marchands » de l'époque. A sa mort, en 1913, il légua sa collection de peintures, parmi lesquelles quelques Rembrandt, au Metropolitan Museum. Aujourd'hui, ce grand magasin a perdu beaucoup de son éclat et se spécialise dans les articles de maison. Cependant, il est agréable de faire des courses dans ses rayons spacieux et généralement tranquilles. Une galerie d'art au 8e étage propose des expositions temporaires.

Parmi les vestiges de la grande époque des magasins, on peut citer **Gorham,** III, C1, au 390, Cinquième Avenue (à l'angle de la 36e rue) et **Tiffany's,** III, C1, au 409. Les deux joailliers, concurrents, avaient fait construire leurs sièges la même année et par les mêmes architectes, Mc Kim, Mead et White. L'immeuble Tiffany's — délaissé par son propriétaire en 1940 lorsqu'il partit s'installer à l'angle de la 57e rue — s'inspire du Palais Grimani, et cette influence vénitienne est encore visible malgré des transformations malheureuses.

A l'angle de la 38e rue se trouve **Lord and Taylor,** III, C1, le plus ancien des grands magasins new-yorkais. Samuel Lord, son fondateur, était un jeune Anglais du Yorkshire venu faire fortune en Amérique en 1824 à l'âge de 21 ans. En arrivant à New York, il emprunta 900 dollars à l'oncle de sa femme et ouvrit un magasin de nouveautés sur le Bowery. L'année suivante il s'associait avec George Taylor, le cousin de sa femme, et créait Lord and Taylor. En 1852, le cousin rentra en Angleterre, tandis que Samuel Lord décidait de rester en Amérique pour exploiter un commerce de plus en plus florissant. Le magasin est aujourd'hui spécialisé dans les vêtements pour hommes et pour femmes.

A l'angle de la 40e rue, on peut toujours voir l'immeuble d'**Arnold Constable,** concurrent acharné de Lord and Taylor, qui a depuis longtemps déposé son bilan.

Durant la Première Guerre mondiale, ce quartier était donc le centre de la mode aux États-Unis. La griffe « Fifth Avenue » représentait le sommet du raffinement et du bon goût. Jusqu'aux années 30 ces magasins attiraient une clientèle aisée. Depuis, les *Five and Ten stores* (magasins à « cinq et dix cents ») ont envahi le quartier et le voisinage s'est détérioré.

En remontant vers le nord on arrive à la 40e rue, qui rassemblait jadis des clubs et des cercles privés. Au no 20 se trouvait le New York Club ; au no 32 l'Engineering Club (Cercle des Ingénieurs). Au no 40, on peut admirer l'un des plus beaux immeubles de Manhattan : **l'American Standard Building,** IV, C3, plus connu sous le nom d'**American Radiator Building.** Dessiné par Raymond Hood, un des architectes du Rockefeller Center, édifié en 1924, il est remarquable par ses briques noires et son sommet sculpté en terre cuite dorée.

BRYANT PARK

Pl. IV, BC3.— Métro : 5th Ave./42nd St. (ligne 7).

Derrière la Public Library, à l'ouest, Bryant Park (1884) porte le nom de **William Cullen Bryant** (1794-1878), journaliste et libre-penseur qui joua un grand rôle dans la création de Central Park et du Metropolitan Museum of Art. Les allées ombragées et les pelouses du parc étaient jusqu'à une date récente le domaine des drogués et des dealers, qui en avaient fait une sorte de succursale de Times Square. Mais on peut aujourd'hui s'y promener ou s'y reposer sans risquer sa vie ni sa bourse.

Au XIXe s., le terrain de 5 ha de Bryant Park s'appelait Reservoir Park parce qu'il jouxtait, à l'est, le Croton Reservoir, situé sur l'emplacement actuel de la Public Library. Inauguré en 1842, ce réservoir était venu combler un manque d'eau chronique qui favorisait les épidémies de choléra et les grands incendies dont la ville souffrait depuis sa fondation. Sur le site même du parc, fut inaugurée l'Exposition Universelle de 1853, avec son énorme Crystal Palace, réplique de la célèbre construction londonienne.

Du côté nord du parc, sur la 42e rue, le guichet S.E.A.T.S. offre des billets à demi-tarif pour les ballets et les concerts du soir même. En face, se dresse la silhouette curviligne du **Grace Building,** IV, BC3 (1114 Ave. of the Americas, à l'angle de la 42e rue), qui date de 1974, et dont la sœur jumelle, le **Solow Building,** s'élève sur la 59e rue, IV, C2.

*NEW YORK PUBLIC LIBRARY**

Pl. IV, C3. — Métro : 42nd St./Ave. of the Americas (lignes B, D) ; 5th Ave./42nd St. (ligne 7).

Ouv. mar. et mer. de 11 h à 19 h 30, du jeu. au sam. de 10 h à 18 h ; fermée les jeu. et dim. Attention, les horaires d'ouverture peuvent parfois changer. Renseignements : ☎ 221-7676. Visites guidées gratuites : du mar. au sam. à 11 h et à 14 h ; à gauche du hall d'entrée. Des expositions temporaires des collections sont organisées régulièrement.

Située sur la Cinquième Avenue entre la 40e et la 42e rue, la **Bibliothèque Publique de la Ville de New York** possède un fonds exceptionnel, le second du pays après celui de la Bibliothèque du Congrès, à Washington. Elle rassemble plus de 30 millions de livres, manuscrits et documents, et compte 81 annexes. Tous les ans, 1 million et demi de lecteurs profitent des 800 volumes de son catalogue et de ses 140 km de rayonnages. Parmi ses trésors, on peut citer la première édition d'un livre de Shakespeare, une lettre manuscrite de Christophe Colomb, une copie manuscrite de la Déclaration d'Indépendance et une collection de plus de 100 000 photos de la ville de New York.

Un peu d'histoire

Les immenses collections de la Public Library sont nées de la réunion de deux bibliothèques financées par des particuliers — l'Astor et la Lenox Libraries — et d'un énorme legs du politicien Samuel J. Tilden.
John Jacob Astor, spéculateur immobilier et roi de la fourrure, avait offert, peu avant sa mort, 400 000 dollars pour la création d'une bibliothèque publique permettant aux déshérités d'accéder à la culture. **James Lenox,** en revanche, était un érudit passionné de littérature anglo-saxonne et d'histoire. A sa mort en 1880, il légua sa bibliothèque personnelle de 85 000 volumes et 500 000 dollars à la municipalité. En 1886, **Samuel J. Tilden,** ancien gouverneur de l'État de New York, laissa à son tour ses 15 000 volumes et 2 millions de dollars à la bibliothèque de la ville. En 1895, la municipalité décida de rassembler les trois collections en une seule Bibliothèque centrale de Recherches (Central Research Library). Pour parachever la structure du nouvel organisme, le milliardaire **Andrew Carnegie,** fit un don de 5 200 000 dollars dans le dessein de fonder un réseau d'annexes dans tous les *boroughs* de la ville.

Parmi les millions de lecteurs étrangers, agréablement surpris par la souplesse et l'efficacité du service de prêts, on vit passer des écrivains, des politiciens et des économistes aussi célèbres que Claude Lévi-Strauss, Nikolaï Boukharine et Léon Trotsky.

Achevée en 1911, la Public Library est l'un des meilleurs exemples du style Beaux-Arts à New York. L'architecte **Hastings,** pourtant, ne fut jamais entièrement satisfait du résultat : la façade lui paraissait trop « dure ». A sa mort, il légua une somme importante pour la transformer, mais les travaux ne furent jamais exécutés.

Visite

L'immense édifice en marbre blanc du Vermont se trouve en retrait de la Cinquième Avenue. Il est situé en hauteur sur une esplanade entourée d'un parapet et ornée des deux célèbres **lions couchés,** œuvres du sculpteur Potter. Les trois arcs de l'entrée sont entourés de colonnes corinthiennes. Dans des niches, derrière des fontaines, à droite et à gauche des marches, se trouvent des statues représentant la **Vérité** et la **Beauté.** Au-dessus de l'entrée, sur la frise du bâtiment, six figures allégoriques évoquent l'**Histoire,** la **Musique,** la **Religion,** la **Poésie,** le **Théâtre** et la **Philosophie**. Elles sont l'œuvre de Paul Wayland Bartlett, auteur de la figure équestre du Marquis de La Fayette qui se trouve devant le Louvre, à Paris.

La **façade ouest** donnant sur Bryant Park contraste avec l'entrée principale par son fonctionnalisme : de hautes fenêtres laissent entrer la lumière dans les sept étages du bâtiment. Le hall d'entrée monumental, entièrement revêtu de marbre blanc, est flanqué de deux larges escaliers qui encadrent un arc central sous lequel on accède au Gottesman Exhibition Hall, salle d'exposition récemment rénovée et décorée par 24 colonnes en marbre et un plafond en chêne taillé.

Au **deuxième étage** (*Third Floor* américain), à l'est de la coupole Mc Graw, la **salle nº 316,** dédiée à Edna Barnes Salomon, est décorée en marbre rose de France, et abrite les expositions permanentes et temporaires des collections de la bibliothèque. A l'ouest de la coupole se trouve la **Salle des Catalogues,** qui donne sur le joyau de la Public Library, la **Salle centrale de Lecture** *(Main Reading Room),* longue de 90 m et large de 25 m. Sa lumière, son haut plafond, ses superbes tables et ses lampes en font une des plus belles salles de lecture des États-Unis.

CERCLES PRIVÉS ET DIAMANTAIRES

Au 510 de la Cinquième Avenue, à l'angle de la 43ᵉ rue, se dresse l'immeuble en verre et en acier de la **Manufacturer's Hanover Trust,** IV, C3, dessiné par les architectes Skidmore, Owings et Merrill. Il représente une véritable innovation car, en 1954, les banques s'installaient encore dans des temples à rotonde.

Les rues transversales rassemblent les grands clubs ou cercles privés de la ville. Au nº 7, 43ᵉ rue W, la prestigieuse **Century Association,** cercle de débats et de confrontations intellectuelles, fut fondée en 1889 par William Cullen Bryant. Elle accueille aujourd'hui encore, en comités restreints, des architectes, des administrateurs, des urbanistes et des universitaires venus discuter des grands problèmes contemporains. Les architectes Mc Kim, Mead et White — qui en étaient membres — ont copié un palais Renaissance de Vérone et utilisé du granit, de la terre cuite et de la brique. L'entrée principale est surmontée d'une loggia à la Palladio.

Le **Harvard Club** (1894), siège new-yorkais de l'association des élèves de l'Université de Harvard, se dresse au 27, 44ᵉ rue W. Sa façade rappelle le style georgien de l'Université de Cambridge, dans le Massachusetts. Dessiné par les mêmes architectes que la Century Association, ce club possède de grandes salles visibles depuis la 45ᵉ rue. Au nº 37 (W) de la même rue se trouve la luxuriante façade beaux-arts du **New York Yacht Club** (1901). Poséidon, des dauphins, des ancres, des cordes s'y donnent rendez-vous pour montrer au passant le siège de la Coupe de l'America, prix qui a pour origine un cadeau offert aux États-Unis en 1851 par la reine Victoria. Les fenêtres en formes de poupes de bateaux entourées d'écume sculptée dans la pierre sont une véritable incitation au voyage.

La façade éclectique de l'**Algonguin Hotel** (1902), au 59, 44ᵉ rue W, a vu passer plus d'un écrivain célèbre, et son élégant lobby en boiseries a accueilli entre autres Gertrude Stein, F. Scott Fitzgerald, Faulkner et Tennessee Williams. Dans la Rose Room, autour de Dorothy Parker, se réunissait dans les années 20 le cercle de la Round Table, célèbre pour ses bons mots et son humour. Au nº 20, le **Mechanics' and Tradesmen's Institute** (1891) était à l'origine une école technique gratuite. Il abrite aujourd'hui une bibliothèque et un musée, le **John M. Mossman Collection of Locks** *(ouv. du lun. au ven. de 9 h à 16 h),* qui ravira les amateurs de serrures.

Revenons sur la Cinquième Avenue. Au nº 535 se dresse le bâtiment de la **Chase,** IV, C3, qui date de 1926. Lors de son inauguration, le *New Yorker* écrivit qu'il « possédait la grâce d'un silo à céréales qui aurait trop grandi ». L'architecte Craig H. Severance n'apprécia pas la plaisanterie et traîna le magazine devant les tribunaux pour diffamation. Le *New Yorker* fut obligé de faire des excuses publiques dans ses colonnes.

Le **Fred F. French Building,** IV, C3 (1927) situé à l'angle de la 45e rue, est semblable au précédent mais plus soigné dans ses détails. Ses 38 étages dominaient autrefois l'horizon de Manhattan et faisaient l'orgueil de la société immobilière Fred F. French. Ses décrochements sont décorés en faïence polychrome à motifs géométriques. Son sommet plat a été l'un des premiers du genre. Le château d'eau est dissimulé par des panneaux : au nord et au sud, le soleil se lève parmi des griffons et des abeilles dans des ruches dorées, l'ensemble représentant le Progrès dû à l'Intégrité, au Zèle et à l'Application. Les panneaux est et ouest sont ornés de têtes de Mercure, dieu du Commerce.

Au rez-de-chaussée, des portes en bronze donnent accès au foyer, qui mélange le style Art déco et des motifs assyriens. L'ornementation, conçue par l'architecte Sloan, s'inspire de la porte d'Ishtar : Manhattan est assimilé à une nouvelle Babylone, et les gratte-ciel à des jardins suspendus...

Cette portion de la Cinquième Avenue est une sorte de *no man's land* commercial, et ceci jusqu'à la hauteur du Rockefeller Center, IV, BC3. La **47e rue ouest** (entre la Cinquième Avenue et l'Avenue of the Americas), IV, BC3, mérite largement son surnom de **Diamond Row,** « la rue des diamants », puisque plus de 400 millions de dollars de pierres précieuses y sont échangés quotidiennement. Cependant, les transactions importantes n'ont pas lieu dans les boutiques, mais sur le trottoir, sous les passages, dans les arrière-boutiques ou aux étages supérieurs. De simples poignées de main scellent des affaires engageant parfois des millions de dollars. La taille et le commerce des pierres étaient un des rares métiers ouvert aux Juifs à la fin du Moyen Age. C'est aujourd'hui un quasi-monopole des Hassidims, ces juifs orthodoxes reconnaissables à leurs vêtements et à leurs chapeaux noirs, à leurs barbes et à leurs longues boucles caractéristiques. Le spectacle vaut le déplacement lorsque, vers 17 h, des bus jaunes privés viennent les chercher à la sortie du travail pour les emmener dans les banlieues, où ils vivent en communauté. Deux clubs réservés aux marchands de diamants sont installés dans le quartier : le **Diamond Trade Association,** au no 15, 47e rue W, et le **Diamond Dealer's Club,** au no 30.

C'est à partir de la 47e rue que la Cinquième Avenue devient l'artère distinguée dont la réputation a gagné le monde entier. Au no 597, IV, C3, l'éditeur Charles Scribner's and Sons possède une **librairie** célèbre pour sa belle devanture en fer forgé et en verre, qui date de 1913. L'élégant intérieur, avec un entre-sol à l'ancienne, est fréquenté par une clientèle d'habitués. Entre la 49e et la 50e rue du côté est, le vaste immeuble de **Saks' Fifth Avenue,** IV, C3, est l'une des adresses les plus réputées de New York. Andrew Saks, le fondateur de la firme, commença sa carrière comme colporteur à Washington, D.C. En 1923, son fils vendit son modeste magasin de la 34e rue pour 8 millions de dollars et s'installa l'année suivante à cette adresse prestigieuse. Depuis cette date, les affaires ont été florissantes, et les vitrines de Noël de Saks' sont entrées dans la légende.

*SAINT PATRICK'S CATHEDRAL**

Pl. IV, C3. — Métro : 47th-50th St./Rockefeller Center (lignes B, D).

La cathédrale Saint-Patrick, entre la 50e et la 51e rue, fut construite par James Renwick et consacrée en 1879. L'église paraît un peu à l'étroit entre des voisins colossaux, et l'on imaginerait plutôt deux flèches dominant un petit village du Moyen Age. Son style néo-gothique est un mélange d'éléments français et anglais.

En 1828, l'Église catholique achète ce terrain, situé alors en pleine cam-

« Welcome to New York Follies ! » Easter Parade, la fête de Pâques où tout est permis.

pagne, pour y créer un cimetière dépendant de l'ancienne cathédrale Saint-Patrick, qui se trouvait dans le quartier de Little Italy. Mais le terrain s'avéra trop rocailleux. Comme cependant l'Université de Columbia possédait l'emplacement où se dresse actuellement le Rockefeller Center, les évêques décidèrent d'élever une église face au campus universitaire. Les travaux durèrent de 1858 à 1888, et coûtèrent deux fois plus cher que prévu.

Le bâtiment mesure 100 m de long sur 50 m de large. Les flèches ont une hauteur de 100 m et les voûtes s'élèvent à plus de 33 m du sol. La façade est en marbre. Le plan général est celui d'une croix latine orientée d'est en ouest. On peut remarquer sur les côtés l'absence d'arc-boutants, ceux-ci étant inutiles puisque les voûtes ont été construites en brique légère et non pas en pierre comme au Moyen Age. Les portes en bronze des trois portails ont été ajoutées en 1949. A l'intérieur, on notera le maître-autel, l'orgue et les vitraux de facture récente qui reçoivent une belle lumière voilée par les gratte-ciel entourant l'édifice.

Depuis le trottoir ouest de la Cinquième Avenue, on a une vue d'ensemble sur les gratte-ciel du **Rockefeller Center** (voir p. **106**).

EN REMONTANT LA CINQUIÈME AVENUE

Surplombant Saint-Patrick, à l'angle nord-est de la 51e rue, l'**Olympic Tower,** IV, C2 (1976) occupe une grande partie du bloc. Il a été un des premiers buildings à usage multiple construits sur la Cinquième Avenue, et a appartenu à l'armateur grec Aristote Onassis. Il possède un passage menant à la 52e rue. C'est l'exemple type des buildings construits dans le cadre des nouvelles lois d'urbanisme : davantage de surface locative en échange de l'aménagement d'espaces publics. Le passage public, peu utilisé, montre les limites d'une réglementation urbaine qui souhaite humaniser et embellir la grande métropole, mais qui manque souvent de discernement.

Cartier, IV, C2, a son siège new-yorkais au 651, Cinquième Avenue, au nord de l'Olympic Tower. Au siècle dernier, la famille Vanderbilt occupait trois hôtels particuliers situés entre la 51e et la 52e rue. Alarmé par l'arrivée de magasins dans un quartier jusqu'alors résidentiel, William Vanderbilt céda le terrain au milliardaire Morton F. Plant, qui s'y fit construire une résidence dans le style Renaissance italienne. Mais il la revendit en 1916 aux Vanderbilt, et, l'année suivante, le bijoutier français Pierre Cartier y établit sa succursale new-yorkaise.

Le bâtiment ne comportant que cinq étages, Cartier a le droit, selon la loi new-yorkaise, de vendre la capacité théorique d'utilisation maximum de son « espace aérien ». En fait, le célèbre bijoutier a déjà cédé ses « droits aériens » à sa grande voisine, l'Olympic Tower. Sur la façade de la 52e rue, le fronton et les pilastres ont bien été conservés.

La 52e rue ouest était connue dans les années 30 et 40 sous le nom légendaire de **Swing Street.** Le bebop naquit dans les boîtes de nuit animées par les meilleurs musiciens noirs de l'époque : Charlie Parker, Dizzy Gillespie, Thelonius Monk, Art Tatum descendaient d'Harlem pour y jouer ensemble. Il ne reste qu'un seul témoin de cette époque : le **21 Club,** au no 21, ancien *speakeasy* (bar illégal) devenu lieu de prédilection des personnalités new-yorkaises.

Au no 666, le **Tishman Building,** IV, C2, à la façade d'aluminium embouti (1957), abrite les bureaux de réservation d'Air France et possède une jolie cascade conçue par Isamu Noguchi. Au dernier étage, le restaurant **Top of the Six's** est réputé dans les milieux d'affaires pour son panorama.

L'église épiscopale de **Saint-Thomas,** IV, C2 (angle 53e rue W) construite en 1914 dans le style néo-gothique, a été témoin des grands mariages de la ville. Située sur un terrain trop étroit, elle n'est pas symétrique et ne possède pas de transept. Sa tour unique souligne l'angle de la rue. Cette église construite pour une autre époque, celle où des maisons de quelques étages bordaient la Cinquième Avenue, fut dessinée par le même bureau d'architectes que la cathédrale St. John-The-Divine et construite selon les techniques du Moyen Age : les piliers devaient soutenir tout le poids de sa structure. Cependant, quelques années après la fin du chantier, il fallut ajouter des poutres en acier car les murs commençaient à se bomber de façon inquiétante. Le portail représente saint Thomas se relevant après avoir reconnu le Christ ressuscité. A gauche se trouve la « Porte des mariés ». Le retable est remarquable par ses dimensions et par la couleur ivoire de sa pierre de l'Ohio ; la partie centrale, qui représente la Croix, est la copie d'une œuvre disparue d'Augustin Saint-Gaudens.

Un peu plus loin sur la 53e rue E, on aperçoit le **Museum of Modern Art,** IV, C2 (MOMA - voir chapitre « Musées et galeries » p. **173**.

Le **Museum of Television and Radio,** IV, C2 (n° 25, 53e rue W) rassemble depuis 1975 un fonds de plusieurs milliers d'émissions de radio et de télévision. On peut visionner sur des écrans individuels les funérailles du président Kennedy ou encore l'Ed Sullivan Show consacré à Elvis Presley ou aux Beatles *(ouv. du mar. au sam. de 12 h à 17 h)*. Le musée fut fondé à l'initiative du P.D.G. du groupe audio-visuel CBS, William S. Paley, qui fut aussi à l'origine du merveilleux petit **parc** situé au n° 3. Sa cascade voile le bruit des rues environnantes, et l'endroit est une oasis de paix et de tranquillité en plein cœur de Midtown.

Les grands bijoutiers de la Cinquième Avenue

Des deux côtés de la Cinquième Avenue, et jusqu'à Central Park, sont rassemblés les grands bijoutiers américains et européens. Fortunoff, Bugatti, Harry Winston, Van Cleef & Arpels, Tiffany, et « A la Vieille Russie » font de ce quartier l'un des plus opulents de toute la ville IV, C2.

L'un des seuls rescapés du siècle dernier, le select **University Club,** IV, C2 (1899) au n° 1, 54e rue W, est un énorme palais Renaissance en granit dont la façade de trois étages en dissimule en réalité sept. Le bâtiment est orné des emblèmes des plus grandes universités américaines, et sa décoration intérieure est somptueuse *(l'accès est interdit au public)*. Il évoque la grande époque où certains milliardaires new-yorkais appartenaient à quinze cercles privés différents.

Au n° 17, les Rockefeller Apartments furent construits en 1936 dans la foulée du Rockefeller Center. Du fait de la proximité du jardin du Musée d'Art moderne, c'est l'une des adresses les plus prestigieuses du quartier.

L'hôtel **Saint-Regis-Sheraton** (1904), IV, C2, occupe l'angle sud-est de la 55e rue. Sa guérite en bronze et son hall luxueux lui donnent un certain charme nostalgique dans la ville moderne.

Le propriétaire du Waldorf-Astoria, John Jacob Astor IV, s'était rendu compte, après le succès remporté par son premier hôtel, que ce secteur de l'économie était en pleine expansion. Il soigna donc la conception de cet hôtel : il installa une quarantaine de pianos Steinway dans les suites, commanda des couverts en or pour ses restaurants et équipa chaque chambre d'un thermostat ce qui, à l'époque, était d'un luxe inouï. L'hôtel est célèbre pour la **King Cole Room,** salle ornée de fresques par Maxfield Parrish. C'est dans ce *ballroom* que Woody Allen a tourné les scènes du night-club pour son film *Radio Days* (1987).

Eat Street, IV, BC2, comprend le bloc de la 56e rue W, entre la Cinquième Avenue et l'Avenue of the Americas. Comme son nom l'indique, on y trouve beaucoup de restaurants.

Les vingt-huit étages du **Corning Glass Building,** IV, C2 (1959) occupent l'angle sud-est de la même rue. C'est le siège d'une grande société de fabrication de verre et de glace, ce qui explique sans doute la profusion de ces matériaux dans la construction de l'immeuble. Au rez-de-chaussée, les vitrines de la boutique de **Steuben Glass** sont convexes et de ce fait paraissent invisibles.

Entre la 56e et la 57e rue E., se dressent les 61 étages (200 m) de la **Trump Tower**,** IV, C2, la plus importante réalisation, à ce jour, du roi de l'immobilier Donald Trump, dont on peut voir le nom inscrit en lettres d'or. Il s'agit d'une tour à usage multiple, conçue autour d'un immense atrium haut de 6 étages, revêtu de marbre rose foncé et orné d'une cascade. On y trouve les élégantes boutiques de **Charles Jourdan, Ludwig Beck** et le grand magasin **Bonwit Teller.** De ce dernier, on accède à un autre atrium, parsemé de fleurs et de plantes et équipé de bancs où l'on peut se reposer. Les derniers étages de la tour abritent l'appartement de **M. Trump** en personne et celui de **Sophia Loren. Steven Spielberg,** le producteur hollywoodien, y possède un intime pied-à-terre de 750 m^2, décoré par l'architecte **Charles Gwathmey** et conçu en bois clair et marbre. Assis à la table de sa salle à manger, il jouit d'une vue panoramique sur l'Empire State Building. Au plafond, au-dessus de la table, un lustre commandé par ordinateur émet sur les assiettes des convives des rayons de lumière filtrés par des lentilles de couleurs différentes. L'ensemble, créé spécialement pour Spielberg, est régi par le maître de maison à partir d'un tableau de bord.

DE TIFFANY'S A CENTRAL PARK

Pl. IV, C2. — Métro : 5th Ave./53th St. (ligne E).

Depuis 1940, le plus célèbre joaillier de New York est installé au n° 727, Cinquième Avenue, à l'angle de la 57e rue, IV, C2.

A la fin du XVIIe s., Jacques Tiphaine quitte sa ville de Sedan et arrive à Manhattan. Il faut attendre 1837 pour qu'un de ses descendants, Charles Tiffany (le nom s'étant, entre-temps, anglicisé) s'associe à John Young et ouvre avec lui un magasin de nouveautés aux alentours de City Hall. Il s'en tiennent aux bijoux de fantaisie jusqu'à ce que des circonstances imprévisibles leur ouvrent les portes de la fortune. En 1848, Young part à Paris, où il est pris dans le tourbillon de la Révolution. En commerçant avisé, il achète de merveilleuses parures à des aristocrates qui veulent fuir le pays et les rapporte à New York. Toute la ville accourt pour admirer ces chefs-d'œuvre, et la réputation de Tiffany's franchit d'un coup plusieurs degrés. Les bourgeois new-yorkais demeureront de fidèles clients, non seulement grâce à ses magnifiques bijoux, mais aussi grâce au somptueux verre Tiffany, utilisé pour les abat-jours et les vases, et créé par Louis Comfort Tiffany, le fils du fondateur. Peintre, directeur artistique de la société de son père, Louis Tiffany était aussi décorateur d'intérieur et fournisseur, entre autres, de la Maison Blanche. Beaucoup d'églises de la région de New York possèdent encore des vitraux de chez Tiffany. La résidence de Louis Tiffany, à Long Island, est en partie reconstituée dans l'aile américaine du Metropolitan Museum.

Dans l'élégante boutique de la Cinquième Avenue est exposé l'énorme diamant jaune **Tiffany,** trouvé en Afrique du Sud en 1877. C'est autour de la façade et des vitrines de la bijouterie qu'Audrey Hepburn prenait son petit déjeuner chez Tiffany dans le célèbre film *Diamants sur canapé,* tiré du roman de Truman Capote.

La **57e rue,** connue dans les années 30 sous le nom de « Rue de la Paix new-yorkaise », a su garder son chic cosmopolite, avec de belles boutiques et de nombreuses galeries d'art.

La **Grand Army Plaza,** située entre la 58e et la 60e rue, IV, C2, est une place publique à l'européenne divisée en deux moitiés, de part et d'autre de la 59e rue. Elle est dominée à l'est par le **General Motors Building,** au sud par le magasin **Bergdorf Goodman** et le **Solow Building,** à l'ouest par l'**hôtel Plaza.** Sa fontaine Pulitzer (baptisée ainsi en l'honneur du journaliste Joseph Pulitzer) et ses bassins ont été dessinés par les architectes Carrère et Hastings. La partie nord de la Plaza est ornée de la statue équestre du général Sherman, dont les troupes dévastèrent la Géorgie et brûlèrent la ville d'Atlanta, comme on peut le voir dans *Autant en emporte le vent.*

A l'emplacement de l'ancien hôtel Savoy Plaza se dressent les 50 étages du **Général Motors Building,** IV, C2 (1968). Certains critiques new-yorkais lui reprochent « l'impression d'impersonnalité qui se dégage de son marbre blanc et de ses colonnes ininterrompues ». Le building est doté d'une plaza en contrebas et d'un hall d'exposition destiné aux voitures fabriquées par la GM. Le rez-de-chaussée et le premier étage de la tour accueillent, sur la 58e rue, le magasin de jouets F. A. O. Schwartz, véritable paradis pour les enfants comme pour les adultes. Des jouets électroniques aux ours en peluche, des trains miniatures aux mitrailleuses de la *Guerre des Étoiles,* on y trouve tout ce dont peuvent rêver les imaginations les plus folles. Le chanteur Michael Jackson a pris contact récemment avec Mr. Schwartz dans le dessein de lui louer ses locaux, l'espace d'un soir, pour y donner un fabuleux bal masqué.

Bergdorf Goodman, IV, C2 (1928) est l'un des magasins les plus chics des États-Unis. La décoration de ses vitrines et son choix de vêtements féminins et masculins sont capables de lancer des modes dans l'ensemble du pays. L'immeuble occupe l'emplacement de l'hôtel particulier de Cornelius Vanderbilt, de style fleuri néo-gothique, qui s'enorgueillissait de comporter 137 pièces.

Le **Solow Building,** IV, C2 (1974), dont l'entrée se situe au nº 9 de la 59ᵉ rue W, a son frère jumeau à l'angle de la 42ᵉ rue et de l'Avenue of the Americas **(Grace Building,** IV, BC3**).** Sa forme curviligne est très amusante mais sa taille semble démesurée par rapport à la plaza.

Le **Plaza Hotel,** IV, C3 (1907) est un des bâtiments les plus fameux de New York. Son architecte — qui est aussi celui du Dakota — a conçu le bel immeuble dans un style Renaissance française. L'œil est immédiatement attiré par la façade en brique vernie, par le contraste des angles et des tours arrondies au sommet, et par son magnifique toit d'ardoise et de cuivre. Ses chambres donnant au nord jouissent d'une vue superbe sur Central Park. Bien que les salles du Palm Court aient perdu, du fait de rénovations malheureuses, leur admirable marquise en verre de Tiffany, il reste encore le bel **« Oak Room »** (« Salle en Chêne »), où l'on peut prendre un verre ou dîner dans une ambiance de clair-obscur. Le Plaza était l'hôtel favori de l'architecte Frank Lloyd Wright.

A l'angle nord-est de la 59ᵉ rue, le très élégant **Sherry-Netherland Hotel** (781 5th Ave., IV, C2) fait face à Central Park et surplombe la Grand Army Plaza. Au rez-de-chaussée, le célèbre magasin **« A la Vieille Russie »** expose ses anciens bijoux de la Russie impériale et sa sélection de mobilier du XVIIIᵉ s. français.

En bordure de Central Park et de la 59ᵉ rue, les traditionnelles **calèches** attendent les visiteurs qui souhaitent se promener dans le parc ou dans les rues environnantes *(17 dollars les 30 mn; 5 dollars par quart d'heure supplémentaire).*

OÙ S'ARRÊTER

Il y a tout au long du parcours de très bons restaurants, des coffee-shops et des marchands ambulants. Les grands magasins ont d'excellentes cafétérias. Voici notre choix pour le déjeuner :

The New York Restaurant School, 27 W 34th St., tél. : 547-7105. En début de parcours. Ce sont les élèves qui préparent eux-mêmes la très bonne cuisine américaine qu'on y sert.

Charley O's, 33 W 42nd St., Rockefeller Center, tél. : 582-7141. Un joyeux mélange de pub irlandais et de saloon new-yorkais. Pour les amateurs de bière et de ragoût de mouton.

Keewah Yen, 50 W 56th St., tél. : 246-0770. Malgré sa localisation en pleine Eat Street, voici un bon restaurant chinois.

Old Bistro, Trump Tower, 725 5th Ave., près de la 57ᵉ rue, tél. : 832-1555. On peut choisir entre le buffet et la carte. Prix raisonnables.

The New York Delicatessen, 104 W 57th St., tél. : 541-8320. Entre l'Avenue of the Americas et la Septième Avenue. Des sandwiches énormes dans un superbe décor Art déco.

Carnegie Deli, 854 7th Ave., près de la 55ᵉ rue. Un peu excentré mais cela vaut la peine car on y mange un des meilleurs *pastramis* de la ville. La scène du début de *Broadway Danny Rose,* de Woody Allen (1985), a été tournée ici. Célèbre dans toute la ville.

Le Palm Court (dans le Plaza Hotel, 5th Ave., 59th St., tél. : 759-3000) propose à partir de 15 h 30, du thé et des gâteaux dans un décor viennois. Accompagnement de piano et de violon.

ROCKEFELLER CENTER
Au cœur de Manhattan

Pl. IV, BC3. — *Métro :* 47th-50th St./Rockefeller Center (lignes B, D). *Bus :* lignes 5, 6, 7 (direct. Uptown, Ave. of the Americas) ; lignes 1, 2, 3, 4, 5 (direct. Downtown, 5th Ave.).

Rockefeller Center★★★ est un ensemble de 21 bâtiments qui s'étend sur 9 ha et qui comprend des gratte-ciel commerciaux, des théâtres, des places et des voies privées, des kilomètres de galeries souterraines, des boutiques et des restaurants. On y trouve en outre des studios de télévision, des salles d'exposition et le célèbre Radio City Music Hall Entertainment Center. 250 000 employés et visiteurs le fréquentent quotidiennement. Sur le plan architectural, chacun des immeubles n'a pas une grande valeur intrinsèque, mais ils constituent le plus grand ensemble de gratte-ciel du monde.

Un peu d'histoire

Au début du XIXe s., l'emplacement actuel du Centre appartenait à l'Université de Columbia, qui y avait fait bâtir des *brownstones* pour les louer à des familles aisées. A la fin du siècle, John D. Rockefeller, redoutant la détérioration du voisinage, acheta les propriétés qui entouraient son domicile, à l'angle de la Cinquième Avenue et de la 54e rue.

Pendant les années 20, ère de la Prohibition, le secteur situé entre la Cinquième Avenue et l'Avenue of the Americas était devenu une suite de *speakeasies* (bars illégaux) et de clubs mal famés. En 1928, le Metropolitan Opera House, situé entre Broadway et la Septième Avenue d'une part, la 39e et la 40e rue d'autre part, voulut suivre l'exode des gens aisés vers le nord. Ses administrateurs s'intéressèrent aux terrains appartenant à l'Université de Columbia. Ils proposèrent à Rockefeller de les racheter pour leur en faire don. Mais le magnat du pétrole préféra envisager l'affaire en des termes strictement commerciaux : avant de construire un opéra, il fallait d'abord démolir plus de 200 immeubles, construire des gratte-ciel, attirer des firmes importantes et des grands magasins, séduire, enfin, la clientèle riche de la ville.

En 1929, du fait de l'écroulement de Wall Street, le Metropolitan Opera House dut se retirer du projet car il n'était plus en mesure de garantir son apport financier. Rockefeller se retrouva donc avec 3 blocs de maisons délabrées sur les bras et 3 millions de dollars à verser annuellement à l'Université. Bien qu'obligé de continuer seul, il se félicita du retrait de l'Opéra, car il considérait que le centre lyrique était un «poids mort» du point de vue financier. Son promoteur réunit alors plusieurs architectes pour dessiner l'ensemble d'un centre d'affaires et de culture populaire (radio, théâtre, cinéma). La construction de la première tranche de 14 bâtiments commença en 1930 — en pleine Dépression — et l'on s'efforça dès le début de battre des records : de 1930 à 1938, on employa 88 000 tonnes de béton et 39 millions de briques. En outre, le projet affichait à l'époque la plus lourde hypothèque du monde : 44 300 000 dollars, au point que les commentateurs se demandaient si cette entreprise ne serait pas la dernière de l'empire Rockefeller. Mais le chantier suivit son cours selon le rythme prévu.

Pour la décoration des halls et des lobbies, la famille Rockefeller décida d'utiliser les grands moyens et d'envoyer des émissaires en Europe pour tenter de convaincre Matisse et Picasso de participer à un concours international qui réunirait les meilleurs peintres de l'époque. Le premier expliqua à son interlocuteur d'outre-Atlantique que les qualités de sa peinture ne pourraient pas être appréciées dans un lieu de passage. Quant au second, il ne reçut même pas les émissaires américains si bien qu'on dut se contenter du Catalan José María Sert, de Frank Brangwyn et du Mexicain Diego Rivera.

Malgré ses sympathies communistes, Rivera accepta de peindre un des murs du hall d'entrée du building RCA. Mais, au fur et à mesure que le jour de l'inauguration s'approchait, les commanditaires appréciaient de moins en moins la fresque du Mexicain. Dans une œuvre censée illustrer l'Homme en quête d'un avenir meilleur, on voyait des microbes qui pullulaient, des bourgeois dévergondés dans des boîtes de nuit, une manifestation ouvrière, des policiers aux visages malpropres portant des matraques, des drapeaux rouges disséminés le long des murs. Tout à fait réfractaires à ces thèmes, les Rockefeller commençaient à s'inquiéter. L'affaire s'envenima encore lorsque, quelques jours avant l'inauguration de la fresque, on remarqua que le visage d'un leader syndical ressemblait beaucoup à celui de Lénine. Les Rockefeller essayèrent de négocier avec le peintre, mais Rivera fut intraitable. Devant l'impossibilité de parvenir à un accord, le responsable du projet, accompagné de quelques gros bras, ordonna un soir à Rivera de descendre de son échafaudage ; il lui remit un chèque de 14 000 dollars, le remercia et le raccompagna jusqu'à la porte de l'immeuble. Six mois plus tard, la fresque était détruite, sans que le public ait jamais pu la voir.

Le succès immédiat du Centre fit rapidement oublier cet incident. 80 % de l'espace était loué dès la fin de la première année de fonctionnement, et le Rockefeller Center devint le cœur d'une ville qui n'en avait jamais eu.

A partir de 1954, le Centre s'étendit de l'autre côté de l'Avenue of the Americas et vers les 47e et 52e rues, créant ainsi une zone concentrique autour de son noyau. En 1985, enfin, Rockefeller Center Inc. devint propriétaire de la totalité du terrain.

VISITE

Pour jouir d'une vue d'ensemble, on peut commencer la visite sur le trottoir de la Cinquième Avenue, entre la 49e et la 50e rue. Au centre, **Channel Gardens,** ainsi baptisé par la presse car le jardin est encadré par le **British Building** (1933) au nord, et la **Maison Française** au sud.

A gauche et à droite du jardin se trouvent des magasins européens, dont la **Librairie de France.** La taille modeste des deux bâtiments contraste avec le bloc de béton du RCA Building. Channel Gardens, orné de bassins et de parterres de fleurs légèrement inclinés, mène les passants à la **Lower Plaza,** en contrebas. Patinoire l'hiver, elle se transforme l'été en café de plein air. En haut de l'escalier, on peut lire le credo personnel de John D. Rockefeller, tandis que le mur ouest de la plaza est consacré à Prométhée, le voleur du feu. A Noël, sur la balustrade qui domine la plaza, les promeneurs s'attardent à regarder les nombreux patineurs et le sapin de Noël géant (20 m) installé sur Rockefeller Plaza.

Derrière **Rockefeller Plaza** se dresse la silhouette étroite du **RCA Building**** (1933), dont les 70 étages atteignent 260 m de haut. Ses ressauts discrets sont formés par les différentes cages d'ascenseurs. Ses façades est et ouest sont étroites, celles du nord et du sud, plus larges. Sa décoration extérieure joue sur la couleur des murs (grès de teinte crème et grise), sur l'aluminium et sur la disposition des fenêtres.

On peut aisément remarquer le soin apporté par les architectes aux intervalles ménagés entre les buildings. L'immeuble abrite, depuis son inauguration, les bureaux de la RCA (Radio Corporation of America), un des grands groupes audio-visuels américains.

Au-dessus de l'entrée principale, au 30, Rockefeller Plaza, une sculpture du **Génie de l'Univers,** dont la barbe anguleuse est dorée, souhaite la bienvenue au visiteur. Dans l'énorme hall d'entrée, on retrouve le style art-déco. José María Sert a remplacé les fresques de Rivera par des peintures murales qui exaltent les victoires de l'humanité. L'aire des ascenseurs a été décorée par Sert et Brangwyn. De là, on accède à l'**Observation Roof,** qui offre une vue du centre des affaires du Midtown, du **Pan Am Building** et de **Park Avenue,** IV, C3.

Pour les amateurs de studios de télévision, des *visites guidées* des locaux de la **N.B.C.** (National Broadcasting Company) sont proposées, *(de 9 h 30 à 16 h 30, t.l.j., sauf dim. et j.f. ; renseignements dans le hall d'entrée* ☎ 664-7174). Au 65e étage de la tour se trouve le célèbre restaurant **Rainbow Room,** l'un des lieux favoris des New-Yorkais depuis l'entre-deux-guerres.

Le hall donne aussi accès au **sous-sol** *(Concourse Level)* du Centre, véritable toile d'araignée reliant les immeubles et les différentes lignes de métro. Il y a plus de 3 km de galeries souterraines de style art-déco ou moderne, qui proposent des boutiques, des restaurants et des salles d'expositions.

Radio City Music Hall Entertainment Center***, IV, B2-3

Situé entre la 50e et la 51e rue, à l'angle de l'Avenue of the Americas (anciennement Sixième Avenue), le théâtre doit sa notoriété à sa capacité de 6 200 places, à son fabuleux décor et à sa troupe de girls, *The Roquettes.* Music-hall à l'origine, Radio City propose aujourd'hui des spectacles et des concerts deux fois par jour *(renseignements, ☎ 757-3100).*

Un peu d'histoire

Le plus grand théâtre du monde ouvrit ses portes en 1932. Son programme traditionnel (un spectacle de variétés et un film pour tous publics) attira jusqu'à 5 millions de spectateurs par an jusqu'en 1968. Mais les goûts du public ayant changé, la fréquentation diminua progressivement. En 1978, on annonça sa fermeture car le nombre de spectateurs était tombé à deux millions par an. L'opinion publique fit pression et, après des travaux de rénovation, le théâtre rouvrit ses portes en 1979, avec un programme de comédies musicales et de concerts, qui remporte depuis lors un certain succès auprès du public.

Au centre du Rockefeller Center, sur la Lower Plaza, Prométhée semble soustraire aux eaux de la fontaine la flamme qu'il a dérobée aux dieux.

Visite

L'intérieur du théâtre est l'un des joyaux du style art-déco à New York et sans doute aux États-Unis. Sa visite est aussi indispensable pour le touriste qui découvre New York que l'ascension de l'Empire State Building ou qu'une promenade dans Central Park. Il est possible de s'y rendre en visite guidée, indépendante de celle du Centre *(Renseignements dans le hall d'entrée du R.C.A. Building).*

Le plafond du hall des guichets est bas et contraste donc avec les énormes dimensions du **Grand Lobby** (foyer) qui le prolonge : 45 m de long, 15 m de large et 18 m de haut. Ses murs de marbre noir et rouge, son plafond noir et sa moquette sombre sont éclairés par une lumière tamisée. Les salles des trois entre-sols — d'où l'on peut mieux apprécier le lobby — sont desservies par un gigantesque escalier. La fresque de *la Fontaine de Jouvence* est une œuvre d'Ezra Winter. Au centre, les deux lustres de verre mesurent 9 m et pèsent 2 tonnes chacun.

Au bout du Grand Lobby, des escaliers descendent dans une vaste salle où la profusion des noirs et des gris s'allie au métal des colonnes. La décoration des toilettes est également remarquable car l'appareillage électrique, les glaces, les sanitaires et les carreaux ont été conçus dans un même souci d'unité stylistique.

De retour au Grand Lobby, on accède à l'**auditorium** par onze doubles portes en acier ornées de bas-reliefs en bronze. Le plafond est de forme ovale et l'arc situé au-dessus de la scène (20 m de haut sur 32 m de large) est formé par une série de demi-cercles qui se chevauchent, avec des rayons perpendiculaires peints. L'ensemble imite bien sûr la lumière du soleil. La scène amovible représentait à son époque une grande innovation dans l'architecture théâtrale.

Les autres tours du Rockefeller Center

Devant le succès financier du Rockefeller Center, nombreuses furent les sociétés désireuses de s'y installer. Pour pallier le manque d'espace, le Centre dut traverser l'Avenue of the Americas, à partir des années 50. Du côté ouest, on remarque un nouveau style d'architecture qui n'est pas sans rappeler celui des bâtiments modernes du Financial District. Entre la 47ᵉ et la 48ᵉ rue, se dressent les 45 étages du **Celanese Building,** IV, B3 (1973), qui côtoie une galerie commerciale.

Au 1221, Avenue of the Americas, le **Mc Graw-Hill Building,** IV, B3, construit en 1972, est haut de 51 étages. Ses architectes ont respecté les nouvelles réglementations d'urbanisme qui autorisent à bâtir plus haut si, en échange, on aménage des espaces publics : en l'occurence, une plaza a été ouverte, ornée d'un **Triangle solaire** qui indique les mouvements du soleil tout au long de l'année. A l'ouest du bâtiment, une cascade et un parc planté d'arbres attendent les passants. Au rez-de-chaussée de la tour se trouvent le *Tapei Theater* et la *Tapei Gallery,* qui organisent des spectacles et des expositions d'artistes chinois *(ouv. du lun. au sam. de 10 h à 17 h, ☎ 373-1800).*

En marchant vers le nord, on arrive à l'**Exxon Building,** IV, B3 (1971). Avec ses 230 m, il est le deuxième gratte-ciel du Centre après le RCA Building. Son style ultra-moderne emploie avec profusion les colonnes verticales. Son hall s'enorgueillit d'une tapisserie signée de Picasso et qui est en fait un rideau de théâtre dessiné par le maître espagnol en 1924, puis transformé en tapisserie. Notons également une sculpture abstraite de Mary Callery, *Lune et Étoiles.*

Le **Time and Life Building,** IV, B3 (1959) abrite le siège du groupe de presse qui publie les magazines *Time, Life* et *Fortune.* Il a été construit en aluminium et verre. Le dessin ondulé du marbre de son parvis — souvenir des trottoirs de Rio de Janeiro — fait contrepoint aux lignes verticales du bâtiment. Son immense hall est orné de deux œuvres : à l'ouest des ascenseurs, *Portail* par Josef Albers ; à l'est, *Peinture relationnelle nº 88,* par Fritz Glarner.

Sur la 50ᵉ rue se trouve un autre building du noyau originel du Rockefeller Center, l'**Associated Press Building,** IV, B3 (1938). Au-dessus de l'entrée, la sculpture d'Isamu Noguchi symbolise le métier de journaliste. Aujourd'hui il faudrait ajouter le magnétophone et l'ordinateur aux instruments de travail déjà présents...

En regagnant la Cinquième Avenue, on passe devant l'**International Building,** IV, C2 (1938), bâtiment entouré de deux ailes basses qui rappellent ses voisins de la 49ᵉ rue et de la 50ᵉ rue. Au centre de la cour se dresse la sculpture d'Atlas portant un globe terrestre orné des signes du Zodiaque (15 m de haut et 5 tonnes). Son superbe hall d'entrée fait 4 étages de haut, 18 m de large et 25 m de long. Les quatre escaliers mécaniques du foyer remplacent le grand escalier traditionnel des immeubles plus anciens. La sobriété de son décor, ses élégantes colonnes en marbre vert foncé et blanc, son éclairage indirect, contrastent avec la gravité d'autres buildings du Centre et lui ont valu la faveur du public. Si l'on utilise les escalators, il ne faut pas oublier d'admirer Saint-Patrick's en redescendant.

CIVIC CENTER, CHINATOWN, LITTLE ITALY

*CIVIC CENTER**

Pl. II, BC2, — Métro : Brooklyn Bridge/City Hall (ligne 4) ; City Hall/Broadway (ligne R) ; Park Place/Broadway (ligne 2).

Compris entre Chinatown au nord, le Brooklyn Bridge à l'est et le Financial District au sud, le quartier de l'Hôtel de Ville **(City Hall)** et des principales administrations municipales **(Civic Center)** présente une grande diversité architecturale. Les habitants de Manhattan n'y viennent que pour payer des amendes ou siéger dans un jury. Pourtant, ce quartier dégagé et monumental est l'un des plus agréables de la ville.

Sur Broadway, entre Fulton Street et Vesey Street, se trouve la plus ancienne église de Manhattan, **St Paul's Chapel,** II, B2 (1766), construite en grès brun sur le modèle de St Martin's-in-the-Fields, à Londres. Sa longue flèche fut ajoutée en 1794, et depuis lors sa façade a subi peu de transformations. Le cimetière bucolique qui l'entoure est fréquenté à l'heure du déjeuner par les employés de bureau du quartier. L'entrée principale de l'église tourne le dos à Broadway, car cette artère n'existait pas à l'époque de sa construction. L'intérieur du bâtiment abrite encore le banc personnel de George Washington.

Au nord de l'église, Broadway et Park Row se croisent et forment **City Hall Park,** II, B2. Ces deux artères, qui suivent le tracé d'anciens sentiers indiens, ont toujours eu une importance capitale pour les communications de la ville. Park Row part en direction du nord-est, devient le Bowery, traverse l'est de Manhattan sous le nom de Troisième Avenue pour se transformer, enfin, en l'ancienne Boston Post Road, qui mène en Nouvelle-Angleterre. Broadway traverse l'île de Manhattan en diagonale, franchit la Harlem River et continue en ligne droite jusqu'à Albany, capitale de l'État située à plusieurs centaines de kilomètres au nord.

Le très élégant **Woolworth Building*,** II, B2 (233 Broadway, entre Barclay Street et Park Place) fut avec ses 240 m de haut le gratte-ciel le plus élevé du monde de 1913 à 1929. Son style néo-gothique inspiré du Parlement londonien lui valut le surnom de « Cathédrale du Commerce ». Ses gargouilles représentent des grenouilles, des chauve-souris et des pélicans. Il fut édifié par l'un des magnats du libre-service bon marché, Frank W. Woolworth, dont l'empire s'étend toujours sur une grande partie du monde. Chose très rare à New York, sa société occupe toujours ces locaux prestigieux. Le hall d'entrée est une curiosité, avec ses murs recouverts de marbre doré et ses plafonds en mosaïque bleue, verte et or. Au-dessous des arcs conduisant aux couloirs latéraux, des figures sculptées représentent Mr. Woolworth lui-même en train de faire ses comptes, l'architecte Cass Gilbert tenant dans ses bras une maquette du gratte-ciel et le syndic de l'immeuble réglant une affaire. L'ancien bureau du milliardaire, au 24e étage, a été transformé en musée ; on peut y constater la vénération éprouvée par le self-made man à l'égard de Napoléon.

Archi-New York

Robert A. M. Stern, l'un des plus célèbres architectes contemporains, professeur à l'Université Columbia et auteur de célèbres ouvrages sur l'architecture américaine, nous parle de New York :

«Mon immeuble préféré? Bien qu'étant un homme d'Uptown (je ne descends jamais au sud de la 42e rue), j'ai néanmoins un penchant pour le **Woolworth Building** situé près de Wall Street. Il est gothique, mais d'un gothique moderne, style que l'Europe ignore. On peut taxer ce bâtiment à vocation commerciale de nouvelle «cathédrale».
C'est New York, et seulement elle, qui a créé les gratte-ciel. Et encore de nos jours : c'est ici qu'on les conçoit avant de les expédier vers d'autres villes. Beaucoup de sommités new-yorkaises ont voulu y édifier leur propre ensemble : McGraw-Hill, Chrysler, Rockefeller, Woolworth, Trump.
L'urbanisme de New York fait se rencontrer le plan confus et médiéval de Downtown avec le plan quadrillé et «futuriste» d'Uptown, la vieille Europe avec le Nouveau-Monde.

L'immeuble que je déteste? J'espère qu'on démolira bientôt des édifices affreux, datant des années 20, 50, 60 et 70, comme le Pan Am Building, de la 42e rue. Celui-là, je l'exècre. Si on le rasait, on découvrirait une fabuleuse perspective!...
Ici, heureusement, on détruit et on rebâtit sans cesse. Et sans hésitation.

Mes lieux de prédilection? Le Four Seasons, un restaurant pour voir et être vu. A ses tables, le pouvoir financier s'allie, se discute et se décide. Pour me détendre le soir, au son du piano et de la voix de Bobby Short, j'aime me rendre au Café Carlyle.»

City Hall*, II, B3

City Hall Park fut successivement un pré planté de pommiers, une place d'armes et un lieu d'exécution. C'est ici que le 9 juillet 1766 la Déclaration d'Indépendance fut lue en présence de George Washington. Le parc est aujourd'hui orné de monuments patriotiques. Une plaque dédiée au journaliste Joseph Pulitzer rappelle que Park Row, la voie qui longe le parc, était le centre journalistique de la ville à la fin du XIXe s.

Au milieu du park, la silhouette élégante du **City Hall** (1802) évoque à la fois le style fédéral et le raffinement du style Louis XVI. L'édifice actuel est le successeur des mairies hollandaise (sur Pearl Street) et britannique (sur Wall Street). Son architecte, Joseph-François Mangin, avait dû quitter la France au début de la Révolution. A l'origine, la façade et les côtés du bâtiment étaient revêtus de marbre du Massachusetts, l'arrière de grès brun. En 1858, au cours d'un feu d'artifice, des fusées incendièrent le dôme, le toit et les étages supérieurs. Victime du mauvais entretien et des intempéries, l'extérieur du bâtiment dut être entièrement rénové en 1956. Le marbre d'origine fut alors remplacé par du grès et du granit, comme on le voit aujourd'hui.

L'Hôtel de Ville est naturellement le lieu de passage obligé des personnalités qui se rendent à New York. Des rois, des princes, des joueurs de base-ball et des astronautes y ont été reçus en grande pompe. C'est en outre ici que plus de 125 000 personnes vinrent rendre hommage au président Lincoln en défilant devant sa dépouille mortuaire après son assassinat (1865).

City Hall est un édifice classique divisé en trois sections : un corps central, une aile orientale et une aile occidentale. Sa base de granit contraste avec les étages supérieurs en grès. On accède à l'intérieur du bâtiment par quelques marches. Le rez-de-chaussée est occupé par des bureaux. Celui du Maire se trouve au bout du couloir de gauche. Au fond du vestibule, un bel escalier à rampe de fer forgé est surplombé par dix colonnes

Chinatown, imbroglio de calligrammes jaunes, rouges et noirs, est un quartier où l'on aime se retrouver pour dîner, baguettes en main.

corinthiennes en marbre qui soutiennent une élégante coupole. Il mène au **Governor's Room,** appartement utilisé jadis par le gouverneur de l'État lors de ses visites dans la ville. Il a été transformé en musée, et l'on peut y admirer des portraits d'hommes politiques américains exécutés par John Trumbull et des meubles anciens, dont le secrétaire de George Washington.

Civic Center, II, B2

Au nord-est de City Hall, au n° 31, Chambers Street, à l'angle de Centre Street, le **Surrogate's Court** ou **Hall of Records,** II, B2, est un bel immeuble de style Beaux-Arts construit en 1911. Ici sont déposés tous les certificats de naissance, de mariage et de décès des habitants de la ville. L'intérieur est si somptueux qu'on a pu le comparer au vestibule du Palais Garnier à Paris.

De l'autre côté de Lafayette Street, l'énorme édifice du **Municipal Building,** II, B2, est un des points de repère du Civic Center. Construit en 1914 par la firme Mc Kim, Mead & White, ce bâtiment comporte quarante étages de bureaux. Sa masse blanche enjambe Chambers Street, et son aile méridionale est soutenue par d'immenses piliers qui dessinent un vaste espace piétonnier.

Derrière le Municipal Building, on trouve la **Police Plaza** et le **Police Headquarters,** II, BC2 (commissariat central), dessiné par la firme Gruzen et édifié en 1973.

L'US Courthouse, II, B2 (40 Centre Street), siège de la Cour de justice fédérale, fut édifié en 1936 sur les plans de Cass Gilbert, l'architecte du Woolworth Building. Ce bâtiment a l'aspect d'un temple classique surmonté d'une tour de 32 étages. Au nº 60, Centre Street, se dresse la silhouette également classique du **New York County Courthouse,** qui abrite la Cour de justice de l'État de New York. Cet édifice grandiose, dessiné en 1912, ne fut achevé qu'en 1926. L'énorme escalier extérieur mesure 33 m de large.

En face, au croisement de Centre Street, Pearl Street, Duane Street et Lafayette Street, **Foley Square,** II, B2, est le pivot du Civic Center. Au XIXe siècle, cet endroit était occupé par un étang de 20 m de profondeur appelé « The Collect ». Ensuite, il accueillit le bidonville de Five Points, l'un des plus sordides de New York.

Au nº 100, Centre Street, entre Leonard Street et White Street, se dresse le **Criminal Courts Building,** II, B1-2 (1939), bâtiment Art déco dont les tours rappellent l'architecture babylonienne et qui fut conçu selon quatre grands modules. Celui du nord fut occupé jusqu'en 1974 par la légendaire prison municipale, The Tombs (le tombeau), qui communiquait avec la Cour de justice par un passage aérien surnommé « Le Pont des Soupirs », en référence à Venise.

*CHINATOWN****

Pl. II, C1-2, D1. — Métro : Canal St./Centre St. (ligne J). Canal St./Broadway (lignes D, N, R).

Une bonne partie des 150 000 Chinois de la ville habite dans ce quartier aux rues étroites et surpeuplées. Jusqu'au milieu du XXe siècle, la communauté chinoise était concentrée dans un périmètre délimité par Canal Street au nord et le Bowery à l'est, son artère principale étant Mott Street.

Aujourd'hui, Chinatown s'est largement étendue au-delà de ce périmètre. Les Chinois ont remplacé les Italiens au nord, les Juifs à l'est, et ils jouxtent Broadway à l'ouest. La communauté est extrêmement florissante, et huit quotidiens de langue chinoise se disputent ses faveurs. Le moment idéal pour faire sa connaissance est le Nouvel An chinois, véritable carnaval populaire égayé par des dragons, des pétards et des feux d'artifice, qui se tient à la première pleine lune suivant le 21 janvier.

Le secteur le plus authentique de Chinatown s'étend à l'**est du Bowery,** sur East Broadway et Catherine Street, en particulier. Il existe, dissimulées dans tout le quartier, des salles de jeux clandestines, interdites, bien sûr, aux étrangers.

De Foley Square, Worth Street mène directement à **Chatham Square,** II, C2. Au début du XIXe siècle, ce secteur était très élégant, mais, dans les années 1840, il fut remplacé par des taudis d'immigrants irlandais et allemands. Aujourd'hui, ce carrefour est l'un des principaux points de repère de Chinatown. L'arc au toit de pagode qui en occupe le centre est un monument à la mémoire des Américains d'origine chinoise morts au combat. Le grand bâtiment en forme de pagode qui donne sur la place est une agence de la **Manhattan Savings Bank**.

Au sud de Chatham Square, sur St. James Place, se trouve le plus ancien **cimetière séfarade** de la ville, avec une pierre tombale datant de 1683.

A l'est de Chatham Square, les restaurants, les cinémas et les commerces d'**East Broadway,** II, CD1, attirent une foule nombreuse. Au nº 26, une énigmatique pharmacie chinoise sert une clientèle de gens âgés qui croit aux vertus bénéfiques des ramures de cerf séchées, du ginseng, des morceaux d'étoiles de mer et des herbes médicinales traditionnelles.

Au nord de Chatham Square commence le **Bowery,** II, C1-2. Au nº 6 se trouve **Olliffe's Apothecary,** la plus ancienne pharmacie de New York (1803). Au nº 18 de la même rue, au coin de Pell Street, la **Edward Mooney House,** II, C2 (1785) est l'une des plus anciennes résidences de New York, conçue dans le style fédéral alors naissant. Aux nos 7-8 de Chatham Square, le bureau de l'O.T.B. (équivalent du P.M.U. français) offre un spectacle pittoresque : des centaines de Chinois attendent le résultat des courses, les yeux fixés sur des écrans lumineux.

Pell Street conduit à **Mott Street,** axe principal de Chinatown bordé de restaurants et de boutiques. Au n° 25 se trouve l'**église catholique de la Transfiguration** qui date de 1801.

Canal Street, au nord, est devenu l'un des centres de la confection new-yorkaise avec une main-d'œuvre chinoise et essentiellement féminine.

LITTLE ITALY

Pl. II, BC1. — Métro : Prince St./Broadway (lignes N, R).

A l'ouest de Mott Street, **Mulberry Street** était autrefois la grand-rue de Little Italy. Avant la guerre, le quartier comptait plus de 150 000 habitants d'origine italienne, mais aujourd'hui il n'en reste plus que quelques milliers. Au fur et à mesure qu'ils sont montés dans l'échelle sociale, les Italiens ont quitté leurs rues natales et sont partis s'installer en banlieue. Deux fêtes traditionnelles arrivent, cependant, à redonner du souffle à Little Italy : la **fête de Saint Antoine de Padoue** (pendant la première quinzaine du mois de juin) et celle de **San Gennaro** (aux environs du 19 septembre).

En remontant Mulberry Street puis en tournant à gauche dans Grand Street, on arrive à **Centre Street.** Au n° 240 se dresse le **Former Police Headquarters,** II, B1 (ancien commissariat central), bel immeuble bâti en 1909. Après le déménagement de la police dans de nouveaux locaux en 1973, il a été divisé en appartements.

De retour sur Mulberry Street, à la hauteur de Prince Street, l'ancienne **St. Patrick's Cathedral,** II, C1, est l'ancêtre de celle de la Cinquième Avenue. Construite en 1815 par l'architecte français Joseph-François Mangin, cette cathédrale accueillit la minorité catholique de la ville jusqu'en 1879. Elle marqua en son temps la naissance du style néo-gothique aux États-Unis. Au n° 266 de la même rue, la St Michael's Chapel fut construite en 1850 sur des plans de James Renwick.

Situé à l'angle de Mulberry Street et de Houston Street, le **Puck Building,** II, BC1, est une merveille de style néo-roman datant de 1885 et bien entretenue depuis lors. Il abritait les bureaux du célèbre magazine humoristique *Puck.* La figure dorée de Puck, en haut-de-forme, surplombe l'entrée principale de l'immeuble, sur Lafayette Street.

OÙ S'ARRÊTER?

Les bons restaurants aux alentours de City Hall et Civic Center ne sont pas nombreux. Au sud du quartier, Nassau Street propose une panoplie de fast-foods.

Chinatown

Chaque New-Yorkais y a son restaurant favori. Voici notre choix :

N° 3 Doyers Street, devant le bureau des Postes, entre Pell St. et Bowery. Ce restaurant sans enseigne se spécialise dans les plats aux nouilles. Des dizaines de variétés. Clientèle chinoise assurée.

Peking Duck, 22 Mott St ☎ 962-8208. Un bon restaurant spécialisé dans le canard à la pékinoise, dont l'ancien maire de New York raffole.

Silver Palace, 50 Bowery ☎ 964-1204. Dans ce grand restaurant populaire et bruyant, vous trouverez un bon choix de *dim sum* (beignets à la vapeur ou au four).

Sun Lop Kee, 13 Mott St., ☎ 285-9856. Excellent petit restaurant spécialisé dans les poissons et les fruits de mer.

Little Italy

Benito's, 174 Mulberry St., ☎ 226-9171. De la bonne cuisine napolitaine en plein cœur de Little Italy.

Café Biondi, 141 Mulberry St., ☎ 226-9285. Un bon endroit pour se reposer et déguster des pâtisseries accompagnées d'un bon *cappuccino.*

CENTRAL PARK
Le poumon de Manhattan

Pl. p. 121. — ***Métro*** : 5th Ave./59th-60th St. (lignes N, R) ; 59th St./Columbus Circle (lignes 1, A, B, C, D).
Bus : lignes 1, 2, 3, 4 (59th St.).
Renseignements : Visitor's Information Center *(tous les jours, de 10 h à 16 h 30 ;* ☎ 397-8222), « The Dairy », construction néo-gothique située au centre de Central Park, à la hauteur de la 56e rue. Visites guidées du parc, calendrier des manifestations, brochures. Également à « The Arsenal » *(du mar. au dim. de 9 h à 17 h),* Cinquième Avenue et 64e rue.

Depuis son ouverture en 1876, le parc paysager de **Central Park**★ a conservé la faveur des New-Yorkais. Avec un nombre de visiteurs estimé entre 13 et 20 millions par an, Central Park est le lieu démocratique par excellence. En été, sur ses sentiers et ses pelouses se côtoient les cadres d'origine juive ou anglo-saxonne, adeptes du jogging, et les Noirs et *Hispanics* (immigrés d'origine sud-américaine) qui font du *break dancing* ou du patin à roulettes, équipés de leurs bruyants *ghetto blasters* (chaînes portatives). On peut y jouir d'une vue superbe sur le fameux *skyline,* véritable muraille de beaux immeubles qui entoure le parc à l'est, au sud et à l'ouest, tout en prenant un repos bien mérité, loin de l'agitation et du tumulte de la ville.

Depuis 1980 la municipalité a entrepris des travaux de rénovation. On répare les bâtiments, on refait les sentiers, on draîne les bassins, on replante des fleurs et des arbres. Ce programme a été accueilli avec un tel enthousiasme par les New-Yorkais que des groupes de bénévoles se sont organisés pour aider à l'entretien et à la conservation du parc. Sa cote de popularité, jadis en chute libre à cause de sa détérioration et de la criminalité qui y régnait, est désormais au plus haut.

Pour le visiteur qui découvre Manhattan, une promenade dans Central Park est indispensable, de préférence à la belle saison, lorsque toutes les communautés s'y donnent rendez-vous pour se promener, pique-niquer en famille ou donner libre cours

Central Park, un espace de verdure et de liberté qu'une muraille de gratte-ciel couve jalousement du regard.

à leurs marottes. Certains observateurs vont jusqu'à dire que le véritable zoo de la ville ne se trouve pas dans le Jardin botanique du Bronx, mais le dimanche à Central Park ! Cette vaste étendue est le poumon de New York, grâce auquel l'air de la ville se recycle. Les citadins peuvent s'y défouler et conserver ainsi leur santé physique et mentale... jusqu'au dimanche suivant !

Cependant, Central Park a toujours été en butte à des projets insensés qui renaissent périodiquement : on a voulu y construire un hippodrome, un aérodrome, un parking souterrain pouvant accueillir 25 000 véhicules. Heureusement, aucun de ces projets n'a encore vu le jour, car les nombreux amis de Central Park — les sages et les moins sages — veillent sur sa préservation avec un soin jaloux.

Quelques chiffres

Central Park s'étend sur 340 ha (soit 5 % de la superficie totale de Manhattan), entre la 59ᵉ rue au sud et la 110ᵉ rue au nord, entre la Cinquième Avenue à l'est et Central Park West (Huitième Avenue) à l'ouest. Il mesure 4 km de long sur 800 m de large. Son altitude maximum est de 40 m au promontoire de Vista Rock, à Belvedere Castle. Il possède 18 accès à partir des rues avoisinantes et 19 aires de jeux pour les enfants. Central Park est interdit aux voitures le week-end et à certaines heures les jours ouvrables. Ses visiteurs s'y déplacent donc à pied, en vélo, en patin à roulettes, en planche à roulettes, en calèche ou dans les véhicules les plus invraisemblables, pourvu qu'ils ne soient pas motorisés. Les soirs d'été, Central Park devient un théâtre, un opéra, une salle de concerts avec des dizaines de représentations parfois gratuites.

Un peu d'histoire

En 1844, le poète et journaliste William Cullen Bryant propose la création d'un grand parc à l'européenne, et de nombreuses personnalités se rallient bientôt à son idée. En 1856, la municipalité achète un terrain au nord de la ville pour 5 millions de dollars. Deux ans plus tard, le concours d'architectes paysagistes est remporté par Frederick Olmsted et Calvert Vaux, dont le projet de jardin à l'anglaise respecte dans ses grandes lignes la nature et la topographie du terrain. Le plan prévoit, pour la circulation citadine, quatre voies en contrebas traversant le parc d'est en ouest, sans pour autant affecter sa tranquillité ni son calme. Une fois délogés les nombreux squatters et les animaux à demi-sauvages qui habitent dans les parages, les travaux commencent. Ils durent jusqu'en 1870.

Il faut transporter dix millions de tombereaux de terre fertile, planter cinq millions d'arbres et de plantes diverses, construire 40 km de sentiers avant que Central Park puisse ouvrir ses portes aux New-Yorkais. Très vite il devient l'endroit où la bonne société se montre à bord de calèches et où les familles ouvrières se délassent le dimanche. Les alentours du parc se transforment rapidement en quartiers résidentiels aisés.

En 1965, Central Park est classé monument historique, ce qui le met à l'abri des idées farfelues des maires et autres administrateurs. Grâce à cette décision, il est assuré de connaître un avenir tranquille et de conserver encore longtemps les qualités qui font tout son charme.

LES ACTIVITÉS DU PARC

Renseignements sur les activités des parcs de la ville : 360-1333.

Bateaux et modélisme

Au **Conservatory Pond.** Même les adultes se prenant très au sérieux passent leurs après-midi dominicaux à montrer leur talent de capitaine aux longs cours.

Canotage

Loeb Boathouse, 72e et Central Park. Location de barques.

Équitation

Claremont Stables (Écuries Claremont), 175 W 89th St., ☎ 724-5100. *A partir de 6 h 30 le matin.* Condition : savoir monter en selle à l'anglaise. Tarif : 25 $ l'h.

Patinage

Wollman Rink, 63rd East Drive, ☎ 517-4800. *Du 15 oct. au 15 avr. les lun., mer. et dim. de 10 h à 17 h, les mar., jeu. et ven. de 10 h à 17 h et de 19 h à 21 h, le sam. de 12 h à 17 h et de 19 h à 21 h.* Profitez du mardi soir : prix réduits et location des patins comprise dans le ticket d'entrée.

Promenades en calèche

59th Street et 5th Ave. ou 6th Ave. Tarif : 20 $ la première 1/2 h, 5 $ supplémentaires par 1/4 h.

Pour les plus petits

Le Carrousel, 64th St., ☎ 879-0244. *Hiver : le week-end, de 10 h 30 à 16 h 45, selon les conditions atmosphériques. Fermé à Noël, le 1er janv. et pour St. Patrick's Day (17 mars).* Prix réduit le lun.

Le Zoo *(The Children's Zoo),* 64th St. et 5th Ave., *de 10 h à 16 h 30.*

Théâtre de Marionnettes *(Swedish Cottage Marionette Theater),* 79th St., Central Park West et 81st St., ☎ 988-9093. *Ouv. du mar. au ven ; pour les groupes de 10 et plus, spectacle à midi et 15 h.* Représentations spéciales du 26 au 30 déc. Réservation nécessaire.

Maison de Marionnettes Heckscher *(Heckscher Puppet House),* Heckscher Playground, 62nd St., entrée sur la 59e rue et la 7e Avenue. *Du lun. au ven. spectacles à 10 h 30, et 12 h pour les groupes de 10 et plus.* Informations ☎ 371-7775.

VISITE

Central Park se divise en deux parties. Celle qui s'étend de la 59e à la 86e rue c'est-à-dire jusqu'au Réservoir, est la plus fréquentée. Au nord, de la 86e à la 110e rue, la végétation est plus touffue, et il est fortement déconseillé de s'y aventurer seul. A la nuit tombée, toute promenade dans le parc est dangereuse, sauf s'il l'on s'en tient aux grands trottoirs qui l'entourent à l'est, au sud et à l'ouest. En été, lors des grandes représentations nocturnes (théâtre, musique, etc.), il n'y a rien à craindre à condition de ne pas s'éloigner de la foule des spectateurs.

De Grand Army Plaza au Lake, B4 à AB2

Au sud-est, on accède à Central Park par l'East Drive, route réservée aux calèches. A gauche, en contrebas, **The Pond,** B4 (le bassin) entoure un promontoire abritant une réserve d'oiseaux, parmi lesquels des cygnes, des canards et beaucoup d'autres espèces. En s'approchant du bassin par l'un des nombreux sentiers qui y mènent on peut admirer le reflet des gratte-ciel à la surface de l'eau.

Le pont conduit à la patinoire, le **Wollman Memorial Rink,** B4, qui accueille aussi des concerts. Au sud du zoo (en cours de rénovation), se trouve un centre de location de poneys ; au nord, le **Children's Zoo,** B3, *(ouv. t.l.j. de 10 h à 16 h 30).* L'**East Drive** dessert ensuite le bureau de renseignements (The Dairy). Vers le nord s'étend **The Mall,** B3, belle allée plantée d'ormes et ornée des bustes de Schiller, de Beethoven, de Walter Scott, de Shakespeare, d'un Chasseur indien inconnu et de Christophe Colomb : ce sont les seules statues originelles de Central Park, prévues par ses architectes au XIXe s. A gauche de l'allée se trouve l'aire des patineurs à roulettes et des cyclistes, dont les prouesses souvent extraordinaires constituent un spectacle de choix.

La plus belle pelouse de Central Park se trouve à l'ouest de cette aire : **Sheep Meadow,** A3 (le «Pré des moutons») était jusqu'en 1934 une véritable prairie où broutaient plusieurs dizaines de moutons. Aujourd'hui, on peut s'y reposer, pique-niquer ou s'y faire bronzer à son gré. The Mall mène également à un auditorium qui abrite des concerts en été. Derrière, la statue de *Ma Mère l'Oie* voisine, naturellement, avec une aire de jeux destinée aux enfants. L'allée traverse ensuite la 72e rue et conduit à **Bethesda Fountain,** B3, et au Lake. A gauche, le jardin de **Strawberry Fields,** A3, qui porte le nom de la célèbre chanson des Beatles, a été offert à la ville par Yoko Ono pour saluer la mémoire de son mari, John Lennon, assassiné par un fou en 1980. Le meurtre a eu lieu devant le domicile du couple, à l'angle de Central Park West et de la 72e rue.

A droite, la route mène à l'**embarcadère,** où l'on peut louer des barques et des vélos à la belle saison. Il existe aussi une cafétéria avec vue sur le lac. Derrière les bois et des rochers qui évoquent un paysage de campagne, on aperçoit les silhouettes élancées des beaux immeubles de Central Park West. Le **Conservatory Pond,** B2, à l'est du grand lac, a été baptisé ainsi car un conservatoire devait y être érigé, mais le projet a été abandonné. On peut y louer de jolis voiliers et des hors-bord miniatures. A l'ouest du bassin se dresse la **statue de Hans Christian Andersen,** le conteur danois, avec à ses pieds le vilain petit canard. De mai à septembre, des conteurs amateurs s'y réunissent tous les samedis de 11 h à 12 h. Au nord, la charmante **statue d'Alice au pays des merveilles** est célèbre dans toute la ville.

Belvedere Castle et The Great Lawn, A2 à AB1

En revenant sur ses pas jusqu'à Bethesda Fountain et en suivant le sentier qui longe le lac à l'ouest, on parvient à un petit pont piétonnier — the Bow Bridge (1859) — qui offre une très belle vue sur l'ensemble. Une fois franchi le pont, on arrive à **The Ramble,** A2, petite colline boisée traversée par un ruisseau, refuge, le week-end, des homosexuels newyorkais.

Belvedere Castle, A2, château néo-gothique servant de station climatologique, est le rendez-vous des ornithologues de la ville *(ouv. du mar. au dim. de 11 h à 16 h ☎ 772-0210).* A l'ouest se trouve l'étonnant **Shakespeare Garden,** A2, où l'on ne cultive que les plantes mentionnées dans les œuvres du grand dramaturge anglais. Le château offre un beau panorama sur la partie nord de Central Park. A gauche, Delacorte Theater propose des représentations gratuites durant les mois d'été *(les billets sont distribués à 18 h 15, le soir du spectacle).*

En face se trouvent **Belvedere Lake,** AB2, entouré de cerisiers du Japon et au fond, **The Great Lawn,** AB1, terrain de prédilection des joueurs de baseball et de football américain. Les soirs d'été, l'immense pelouse se transforme en scène d'opéra ou de concert symphonique. A l'époque de la grande Dépression, The Great Lawn n'était qu'un ancien réservoir à sec squattérisé par les victimes de la crise.

A droite du lac, la statue de Jagiello, roi de Pologne, est le point de ralliement des amateurs de danses folkloriques le samedi et le dimanche en été. Au fond, devant le Metropolitan Museum of Art, **Cleopatra's Needle,** B1 (l'aiguille de Cléopâtre) est l'obélisque jumeau de celui de Londres. Il mesure 20 m de haut, pèse 224 tonnes et a été sculpté en granit rose il

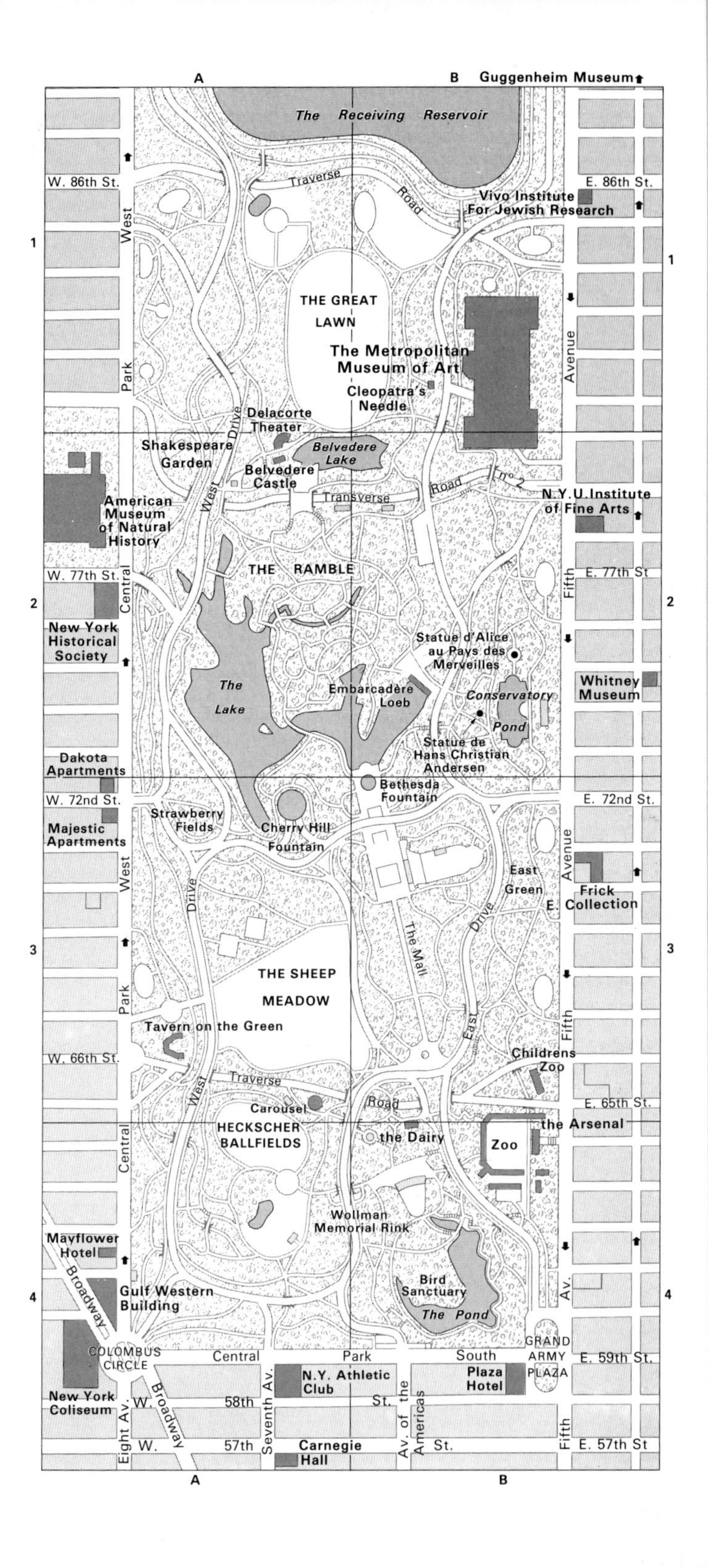

A
B
Guggenheim Museum
The Receiving Reservoir
W. 86th St.
E. 86th St.
Traverse Road
Vivo Institute For Jewish Research
West
1
1
THE GREAT LAWN
The Metropolitan Museum of Art
Cleopatra's Needle
Park
Avenue
Delacorte Theater
Shakespeare Garden
Belvedere Lake
Belvedere Castle
Drive
Transverse Road n° 2
N.Y.U. Institute of Fine Arts
American Museum of Natural History
West
THE RAMBLE
W. 77th St.
E. 77th St
Central
Fifth
2
2
New York Historical Society
Statue d'Alice au Pays des Merveilles
Whitney Museum
The Lake
Embarcadère Loeb
Conservatory Pond
Statue de Hans Christian Andersen
Dakota Apartments
Bethesda Fountain
W. 72nd St.
E. 72nd St.
Strawberry Fields
Cherry Hill Fountain
Majestic Apartments
West
Drive
Avenue
East Green
Frick Collection
E.
The Mall
Drive
3
3
THE SHEEP MEADOW
Park
Tavern on the Green
East
Fifth
W. 66th St.
Childrens Zoo
Traverse Road
West
Carousel
E. 65th St.
HECKSCHER BALLFIELDS
the Dairy
the Arsenal
Zoo
Central
Wollman Memorial Rink
Mayflower Hotel
Broadway
Bird Sanctuary
Gulf Western Building
Av.
4
4
The Pond
GRAND ARMY PLAZA
COLOMBUS CIRCLE
Central Park South
E. 59th St.
N.Y. Athletic Club
Plaza Hotel
New York Coliseum
W. 58th St.
Seventh Av.
Av. of the Americas
Broadway
Eight Av.
W. 57th St.
Carnegie Hall
Fifth
E. 57th St
A
B

y a plus de 3 000 ans. Originaire d'Héliopolis, il a été offert à la municipalité par Khédif Ismail Pacha en 1878. Son surnom vient du fait qu'il se trouvait près d'un temple construit par Cléopâtre. Le transport coûta 100 000 dollars, qui furent réglés par le milliardaire William H. Vanderbilt.

The Receiving Reservoir, AB1

En traversant le Great Lawn en direction du nord, on arrive au **Reservoir,** qui occupe un quart de la superficie totale de Central Park et qui s'étend de la 86e à la 97e rue. Par milliers, les joggers tournent autour de ses berges. La partie nord du parc, qui se prolonge jusqu'à la 110e rue, est beaucoup moins intéressante ; en outre, elle est parsemée de courts de tennis et de terrains de handball. A l'angle nord-est se trouve le **Harlem Meer,** bassin où l'on peut faire du bateau. Au-delà de la 110e rue commence le quartier de Harlem.

OÙ S'ARRÊTER ?

Ice Cream Cafe & Deli, au Conservatory Pond ; *ouv. tous les jours de 7 h 30 à 20 h.* Pour manger des glaces ou des sandwiches.

Lœb Boathouse Cafeteria, sur l'embarcadère du lac ; *ouv. tous les jours de 9 h à 18 h.* Pour se restaurer légèrement et admirer la vue sur le lac.

Tavern-on-the-Green, à l'ouest du Sheep Meadow ; *ouv. de 11 h à 22 h, le sam. de 11 h à 1 h, le dim. de 10 h à 24 h ;* tél. : 873-3200. Il est préférable de réserver. C'était, à l'origine, la bergerie du Sheep Meadow. Aujourd'hui elle profite de son cadre pour exiger des prix élevés le soir, mais très raisonnables pour le lunch (environ 20 $). Le grand nombre de voitures stationnées tout autour lui vaut le surnom de « Tavern-on-the-Parking ».

42nd STREET
De Times Square à l'East River

Pl. IV, BCD3. — ***Métro :*** Times Square/42nd St. (lignes 1, 2, D, N, R) ; Times Square/Broadway (ligne 7) ; Grand Central/42nd St. (ligne 4) ; Grand Central/Lexington Ave. (ligne 7). ***Bus :*** lignes 104, 106.

La 42e rue est sans doute la plus active des artères transversales de Manhattan. Située à Midtown, elle relie les quais de l'Hudson et le Lincoln Tunnel au siège de l'ONU, sur l'East River. Flâner dans cette rue qui a donné son nom à des chansons et à de multiples spectacles, c'est passer sans transition à travers des univers opposés : les taudis infects de sa portion occidentale, les illuminations de Broadway, l'opulence des environs de Grand Central, l'aspect imposant du building des Nations unies, qui fait de New York la capitale du monde.

*TIMES SQUARE****

Pl. IV, B3

Times Square, la plus célèbre des intersections de Broadway, doit son nom au *New York Times,* dont le siège s'installa en 1905 au nº 1 du square, qui accueillait autrefois le marché aux chevaux de la ville. Les inoubliables enseignes lumineuses lui ont valu le surnom de « The Great White Way » (la « Grande Voie Blanche ») ou de « Carrefour du monde ». Le quartier traditionnel des théâtres — **Theater District**** —, dont Times Square est le cœur, s'étend de la 40e à la 53e rue et de l'Avenue of the Americas à la Neuvième Avenue.

Un peu d'histoire

Depuis la fondation de New York, les théâtres, à l'instar du commerce et des quartiers résidentiels, ont joué à saute-mouton du sud vers le nord de Manhattan. Le premier théâtre de la ville ouvrit ses portes dans le Financial District à l'époque de la domination britannique.

En 1883, le **Metropolitan Opera House** s'installa entre la 39e et la 40e rue. Dix ans plus tard, l'**Empire Theatre** se fixa à l'angle de Broadway et de la 40e rue, suivi en l'espace de 30 ans par soixante-et-onze théâtres, par des hôtels et des restaurants. Dans les années 20 et 30, d'énormes salles de cinéma pouvant accueillir jusqu'à 3 000 spectateurs furent inaugurées à leur tour dans le quartier des spectacles.

Aujourd'hui, l'heure de gloire de Times Square est passée. La dépression des années 30 a vidé les salles ; la télévision, la radio et la vidéo ont fait

Les lumières de la ville

L'architecte John Burgee, l'un des créateurs du AT & T Building, a façonné, lui aussi, le paysage new yorkais des années 70 aux années 80. Il fut à l'origine du fameux Lipstick Building, situé sur 3rd Avenue, au nº 885. Aujourd'hui il conçoit avec Philip Jonhson le nouveau projet de rénovation de Times Square.

«Ce programme va transformer la ville entière, dont ce quartier était le fleuron. Bien qu'il fut déserté à une époque, il fait désormais l'objet de toutes nos attentions : nous cherchons à préserver son originalité. Il sera éclairé comme avant. Au carrefour de la 42e Avenue, de Broadway et de 7th Avenue, on va construire quatre buildings. Un million de mètres carrés. Des surfaces locatives immenses. L'argent que rapporteront ces locaux servira à subventionner les théâtres dont les salles sont désertées par le public.

Mon quartier préféré? L'Upper East Side où j'habite. Je me rends à pied à mon bureau qui se trouve dans le Lipstick Building. En été, j'aime me promener dans Central Park. Quant aux restaurants, je préfère ceux de Downtown et de Chinatown. Cette ville est d'une infinie diversité. Au printemps, j'emmène les amis venus me visiter sur le ferry de Staten Island, pour découvrir la Statue de la Liberté et jouir du spectacle féerique de Manhattan.

Mes immeubles fétiches? Le Seagram Building, le Lever House, le Ford Foundation Building. L'édifice le plus mal éclairé est indiscutablement le RCA Building de Rockefeller Center. Le Chrysler Building est une magie de lumières. A son sujet, une anecdote : on a découvert récemment à son sommet des douilles d'ampoules qui n'avaient jamais été utilisées depuis sa construction en 1939. Absurde!...»

le reste. Le quartier s'est délabré, et la grande époque des enseignes et affiches lumineuses n'est plus qu'un souvenir. Les rues sont bordées de boutiques bon marché, tandis que la drogue, la pornographie et la prostitution règnent sur les trottoirs, et que les cinémas, souvent ouverts 24 heures sur 24, sont spécialisés dans les films classés X.

Cependant, la municipalité essaie de faire revivre le quartier en délogeant les dealers et en mettant en œuvre un programme de rénovation et d'embellissement. Aussi le néon d'antan revient-il à la mode. Sur la façade des gratte-ciel en cours de construction, des espaces sont prévus pour les énormes enseignes lumineuses de jadis.

Times Square est toujours le lieu des grands rassemblements populaires de la ville. Ainsi, le 31 décembre de chaque année, à la **Saint-Sylvestre**, des dizaines de milliers de personnes s'y rendent malgré le froid pour y attendre les 12 coups de minuit. Un spectacle à ne pas manquer.

Pour obtenir des billets à tarif réduit pour le soir même, il suffit de faire la queue, soit au bureau des **TKTS** (théâtre), soit au **SEATS** (ballets, danse contemporaine). Voir à la rubrique «Spectacles», p. **58** et **59**.

A L'OUEST DE BROADWAY

Pl. IV, B2

A l'angle de la 42e rue et de Broadway, le nº 142 abritait autrefois le légendaire **Knickerbocker Hotel**. Inauguré en 1902, cet hôtel au toit man-

Times Square est un carrefour de loisirs plus ou moins sages : on vient y applaudir des spectacles de théâtre et de variétés, des comédies musicales... voire même des strip-teases.

LIZA MINNELLI
The author of "Agnes of God" has something new up his sleeve.
Sleight of Hand
A Real Broadway Thriller
ONE BLOCK NORTH AND TURN RIGHT
ARTKRAFT STRAUSS SIGN CORP.
New York's Funniest Erotic Musical Comedy
Oh!
PALACE
La Cage aux folles
THE BROADWAY MUSICAL
WINNER 6 1984 TONY AWARDS
BEST MUSICAL
W 46 ST
ONE WAY
ONE WAY
McDonald's
BILLIONS AND BILLIONS SERVED
OPEN 24 HOURS
EMBASSY 1
CREEPSHOW 2
La Cage aux folles

sardé appartenait à la puissante famille Astor. Woody Allen a tenté de le faire revivre dans son film *Radio Days* (1987).

Une annexe du **New York Convention and Visitors Bureau** (Office de Tourisme de New York) se trouve à l'angle de la 42e rue et de Broadway (*ouv. du lun. au ven. de 9 h à 18 h ; sam., dim. et fêtes de 10 h à 18 h ;* tél. : 593-8983). C'est une bonne occasion d'y aller faire un tour.

A l'ouest, le bloc situé entre Broadway et la Huitième Avenue incarne la décomposition récente du quartier. Sur ses trottoirs, des dealers tiennent boutique jour et nuit. Ses cinémas pornographiques, ses peep-shows et ses librairies érotiques attirent une clientèle un peu... particulière !

Néanmoins, on peut encore y voir certains des grands théâtres de jadis, dont les façades sont défigurées par des marquises délabrées, et qui ont été transformés en cinémas. Ainsi, au no 207, se trouve l'ancien **Victory Theater,** construit en 1900 par Oscar Hammerstein, le célèbre imprésario. Le **Lyric Theater,** au no 213, fut inauguré en 1903, et sa salle accueillit des comédiens tels que Douglas Fairbanks, Fred Astaire et les Marx Brothers. Au no 229, le **New Apollo Theater** est redevenu une salle de spectacles après des années de délabrement.

Sur le trottoir opposé, au no 240, l'ancien **Empire Theater** fut inauguré en 1912 et transformé en cinéma dans les années 30. Au no 234, le **Liberty Theater** ouvrit ses portes en 1904 et connut son heure de gloire dans les années 20 avec des revues nègres. A l'angle sud-ouest de la 42e rue et de la Huitième Avenue, le **Port Authority Bus Terminal** est l'une des plus grandes gares routières du monde. Ses 200 000 usagers quotidiens s'embarquent aussi bien pour les banlieues new-yorkaises que pour le Texas ou la côte pacifique.

Au no 330, à côté de la gare routière, se dresse la silhouette en céramique bleu-vert de l'ancien **Mc Graw-Hill Building,** remarquable pour les amusants retraits de ses 35 étages, pour ses fenêtres en longueur et pour son hall d'entrée Art déco. Au début des années 30, l'importante maison d'édition Mc Graw-Hill fit bâtir ce bel immeuble dans le dessein de revaloriser ce quartier industriel plutôt délabré. L'objectif n'ayant jamais été atteint, le grand éditeur scolaire déménagera en 1973 dans le Rockefeller Center.

Au sud de la 42e rue, la Neuvième Avenue accueille un marché de produits venant de tous les continents. A la mi-mai, elle se transforme en rue piétonnière à l'occasion du **Ninth Avenue Street Festival,** qui rassemble des milliers de personnes autour de ses dégustations de plats typiques, de ses stands d'artisanat, de ses musiciens et de ses bateleurs.

A l'ouest de la Neuvième Avenue, entre la 30e rue au sud et la 57e rue au nord, se situait au début du xxe s. **Hell's Kitchen** (« la Cuisine du Diable »), l'un des plus grands bidonvilles de New York. Des gangs terrorisaient alors le quartier, au point que les policiers ne sortaient que par groupes de trois. Dans les années 1910, la compagnie des chemins de fer New York Central Railroad, propriétaire d'une partie des terrains, créa une milice qui allait jusqu'à éliminer physiquement les malfrats. Aujourd'hui le quartier s'appelle **Clinton,** du nom du parc Dewitt Clinton situé sur la 52e rue et la Onzième Avenue, IV, A2.

Entre la Neuvième et la Dizième Avenue, du côté sud de la 42e rue, se trouvent les théâtres **Off-Off, Broadway** de **Theater Row,** spécialisés dans des pièces classiques et d'avant-garde. En face se dresse le **Manhattan Plaza,** construit en 1977. Cette cité destinée aux gens du spectacle fait pendant à **Tudor City,** située à l'autre extrémité de la 42e rue.

EN REMONTANT BROADWAY

Pl. IV, B3

Au nord de la 42e rue, sur la place triangulaire formée par l'intersection de Broadway et de la Septième Avenue, se dresse le fameux **One Times Square,** siège du *New York Times* jusqu'à ce que le quotidien change de locaux tout en restant dans le même quartier.

A la hauteur du 3e étage de cet immeuble, une **bande lumineuse** informe en permanence les passants des derniers développements de l'actualité et des prévisions météorologiques. En face, du côté sud de la 42e rue, une amusante **peinture murale** de Richard Haas représente l'ancien immeuble du *New York Times.*

Au no 229, 43e rue, sur le côté ouest de Broadway, se trouvent les bureaux actuels du **New York Times.** Depuis sa fondation en 1851, il est devenu une institution new-yorkaise et l'un des journaux les plus respectés des États-Unis. Le **Paramount Building** (1927), avec ses jolis retraits et son globe terrestre, se situe au no 1501, Broadway, entre la 43e et la 44e rue. Son somptueux hall d'entrée menait autrefois au Paramount Theater.

Entre la 44e et la 45e rue, l'énorme masse contemporaine du **One Astor Plaza,** IV, B3 (1515, Broadway) occupe l'ancien emplacement de l'Astor Hotel. A l'intérieur de la tour, dans la galerie du Minskoff Theater, le **Theater Museum** *(ouvert du mer. au sam. de 12 h à 20 h ; le dim. de 12 h à 17 h)* est consacré à l'histoire du théâtre à New York.

Il reste aujourd'hui dans ce secteur de Broadway une quarantaine de théâtres, pour la plupart spécialisés dans des comédies musicales qui font ensuite le tour du monde. A la grande époque de Broadway, dans les années 20, une bonne comédie musicale pouvait rapporter 1 million de dollars en une saison, c'est-à-dire approximativement le prix de la construction d'un théâtre. La saison théâtrale 1927-1928 établit un record avec 257 productions représentées dans le quartier.

Derrière le One Astor Plaza, le **Shubert Theatre,** IV, B3, au no 225, 44e rue, abrite les bureaux de la Shubert Organization, fondée par les frères Shubert, les plus grands imprésarios des États-Unis. A côté, la Shubert Alley, qui sert de passage aux spectateurs, était autrefois le lieu de réunion des comédiens, chanteurs et danseurs qui souhaitaient se faire embaucher par les frères Shubert. En face, au no 234, le restaurant **Sardi's** est le rendez-vous des comédiens et des amateurs du théâtre.

De nombreuses salles de théâtres célèbres s'alignent sur les 44e et 45e rues : le Broadhurst, le Saint James, le Booth, le Royale, le Plymouth. A l'angle de la 45e rue et de Broadway, le monumental **Marriott Marquis Hotel,** IV, B3, construit en 1985, possède 1 800 chambres réparties sur 48 étages et constitue un bon exemple d'architecture futuriste : du bar de l'hôtel, on peut voir, au centre du bâtiment, le va-et-vient des ascenseurs transparents, éclairés par des dizaines de petites lumières.

Le **Lyceum Theater,** au no 149, 45e rue, est le plus ancien du quartier encore en usage (1903). Le **Duffy Square,** à l'angle de la 46e rue, entre Broadway et la Septième Avenue, possède une statue de George M. Cohan, qui composa des morceaux aussi célèbres que *Give My Regards To Broadway* et *I'm a Yankee Doodle Dandy.*

De là, on regagne Times Square et on continue sur la 42e rue à l'est en passant devant Bryant Park et la New York Public Library (voir la promenade « La Cinquième Avenue », p. 94). Au croisement de la Cinquième Avenue commence la 42e rue Est.

GRAND CENTRAL TERMINAL**

Pl. IV, C3

Grand Central Terminal, à cheval sur Park Avenue, fut construit en 1913 dans le style Beaux-Arts par les firmes Reed & Stem, Warren & Wetmore. Par ses dimensions, elle est une des plus grandes gares du monde, bien que son trafic soit pratiquement limité à la banlieue. Son écrasante façade sud, sur Park Avenue, comporte trois immenses fenêtres encadrées par de majestueuses colonnes, l'ensemble rappelant les arcs de triomphe de l'Antiquité. Sur le fronton, un groupe sculpté, *Transportation* (le « Transport »), représente Mercure, entouré d'Hercule et de Minerve, fraternisant avec l'aigle américaine. Au pied de la façade, une statue en bronze de Cornelius Vanderbilt, commandée par lui-même.

Un peu d'histoire

Le **Commodore Vanderbilt,** ainsi appelé car il fut à ses débuts armateur de ferries, réussit dans les années 1860 à obtenir le monopole des lignes de chemins de fer reliant New York au continent. Pour les centraliser sur l'île de Manhattan, il décida en 1871 de faire construire une gare à l'angle de Park Avenue et de la 42e rue sur le modèle de la gare du Nord de Paris. Les trains arrivaient donc ici, et des voitures à cheval prenaient le relais jusqu'au centre-ville, situé alors au sud de l'île. L'industrialisation du pays et l'importance croissante de New York exigèrent bientôt la construction d'une nouvelle gare à la mesure de la ville et la mise en valeur des terrains avoisinants. Les voies ferrées s'étendant de la 42e à la 52e rue et de Madison à Lexington Avenues furent entièrement recouvertes et une grande gare construite au-dessus.

48 voies souterraines furent disposées sur deux niveaux et un réseau de galeries piétonnes relia l'ensemble. Au nord de la gare, des arbres furent plantés, donnant à Park Avenue l'aspect que nous lui connaissons.

Après l'inauguration de Grand Central Terminal, en 1913, les alentours devinrent un quartier d'immeubles de bureaux prestigieux et de beaux appartements.

Visite

En pénétrant dans la gare par l'entrée principale de la 42e rue, on traverse la **Main Waiting Room** (salle des pas perdus) et l'on parvient au légendaire **Main Concourse.** Recouvert de marbre, ce gigantesque hall mesure 114 m de long sur 36 m de large. Sa voûte, qui s'élève à une hauteur de 38 m, est décorée des constellations de l'Univers. L'ornement le plus utilisé est la feuille de chêne, symbole de la famille Vanderbilt. Le Main Concourse voit défiler plus de 150000 passagers par jour. Bien que monument classé, il est défiguré par d'immenses panneaux d'affichage et par des façades de bureaux. Les jolis guichets en bronze rappellent la grande époque des trains américains.

A l'ouest du Concourse se trouve le **Grand Staircase** (grand escalier) qui mène au niveau inférieur, aux quais et au **Grand Central Oyster Bar.** Avec ses voûtes carrelées, ce restaurant spécialisé dans les fruits de mer (particulièrement les huîtres) est une des attractions permanentes de la gare. Plus de 10000 huîtres y sont servies tous les jours. Au-dessous de ce niveau, des galeries souterraines reliant la 43e à la 49e rue forment un véritable labyrinthe en plein Midtown, où des centaines de clochards et de marginaux se protègent des intempéries. Il est vivement déconseillé de pénétrer dans cette Cour des Miracles new-yorkaise. Du fait de sa situation, Grand Central Terminal est l'objet de la convoitise des promoteurs immobiliers. Au fil des années, plusieurs projets furent élaborés pour transformer les espaces intérieurs en bureaux ou pour construire une tour au-dessus de la gare. Grâce aux pressions de l'opinion publique ils furent tous repoussés. En 1965, la municipalité classa « monument historique » l'ensemble du bâtiment. Cependant, la compagnie des chemins de fer fit appel pour obtenir son déclassement, et ce n'est qu'en 1978 que la Cour suprême de Justice confirma la décision de la municipalité.

DU PAN AM BUILDING* A L'ONU*

Derrière la gare se dressent les 50 étages du **Pan Am Building,** IV, C3, construit en 1963 par Emery Roth & Sons, Pietro Belluschi et Walter Gropius, l'un des architectes du Bauhaus. En 1958, la gare vendit ses « droits aériens » à la Pan Am, ce qui permit l'édification de cet immeuble qui ferme malheureusement la perspective de Park Avenue.

En continuant vers l'est sur la 42e rue, on parvient au **Grand Hyatt Hotel** (1980), dont la façade revêtue de miroirs reflète le quartier alentour. L'intérieur de cet hôtel de 30 étages et de 1400 chambres, avec son hall d'entrée et son grand atrium, essaie de recréer le luxe d'antan.

Au no 110, se dresse l'imposante façade néo-romane du **Bowery Savings Bank** (1923) un des chefs-d'œuvre de l'architecture des banques à New York. L'arc immense de son entrée mène à une salle centrale regroupant tous les services bancaires. La salle, qui mesure 55 m de long sur 25 m de large, est encadrée par des colonnes de marbre. Son plafond à poutres s'élève à 20 m au-dessus d'un sol revêtu de mosaïque. Au n° 122, on peut admirer la façade art-déco du **Chanin Building,** construit en 1929 par la firme Sloan Robertson. La base de cet immeuble est joliment décorée en céramique, et son hall d'entrée possède une exceptionnelle ornementation en marbre et bronze.

Le Chrysler Building*,** IV, C3

La silhouette élancée du Chrysler Building (1930) se dresse au n° 405, Lexington Avenue, entre la 42ᵉ et la 43ᵉ rue. Cette belle **tour argentée** de 317 m de haut fut, l'espace de quelques mois, la plus haute du monde.

Dans les années 20, le milliardaire **Walter Chrysler,** self-made man et propriétaire éclairé de la société d'automobiles qui porte son nom, décida d'édifier une tour à sa propre gloire et à l'idée de progrès. Il se mit en contact avec l'architecte William Van Alen, ancien élève de l'École des Beaux-Arts de Paris et de l'atelier Laloux, et donna carte blanche à cet architecte réputé à New York pour ses gratte-ciel sans corniches. Une lutte sans merci s'engagea alors contre l'architecte H. Craig Severance, ancien associé de Van Allen, qui avait l'intention de construire pour la Bank of Manhattan, la plus haute tour du monde, au n° 40 Wall Street.

Van Allen annonça publiquement son projet d'élever le Chrysler Building à 280,3 m de haut. En réponse à cette déclaration, Severance décida d'ajouter au sommet de la Bank of Manhattan un mât de 15,1 m de haut qui porterait sa taille à 280,9 m. C'était sans compter sur la prévoyance de Van Allen, qui avait dessiné dans le plus grand secret la fameuse flèche en acier du Chrysler Building, haute de 30,2 m. Elle fut montée en cachette au 65ᵉ étage de l'immeuble, puis hissée et installée au sommet du building. En 90 minutes la victoire fut acquise : avec ses 317,5 m de haut, le Chrysler Building devenait le plus haut édifice du monde. Malheureusement, quelques mois plus tard le bel immeuble gris de M. Chrysler fut détrôné par les 378,7 m de l'Empire State Building.

L'**intérieur du bâtiment,** conçu avec une grande richesse de matériaux, est un des joyaux de l'architecture art-déco. L'entrée principale de l'immeuble, sur Lexington Avenue, donne accès à un hall triangulaire soutenu par deux colonnes octogonales. Sa pente douce mène le visiteur aux quatre batteries d'ascenseurs. Les murs et les colonnes sont revêtus de marbre rouge du Maroc, le sol est en travertin, les moulures des vitrines en acier nickelé. Le système d'éclairage du hall est impressionnant : une lumière indirecte ambrée provient des ampoules situées entre des panneaux d'onyx du Mexique et des appliques en acier nickelé. Des peintures murales ornent le plafond. Au fond du hall, les portes des ascenseurs sont recouvertes de 8 variétés différentes de bois dessinant des motifs abstraits art-déco. La richesse de la décoration se manifeste jusque dans les ventilateurs placés à l'intérieur des ascenseurs. Au nord et au sud du hall, enfin, deux jolis escaliers courbes mènent, l'un à l'entresol, l'autre au sous-sol, dont les murs sont revêtus de marbre noir. L'ensemble du Chrysler Building a été restauré récemment.

L'**Automat** situé à l'angle de la 42ᵉ rue et de la Troisième Avenue est une curiosité à ne pas manquer. Ce genre de cafétéria automatique connut son heure de gloire dans les années 30. A l'époque, des milliers de clients se bousculaient pour introduire leurs pièces et obtenir l'ouverture automatique de compartiments abritant des tartes aux pommes, des *meat pies* ou des soupes tièdes. Quelques nostalgiques et de nombreux vagabonds se retrouvent aujourd'hui dans le dernier Automat de New York, ancêtre des distributeurs automatiques et des fast-foods contemporains.

Sur le même trottoir, au n° 220, entre la Troisième et la Seconde Avenue, se trouve le **Daily News Building** (1930) dessiné par Raymond Hood. Ce bâtiment est un précurseur des *slabs* (blocs monolithiques) contemporains. Son sommet plat, peu commun à l'époque, dissimule le château d'eau. Le hall de l'immeuble est orné d'un immense globe terrestre.

Entre la Seconde et la Première Avenue, s'ouvre une des entrées du

Ford Foundation Building, IV, D3 (1967), l'entrée principale se situant au 320, 43e rue. Les architectes Roche et Dinkeloo ont dessiné ici l'une des plus grandes réussites des années 60. L'atrium intérieur, haut de 40 m, abrite un beau jardin très fréquenté par les flâneurs. Cet immeuble aéré, construit en brique, verre et acier, est le siège de la Fondation Ford, organisme philanthropique qui subventionne la science et les arts.

Un peu plus à l'est, l'ensemble résidentiel de **Tudor City** date de 1928. Il s'étend de la 40e à la 43e rue et de la Première à la Seconde Avenue. Il regroupe plus de 2 500 appartements destinés à la classe moyenne et un hôtel **(The Tudor)** de 500 chambres. L'ensemble de douze bâtiments est unifié par un parc intérieur qui lui donne l'aspect d'un véritable village. Tudor City doit son nom au style de ses immeubles — briques, vitraux, éléments néo-gothiques. Les murs des immeubles donnant vers l'est sont aveugles car, dans les années 20, ils donnaient sur des abattoirs, des brasseries, des bidonvilles et autres visions peu réjouissantes.

On arrive alors au siège de l'ONU, qui surplombe l'East River du haut de ses 39 étages.

L'ONU★ : L'AMBITION DU XXe SIÈCLE

Pl. IV, D3. — ***Métro :*** Grand Central/42nd St. (ligne 4) ; Grand Central/Lexington Ave. (ligne 7). ***Bus :*** 101, 102, 104.

Ouv. t.l.j. de 9 h à 17 h 30. Visites guidées de 9 h 15 à 16 h 45.
☎ 963-1234.

Situé à l'extrémité est de la 42e rue, sur les rives de l'East River, le Palais des Nations unies est, avant toute chose, une splendide réalisation architecturale. Quelques-uns des plus grands architectes de ce temps, représentant chacun leur pays d'origine, se sont associés à la conception de cet édifice sous la présidence de Wallace K. Harrison — USA. Citons cependant Le Corbusier pour la France, Oscar Niemeyer pour le Brésil, Sven Markelius pour la Suède et une dizaine d'autres encore.

Un peu d'histoire

L'ancienne Société des Nations siégeait à Genève. John D. Rockefeller fit l'acquisition des terrains de Turtle Bay (Baie de la Tortue) pour un montant de 8 500 000 dollars et proposa ce nouvel emplacement pour y édifier le siège de l'Organisation des Nations unies, créée en 1945. Il fallut attendre octobre 1952 pour voir l'ouverture de la première séance des Nations unies.

Visite

Au sein de l'ONU, fonctionnent plusieurs organismes comme l'**UNESCO,** par exemple, dont la mission est de favoriser la culture et l'alphabétisation de par le monde, le **FOA,** chargé des problèmes agricoles mondiaux, le **FMI** (Fonds Monétaire International), l'**OMS** (Organisation Mondiale de la Santé) et enfin l'**UNICEF** (Fonds pour l'Enfance).

Quatre bâtiments, en tout, forment ce Palais des Nations unies sur une surface de 8 ha jouissant, comme toute représentation diplomatique, d'un statut d'extra-territorialité : la **Bibliothèque,** les trente-neuf étages du **Secrétariat** — premier gratte-ciel new-yorkais de verre et d'acier —, le **bâtiment des Conférences** et, enfin, celui de l'**Assemblée générale**.

Les visites du Palais des Nations sont guidées par de jeunes ressortissants de divers pays, parfois revêtus de leur costume local. Cette visite est longue, environ deux heures, et souvent fastidieuse. Le **hall principal** (Main Lobby) du bâtiment de l'Assemblée générale offre toute sorte de curiosités au visiteur, les **sept portes** offertes par le Canada, une **tapisserie** représentant la paix et les 138 emblèmes des États-membres, un **vitrail** de Chagall, etc.

Au sous-sol, on trouvera le très fameux bureau de poste de l'ONU. Les timbres émis et affranchis par l'ONU sont très prisés des collectionneurs. On s'attardera aussi à la **librairie** qui propose des publications du monde entier et à la boutique de souvenirs si l'on est amateur d'artisanat.

Mais l'essentiel de la visite, bien sûr, reste la **salle de l'Assemblée géné-**

rale. 350 sièges sont réservés aux délégués, 250 aux journalistes et 800 au public. De part et d'autre de la salle, situées à mi-hauteur entre le plafond et le plancher, on apercevra des cabines comme autant de fenêtres derrière lesquelles travaillent les traducteurs qui fournissent, au public comme aux délégués, une traduction simultanée des discours et des interventions qui se donnent pendant les séances. L'Assemblée générale se réunit une fois par an pour une session de travail qui dure trois mois, de septembre à décembre.

La visite se poursuit par le **bâtiment des Conférences.** Outre les installations techniques — studios de radio et de télévision, etc. — qui n'offrent qu'un intérêt restreint, on s'attardera sur quelques œuvres d'art offertes par différents pays : tapis persans, mosaïques de Tunisie, fresques brésiliennes, et une superbe toile de Rouault, *Le Christ crucifié,* offerte par le pape Paul VI lors de sa visite à l'ONU en 1965.

La **salle du Conseil de Sécurité,** la **salle du Conseil de Tutelle,** puis la **salle du Conseil Économique et Social,** n'offrent rien de bien remarquable et ne se distinguent les unes des autres que par un choix différent de décoration intérieure.

OÙ S'ARRÊTER?

Times Square et le quartier des théâtres

Cabana Carioca, 123 W 45th St., ☎ 581-8088. De la bonne cuisine brésilienne dans une ambiance décontractée. Les portions sont amazoniennes. Pour les amateurs de *feijoadas* et de cochons de lait.

Caramba, 918 8th Ave., près de la 54e rue, ☎ 245-7910. Restaurant à la mode. Cuisine Tex-mex. Des *margaritas* (téquila et jus de citron) redoutables...

Gallagher's, 228 W 52nd St., ☎ 245-5336. Ancien *speakeasy* (bar clandestin) devenu *steakhouse.*

Jezebel's, 630 9th Ave., près de la 45e rue, ☎ 582-1045. Décoré comme un magasin d'antiquités. *Soul food* et autres cuisines du sud. Les amateurs de poisson et de poulet apprécieront.

Joe Allen, 326 W 46th St., ☎ 581-6464. De bons hamburgers et une clientèle de comédiens et de comédiennes.

Nathan's Famous, 1482 Broadway, près de la 43e rue, ☎ 473-8408. Célèbre fast-food dont la maison-mère est située sur Coney Island. Temple du hot-dog et du ketchup. La faune et l'ambiance font oublier la nourriture...

Victor's, 237 W 52nd St. (à l'ouest de Broadway) ☎ 586-7714, le restaurant cubain préféré de Dizzy Gillespie. Du riz et des haricots noirs, du porc et des cocktails au rhum.

Un rappel s'impose : les vrais amateurs de sandwiches au *pastrami,* de corned-beef et de blinis se régaleront chez **Carnegie Deli,** 854 7th Ave., près de la 55e rue. (Voir «Où s'arrêter» dans l'itinéraire «La Cinquième Avenue», p. **94**.)

Grand Central Terminal

The Grand Central Oyster Bar, sous-sol du Grand Central Terminal, W 42nd St. et Park Ave., ☎ 490-6650. Le paradis des amateurs d'huîtres, avec des variétés inconnues en Europe. Sa voûte en céramique blanche mérite à elle seule une visite.

Takezushi, 71 Vanderbilt Ave., près de la 45e rue, ☎ 867-5120. Un des meilleurs sushi bar du quartier. Longue attente à midi.

Peacock Alley, dans l'hôtel Waldorf-Astoria, Park Ave., entre la 49e et la 50e rue, ☎ 355-3000/355-3345. La salle est calme et agréable, la cuisine correcte. Ouvert à partir du petit déjeuner. De 18 h à 22 h, on peut entendre le piano où se produisit Cole Porter.

Hatsuhana, 17 E 48th St. (entre Madison Ave. et Park Ave.) D'aucuns le classent parmi les meilleurs restaurants japonais de Manhattan. Sa spécialité : les sushis.

ONU

Il faut essayer, par tous les moyens, de déjeuner dans le restaurant des délégués, le **The Delegates Dining Room.** La plupart du temps, il est difficile d'y trouver une table libre mais la vue splendide sur l'East River mérite un peu de patience. Le restaurant se trouve dans le bâtiment des Conférences. Il est ouvert au public de 11 h 30 jusqu'à midi, puis de 14 h jusqu'à 14 h 30. C'est dire qu'entre midi et deux heures vous n'avez strictement aucune chance de passer à table. En dernier recours, rabattez-vous sur la cafétéria qui se trouve au sous-sol du bâtiment de l'Assemblée générale.

Les restaurants que l'on trouvera tout autour du périmètre du Palais des Nations Unies sont excessivement chers et, semble-t-il, exclusivement réservés aux fonctionnaires internationaux. La rumeur veut, par exemple, qu'à l'**Ambassador Grill,** au rez-de-chaussée de l'hôtel The United Nations Plaza, situé au 1 United Nations Plaza (à l'angle de la 44e rue et de la Première Avenue), sur deux clients, le premier est diplomate et le second est un espion...

LES VILLAGES

Pl. III, ABCD2-3. — ***Métro :*** W 4th St./Washington Square (lignes A, C, E, F) ; Christopher St./Sheridan Square (ligne 1) ; 8th St./Broadway (lignes N, R). ***Bus :*** lignes 2, 3, 6.

Les *Villages* s'étendent sur toute la largeur de Manhattan, de l'East River Drive à l'est aux berges de l'Hudson à l'ouest, et de Houston Street au sud à la quatorzième rue au nord. A l'intérieur de ce périmètre, cependant, deux *Villages* bien délimités se détachent : le plus célèbre, Greenwich Village — avec ses deux secteurs, le West Village et le South Village — et le plus récent, East Village.

*GREENWICH VILLAGE****

Pl. III, ABC2-3

Situé entre Broadway et l'Hudson, le *Village* — comme l'appellent ses habitants — a su conserver son identité dans une ville en mutation permanente. Dans ce quartier de petites rues tranquilles et bordées d'arbres, où les maisons ne dépassent pas quelques étages, il règne encore une ambiance villageoise et amicale. La population, composée de cols blancs aisés, d'intellectuels et d'artistes arrivés, est très fière de son cadre de vie. Elle a ses épiceries et ses boutiques, ses parcs et son carnaval. Ces New-Yorkais à part ne vivraient ailleurs pour rien au monde : contrairement à leurs concitoyens affligés d'une véritable bougeotte, ils comptent vivre et mourir « au Village ».

Greenwich Village est aussi un quartier de contrastes. L'activité incessante de Washington Square s'oppose au calme de Commerce Street, Bedford Street ou Grove Street. Les boîtes de jazz font contrepoint aux cafés feutrés et aux salons de thé. Ses hôtels particuliers *(townhouses)* et ses églises, autour de la Cinquième Avenue, évoquent les splendeurs du passé : au XIXe s., le quartier était l'un des plus distingués de la ville. Par ailleurs, ses anciens taudis, dépôts et fabriques aménagés en appartements rappellent que Greenwich Village était aussi un quartier d'immigrants.

Un peu d'histoire

Lorsqu'au XVIIe s. les Hollandais s'installèrent à la pointe sud de Manhattan, Greenwich Village n'était qu'une région boisée traversée par un ruisseau, le Minetta, et peuplée par des Indiens regroupés dans le hameau de Sapokanikan. Le sol étant fertile, les terres furent bientôt distribuées entre les nouveaux colons, qui en chassèrent les Indiens, et les mirent en culture.

A la fin du XVIIe s., les documents officiels des nouveaux maîtres britanniques désignent l'endroit sous le nom de Greenwich, sans doute en l'honneur de la ville homonyme, près de Londres. Cette région entièrement rurale était alors dominée par une poignée de grands propriétaires.

Greenwich Village fut englobé par la ville qui ne cessait de s'étendre vers le nord. A la fin du XVIIIe s., une partie des grands domaines fut divisée en lotissements. En outre, la fuite des habitants du port lors des épidémies successives de fièvre jaune et de variole fit beaucoup augmenter la population du *Village*. La construction allait bon train et, en 1811, quand la municipalité établit son plan d'urbanisme, les collines du secteur furent rasées. Le quadrillage devait commencer à Houston Street et donc englober Greenwich Village, mais les nouveaux habitants n'en tinrent pas compte et bâtirent leurs demeures en bordure des sentiers fréquentés, ce qui explique la forme parfois sinueuse des rues du quartier.

Entre 1820 et 1850, la population du *Village* quadrupla. Des familles aisées du port vinrent s'y installer ou y construisirent des maisons de campagne. Dans les années 1830, les grandes familles s'établirent dans les hôtels particuliers de Washington Square, transformé en parc public en 1828. Ce nouveau quartier élégant déborda alors sur la Cinquième Avenue et sur les rues adjacentes, d'University Place à la Sixième Avenue (Avenue of the Americas). C'est dans un des hôtels particuliers du nord du Square que naquit l'écrivain Henry James, peintre de la société bourgeoise et puritaine de la Côte Est. Mais, bientôt rattrapée par le commerce et l'industrie, la bourgeoisie new-yorkaise délaissa Greenwich Village et alla s'installer plus au nord, cédant la place aux artisans et aux classes moyennes. Les hôtels particuliers furent divisés en appartements, qui abritèrent parfois des écrivains. Ainsi, James Fenimore Cooper, Edgar Allan Poe, Walt Whitman et Mark Twain séjournèrent dans le *Village*.

Les dépôts et les usines s'installèrent sur l'Hudson, les commerçants à l'est et au nord, si bien que Greenwich Village put conserver son caractère éminemment résidentiel. Cependant, le début de l'immigration massive affecta le quartier, qui fut investi par les nouveaux arrivants. Ainsi, une première vague d'Irlandais et de Noirs s'établit au sud de Washington Square, provoquant une chute des loyers et une dégradation de l'habitat. En 1890, des Italiens et une nouvelle vague d'Irlandais très pauvres prirent la suite. Dans la première décennie du XXe s., la transformation du quartier était achevée. Partout se dressaient des taudis, et la misère était omniprésente. En raison de ses loyers modiques, de son isolement relatif et de son calme traditionnel, Greenwich Village devint alors un havre de paix pour les jeunes artistes et les adeptes de la vie de bohême, révoltés contre la morale étriquée de la société américaine de l'époque.

On y publiait des journaux pacifistes et des compagnies de théâtre d'avant-garde y présentaient leurs créations. Des cercles tels *The A Club* et *The Liberal Club*, qui prônaient de profondes réformes sociales, y furent fondés. C'est à cette époque qu'Eugène O'Neill et Edna St. Vincent Millay montèrent leurs premières pièces et que la comédienne Bette Davis fit ses débuts. Le quartier pouvait se vanter d'attirer de nombreux écrivains : Theodore Dreiser, Sherwood Anderson, Hart Crane, John Dos Passos, E. E. Cummings.

Entre la fin de la Première Guerre mondiale et les années 30, Greenwich Village connut une nouvelle transformation. Son isolement par rapport à l'incessante circulation de la jeune métropole prit fin avec le percement de la Septième Avenue et la prolongation de la Sixième Avenue au sud de Carmine Street. De plus, une correspondance fut établie entre les lignes IRT et IND du métro. Cependant, le *Village* continua à attirer des artistes et des non-conformistes. Marchant sur les pas de leurs aînés, les peintres Edward Hopper et, plus tard, Jackson Pollock, vinrent habiter le *Village* et hanter ses boîtes, tout comme les écrivains Mary Mc Carthy, Edward Albee, Allen Ginsberg, Jack Kerouac et William Styron.

Aujourd'hui, les cercles littéraires de Greenwich Village sont fermés, les loyers sont parmi les plus élevés de la ville et les touristes déferlent dans les petites rues. Les promoteurs immobiliers voudraient à tout prix abattre les maisons pour élever des tours d'habitation, et de ce point de vue les trois grands propriétaires fonciers du *Village* — Sailor's Snug Harbor, Trinity Church et New York University — ne sont plus dignes de la confiance des associations de quartier.

Cependant, il a été jusqu'ici préservé des malheurs qui s'abattent sur d'autres secteurs de la ville. Tous les styles d'architecture présents à New York se trouvent encore aujourd'hui dans Greenwich Village, et son ambiance reste différente de celle du reste de la ville. Les rues sont plus calmes, le pas y est plus lent, les boutiques y ouvrent un peu plus tard, les gens y sont plus chaleureux, les voisins se disent bonjour, les cafés et les salons de thé ont une clientèle d'habitués. Bref, Greenwich Village demeure un quartier d'exception.

Visite

La **8e rue,** entre Broadway et l'Avenue of the Americas, III, BC3, est la *Main Street* la « rue principale » de Greenwich Village. Elle est bordée de librairies, de disquaires, de magasins de vêtements et de quelques boutiques de gadgets et affiches pour touristes. Elle possède, en outre, une forte concentration de magasins de chaussures.

Au no 52 se trouve la salle d'art et d'essai **The Eighth street Playhouse,** dont l'architecture intérieure était très innovatrice dans les années 1920. Aujourd'hui elle est connue comme le lieu de culte bizarre réunissant tous les fans du film *The Rocky Horror Picture Show* **(J. Sharman, 1975),** qui s'y donnent rendez-vous le week-end, parés de vêtements fantasques et de maquillages outranciers.

Du côté est de MacDougal Street, s'ouvre la pittoresque **MacDougal Alley,** III, B3, ruelle privée dont les maisons étaient, au XIXe s., les étables des hôtels particuliers situés sur la 8e rue et sur Washington Square. Dans les années 20 et 30, des artistes s'y installèrent et les transformèrent en ateliers et en logements. L'atelier de Gertrude Vanderbilt Whitney, riche héritière et fondatrice du Musée Whitney d'art américain, était au no 19.

Washington Square Park**, III, BC3

Véritable centre de Greenwich Village, le Washington Square Park est le plus grand espace public du bas de Manhattan. Ancien marais asséché devenu ferme exploitée par des esclaves affranchis, puis lieu d'exécution et fosse commune, et enfin place d'armes de la ville, il fut aménagé en 1828 et devint l'endroit le plus recherché pour y construire des hôtels particuliers.

En 1837, la **New York University,** III, C3, s'établit à l'est du parc. Mais bientôt, les vieilles familles déménagèrent et leurs belles maisons furent démolies. Dans les années 1950, au terme d'une longue période d'abandon, le parc était pratiquement interdit aux promeneurs et utilisé par les bus comme aire de manœuvres. Un urbaniste de la municipalité alla même jusqu'à proposer de prolonger la Cinquième Avenue à travers le parc ! Heureusement, ces projets délirants n'ont jamais vu le jour. A la belle saison, le parc offre un formidable spectacle avec ses joggers, ses musiciens et ses expositions en plein air. Le week-end, une foule colorée de flâneurs s'arrête pour écouter les orateurs, regarder les joueurs de dames ou applaudir les prouesses des jeunes cyclistes et des amateurs de planche à roulettes. On peut aussi remarquer, comme presque partout à New York, beaucoup de dealers et de drogués. Washington Square Park est en fait une superbe réplique en miniature de Central Park.

Au nord du parc se trouve le **Washington Arc** (1892), arc commémoratif dessiné par Stanford White à l'occasion du centenaire (1889) de l'investiture de George Washington. L'arc original avait été construit en bois avec les dons faits par les voisins du quartier. Après le succès remporté par cet hommage au premier Président du pays, on érigea cet arc en marbre qui domine l'entrée du parc et qui marque le début de la Cinquième Avenue, axe central de Manhattan. L'arc mesure 25 m de haut. Sa frise exhibe 13 étoiles représentant les Treize Colonies et 42 étoiles représentant les États fédérés à la date de l'érection. Le pilier est est orné d'un groupe sculpté, *Washington en temps de guerre,* le pilier ouest de son pendant, *Washington en temps de paix.* Ce dernier groupe est l'œuvre

de Stirling A. Calder, le père du célèbre Alexander Calder, créateur des mobiles.
Au sud de l'arc se trouve le **bassin** de l'ancienne fontaine du parc, à sec depuis fort longtemps. Il sert aujourd'hui de podium à des centaines de tribuns et d'humoristes improvisés qui distraient les promeneurs !
Les anciens **hôtels particuliers** de Washington Square North sont un bon exemple de ce que la planification des façades et des styles architecturaux aurait pu faire de la ville de New York. Au XIXe s., Washington Square était entouré de trois côtés par des rangées de maison similaires, mais aujourd'hui il n'en reste que très peu. On note leur alignement par rapport à la chaussée, les accès au sous-sol aménagés, les perrons de pierre, les porches à colonnes et le beau travail des fers forgés. Les hautes fenêtres sont souvent ornées de balcons.
Du côté ouest de la rue, les n°s 21 à 23 sont des **townhouses** de style néo-classique. Le n° 20 était à l'origine une maison de campagne de style fédéral, construite en 1820. Au n° 18, la maison natale de Henry James, cadre de son roman *Washington Square,* a été démolie et remplacée par un immeuble d'habitation. Du côté est de la même rue, l'alignement de maisons du n° 1 au n° 13 est connue sous le nom de *The Row* (« La Rangée »). Les écrivains Edith Wharton et John Dos Passos y ont vécu. Ce dernier a écrit *Manhattan Transfer* au n° 3.

New York University, III, C3

A l'est du parc, entre Waverly Place et Washington Place, se dresse le bâtiment central *(Main Building)* de la **New York University (N.Y.U.).** Construit en 1894 dans le style néo-classique, cet immeuble abrite les services administratifs. Fondée en 1831, en opposition à l'enseignement religieux et conservateur de Columbia University, N.Y.U. est aujourd'hui — avec plus de 40 000 étudiants — la plus grande université privée de la ville. Treize seulement de ses facultés se trouvent sur le campus de Washington Square Park ; le reste est éparpillé à travers New York.

Le sous-sol du même immeuble abrite la **Grey Art Gallery** *(entrée au n° 33, Washington Place ; ouv. du mar. au sam. de 10 h à 17 h, nocturne le mer. jusqu'à 20 h).* Ce musée appartenant à l'université présente des expositions temporaires.

L'immeuble voisin, le tristement célèbre **Brown Building,** fut construit en 1900 et déclaré ignifuge lors de son inauguration. En 1911 un incendie éclata au dixième étage dans une fabrique de tissus, et cent-quarante-six ouvrières périrent dans les flammes ou en sautant dans le vide. A l'entrée, une plaque commémore le terrible accident.

L'**Elmer Holmes Bobst Library,** bibliothèque centrale de New York University, est située à l'angle sud-est de Washington Square. L'énorme bâtiment de grès rouge fut construit en 1972 par le célèbre architecte Philip Johnson. A l'intérieur, les rayonnages et les diverses salles de lecture s'organisent autour d'un atrium ou cour intérieure de 50 m de haut. Sur Washington Square South, se trouvent d'autres bâtiments modernes de New York University, tels le **Loeb Student Center** et la **Holy Trinity Chapel.**

A l'angle de Thompson Street, la belle façade mixte néo-romane et Renaissance de la **Judson Memorial Church,** III, B3 (1892), avec son campanile détaché, a été dessinée par Mc Kim, Mead et White. La couleur ambre de la brique et la décoration en céramique et marbre en font un exemple classique de ce style purement new-yorkais. A l'intérieur, on peut admirer les vitraux de John La Farge. L'église accueille dans ses locaux le Judson Poet's Theater, un des premiers théâtres off-off Broadway, consacré à la poésie et à la danse moderne. Le beau campanile sert aujourd'hui de dortoir à quelques étudiants privilégiés.

A l'ouest de l'église, le **Hagop Kevorkian Center** (1973), dessiné par Philip Johnson et Richard Foster, abrite le centre d'études sur le Proche-Orient de N.Y.U. Son hall d'entrée reconstitue la cour intérieure d'une maison du Proche-Orient au XVIIIe s. La prestigieuse **Vanderbilt Law School** (Faculté de droit) occupe depuis 1951 le bloc suivant, entre Sullivan Street et MacDougal Street.

Rendez-vous privilégié du « tout Downtown », Washington Square peut aussi montrer un visage paisible.

A l'angle sud-ouest de Washington Square, d'infatigables joueurs de dames et d'échecs mènent des parties héroïques qui attirent un nombreux public.

Si l'on traverse le parc et que l'on emprunte ensuite le trottoir est de la Cinquième Avenue, on découvre une ruelle charmante du nom de **Washington Mews,** III, C3. Étables et jardins ont été transformés en ateliers et en logements par des artistes dans les années 30. Aujourd'hui, N.Y.U. en occupe la presque totalité et son très dynamique centre d'études françaises, La **Maison Française,** se situe au bout de la ruelle, à l'angle de University Place.

Le début de la Cinquième Avenue

Au coin de la Cinquième Avenue et de la 8e rue East se trouve l'élégant immeuble d'habitation, **No 1 Fifth Avenue,** III, B3 (1929). Construit dans le style Art déco, ce building possède cependant quelques gargouilles et arcs néo-gothiques. Une belle rangée de maisons (nos 6-26 rue East) fut à l'origine une série d'hôtels particuliers néo-classiques construits au XIXe s., qui ont été restaurés avec beaucoup de fantaisie en 1916.

Au XIXe s., d'élégants hôtels particuliers bordaient cette portion de la Cinquième Avenue et les rues adjacentes. Ainsi, la résidence **Lockwood de Forest,** située au no 7, 10e rue E (1887) porte sur sa façade des éléments décoratifs en teck sculpté, à la manière des Indes Orientales.

A l'époque, les églises rivalisaient sur le plan architectural pour gagner des fidèles. A l'angle de la Cinquième Avenue et de la 10e rue W, **The Church of the Ascension,** III, BC3 (1841), dessinée par Richard Upjohn, l'architecte de Trinity Church à Wall Street, est un bon exemple de style néo-gothique. Elle possède des vitraux de John La Farge et un bas-relief en marbre d'Augustus Saint-Gaudens. Derrière, le presbytère est l'un des premiers bâtiments construits en *brownstone* (grès brun) à New York.

Entre la 11e et la 12e rue, la **First Presbyterian Church** (1846) présente la particularité de pouvoir être admirée de trois côtés. Ce bel édifice néo-gothique s'inspire de l'église Saint-Sauveur de Bath (Angleterre), et son clocher reproduit la tour de Magdalen College à Oxford.

En face de l'église, au 47, Cinquième Avenue, l'élégant siège du **Salmagundi Club** est le seul survivant des *townhouses* qui bordaient jadis l'avenue. Irad Hawley, un baron de l'industrie du charbon, le fit construire pour son propre usage en 1853. L'intérieur possède deux belles salles contiguës, séparées par quatre colonnes en marbre, des plafonds décorés et de superbes lustres. Le Salmagundi Club, fondé en 1870, a compté parmi ses membres le peintre John La Farge, le bijoutier Louis Tiffany et l'architecte Stanford White. L'origine du nom du cercle est douteuse, mais on suppose qu'il s'agit d'une déformation du mot français « salmigondis ».

Au nord, à l'angle de la 13e rue, se trouve le célèbre **Lone Star Cafe,** III, BC2 (61, Cinquième Avenue), avec son étonnant lézard géant sur le toit. Cette boîte de nuit est réputée pour son excellente musique *country* et *western,* et sa cuisine texane. Au no 66, la **Parsons School of Design** est un haut lieu de l'enseignement des arts visuels. Son corps enseignant et ses départements des arts de la mode, de dessin et de publicité sont très réputés.

De belles demeures, essentiellement des *townhouses,* bordent les rues latérales du Village, entre la Cinquième Avenue et l'Avenue of the Americas. A partir de la 9e rue W, le quartier prend une allure tranquille et résidentielle. Dans la 11e rue W, on peut contempler une belle rangée d'anciens *townhouses* néo-classiques. Au no 18, les Weathermen, des terroristes issus du mouvement étudiant américain, concoctaient des bombes dans le sous-sol. En 1970, une fausse manœuvre en envoya trois dans l'au-delà, et il fallut reconstruire ce qui restait de la maison.

La 11e rue W abrite aussi un ancien cimetière séfarade du XIXe s. (Second Cemetery of the Spanish and Portuguese Synagogue). En 1805, ce terrain, situé alors en pleine campagne, prit la suite du premier cimetière séfarade, à Chatham Square. Juste en face se dresse l'immeuble de la **New School for Social Research,** III, B3. Depuis sa fondation en 1919, cette université destinée essentiellement à la formation des adultes est à la pointe des recherches culturelles et sociologiques. Lors de la Deuxième Guerre mondiale, elle devint « L'Université de l'Exil » pour un grand nombre d'intellectuels fuyant le nazisme. L'immeuble principal, dont la façade donne sur la 12e rue, a été dessiné par l'architecte Joseph Urban. Il est un des premiers exemples new-yorkais du style Bauhaus. La sobriété de son décor noir et blanc en brique et les fenêtres en longueur des salles de cours rappellent le goût pour le fonctionnalisme de cette école. Son curieux amphithéâtre de forme ovale mérite la visite.

En traversant l'Avenue of the Americas vers l'ouest, on découvre, entre la 10e et la 11e rue, la charmante ruelle de **Milligan Place,** III, B3. Ses maisons, construites en 1850 autour d'une cour triangulaire, servaient à l'origine de logements pour les serveurs basques d'un élégant hôtel du quartier et pour des artisans français de la chapellerie de luxe. A l'angle de l'Avenue of the Americas et de la 10ᵉ rue, on remarque l'étonnante silhouette du **Jefferson Market Courthouse** (1877). Avec ses tours, ses tourelles et ses vitraux, cet exemple bizarre de ce qu'il est convenu d'appeler le style néo-gothique victorien domine la circulation intense et le vacarme du quartier. Bâti sur l'emplacement des halles centrales du XIXᵉ s., il abritait un tribunal — ce qui explique son nom. Sa haute tour avait pour fonction la surveillance des incendies, et la prison pour femmes de la ville de New York se dressait autrefois dans ce qui est aujourd'hui un jardin. Le Jefferson Market Courthouse accueille de nos jours une annexe de la New York Public Library. Le jardin et le potager sont entretenus bénévolement par des voisins.

La ruelle de la **Patchin Place**, qui donne sur le trottoir nord de la 10ᵉ rue, ne possède qu'une dizaine de maisons construites en 1849, mais celles-ci, du fait de leur tranquillité, ont attiré au fil des années des écrivains aussi célèbres que Theodore Dreiser, Eugene O'Neill et John Reed. Le poète E. E. Cummings appréciait tellement son calme campagnard qu'il passa les quarante dernières années de sa vie au nº 4.

West Village, III, B3

Christopher Street, rue parallèle à la 10ᵉ rue W, était jusqu'à une date récente le lieu de prédilection de la gigantesque communauté gay new-yorkaise. C'est ici que la libération homosexuelle commença dans les années 60. Le symbole de cette révolte est le bar gay **The Stonewall** (« Le Mur de pierre »), qui vit un soir des dizaines de clients s'opposer à une descente de police arbitraire. Des manifestations nationales prirent le relais et les gays finirent par acquérir pignon sur rue. Aujourd'hui, le West Village abrite une forte concentration de résidents homosexuels, mais il n'est plus la Mecque de l'uranisme universel qu'il fut un temps. Cependant, les boutiques et les bars de Christopher Street accueillent toujours une clientèle majoritairement homosexuelle.

En empruntant Christopher Street à partir de l'Avenue of the Americas, on trouve, à gauche, la petite **Gay Street,** III, B3, dont le nom est véritablement un pied de nez du destin. Elle est bordée de maisons anciennes construites dans le sobre style fédéral. Au XIXᵉ s., cette rue était occupée par des familles d'immigrants. Ensuite, et jusque vers 1920, les Noirs quittant leur Sud natal en firent une sorte de ghetto miniature. A l'époque de la Prohibition, entre 1920 et 1933, cette rue minuscule abritait quelques-uns des plus célèbres *speakeasies* (bars illégaux) de la ville.

Plus loin, à l'intersection de Christopher Street et de Waverly Place, le **Northern Dispensary,** III, B3 (1831) est le seul bâtiment public new-yorkais de style fédéral. On voit très nettement qu'un étage supplémentaire fut ajouté à la structure initiale (1854). Sa forme triangulaire, caractéristique de l'immeuble, lui permet d'avoir l'une de ses façades sur deux rues (Christopher Street et Grove Street) et ses deux autres façades sur une seule rue (Waverly Place). En 1837, un jeune écrivain inconnu qui habitait le quartier vint y soigner une grippe tenace. Il s'appelait Edgar Allan Poe.

Plus à l'ouest, **Christopher Park** est orné d'une statue du General Philip Sheridan, commandant en chef de l'armée américaine, grand massacreur d'Indiens et auteur de la célèbre petite phrase : « Les seuls bons Indiens que je connaisse sont des Indiens morts. » A droite du parc, au nº 59, le célèbre pub **The Lion's Head** est le rendez-vous des politiciens, des journalistes et des écrivains new-yorkais.

Grove Street, III, B3, est une rue calme et résidentielle. Au nº 17 à l'angle de Bedford Street se trouve une charmante maison en bois, construite en 1822. Entre Bedford Street et Hudson Street, la rue est particulièrement agréable avec ses maisons du XIXᵉ s. aux façades couvertes de lierre. A la hauteur du nº 10, on peut accéder à Grove Court, ravissant îlot de tranquillité dont les maisons de brique datent de 1853. A l'époque, elles abritaient des familles ouvrières, mais celles-ci ont été remplacées depuis longtemps par des gens aisés.

En traversant Hudson Street, on arrive à **St. Luke's-in-the-Fields** (1822), chapelle de campagne qui appartenait à la paroisse de Trinity Church. Par rang d'ancienneté, cette église est aujourd'hui la troisième de Manhattan. Son bâtiment à clocher-porche est encadré par une rangée de *townhouses* construites en 1825. Un paisible jardin entoure l'ensemble. On y accède par une grille située presque à l'angle de Barrow Street.

Barrow Street, à l'est, mène à la petite **Commerce Street,** III, B3, qui possède, aux n°s 39 et 41, deux maisons élégantes appelées les *Twin Sisters* (« Sœurs Jumelles »). Si l'on en croit la légende, elles auraient été construites par un père pour ses deux filles qui se disputaient constamment. Au n° 38 de cette même rue se trouve le **Cherry Lane Theater,** célèbre théâtre off-Broadway qui occupe depuis 1924 les locaux d'une ancienne brasserie. Un peu plus au nord, au n° 86, Bedford Street, se trouve le célèbre *speakeasy* **Chumley's,** qui à l'époque de la Prohibition était fréquenté par les artistes et les intellectuels du quartier. En souvenir de sa gloire passée, ce restaurant n'affiche son nom sur aucune de ses deux entrées « clandestines » (sur Bedford Street et sur Barrow Street).

De jolies demeures bordent la paisible Bedford Street, au sud. La maison du n° 75 1/2 date de 1873 et mesure trois mètres de large. Dans la ville des records, elle détient celui du bâtiment le plus étroit de New York...

A l'ouest, sur Morton Street, on trouve aussi de belles maisons datant du XIXe s. (au n° 59, belle entrée de style fédéral). En reprenant Hudson Street, on arrive à **St. Luke's Place,** l'une des rues les plus chics de Manhattan, dont les élégantes *townhouses* néo-classiques aux façades de brique rouge datent des années 1850. De nombreux artistes y ont vécu : Theodore Dreiser, Sherwood Anderson et Marianne Moore, entre autres. L'entrée du n° 6 porte deux lampadaires, symboles de la résidence d'un ancien maire de la ville, James J. Walker.

Par Leroy Street, on gagne directement Bleecker Street, qui traverse l'Avenue of the Americas et mène au South Village.

South Village, III, BC3

Bleecker Street est l'artère principale de cette section de Greenwich Village. Elle est bordée de boîtes de nuit, de théâtres et de cafés. Située à l'angle nord-est de Bleecker Street et de l'Avenue of the Americas, **Minetta Street,** III, B3, suit le tracé du ruisseau Minetta qui traversait jadis le *Village* et se jetait dans l'Hudson.

La portion de **MacDougal Street** comprise entre Bleecker Street et la 3e rue était l'un des hauts lieux de la bohême new-yorkaise au début du siècle. Au n° 113 se trouve la Minetta Tavern, jadis fréquentée par les clients illustres du quartier. Le n° 137 abritait le Liberal Club, cercle d'idées progressistes. C'est dans le célèbre **Provincetown Playhouse,** au n° 133, que furent montées les premières pièces des dramaturges Edna St. Vincent Millay et Eugene O'Neill.

Les cafés **Borgia** et **Figaro,** respectivement aux n°s 185 et 186, Bleecker Street, étaient dans les années 50 les temples du mouvement beatnik.

Bleecker Street traverse ensuite la Guardia Place et débouche sur Broadway, qui marque la limite entre Greenwich Village et East Village.

EAST VILLAGE

Pl. III, CD3.

Dans ce quartier en pleine mutation, le calme n'est plus de mise. Ici, point d'identité d'ensemble. La gamme de ses habitants passe par les épaves du Bowery, les punks de Saint-Mark's Place, les Hell's Angels de la 3e rue, les jeunes artistes qui commencent à se faire connaître, les cadres dynamiques et les immigrés ukrainiens et portoricains. East Village

A Manhattan, le Village fait figure de quartier singulier : c'est un petit coin d'Europe apprécié pour ses rues étroites et animées, ses immeubles bas, ses cafés en terrasse, et son atmosphère détendue.

TER
NTER
SHOE REVUE
29
DOR BOUTIQUE
NO
PARKING
ANY
TIME

est l'un des rares secteurs de New York qui cherche son identité entre les bistros à la mode, les galeries d'art, les salles de théâtre d'avant-garde et les boîtes de nuit.

Si l'on excepte **Astor Place,** East Village n'a jamais été un quartier élégant. Le **métro aérien** de la Troisième Avenue, en usage dès la fin du XIXe s., le disqualifiait d'emblée. Cette portion du Lower East Side accueillit dans ses taudis des générations d'immigrés allemands, juifs, slaves et, après 1950, portoricains. Dans les années 60, les hippies qui ne pouvaient partir s'installer à San Francisco, dans le célèbre quartier de Haight-Ashbury, colonisèrent East Village. Les boutiques psychédéliques des *Flower Children* envahirent St. Mark's-Place, qui devint ainsi la grand-rue du quartier et l'un des hauts lieux de la « contre-culture ». La grande salle de concerts **Fillmore East,** sur la Deuxième Avenue, vit défiler Janis Joplin, le Jefferson Airplane, Jimmy Hendrix et beaucoup d'autres artistes légendaires. Mais le rêve n'a duré qu'un temps, et New York a vite reconquis cet îlot rebelle.

Greenwich Village est surpeuplé, SoHo et Tribeca sont devenus trop chers. Il ne reste plus que l'East Village. On prend les taudis d'assaut, on restaure, on fait rénover, on repeint. Alors les gens d'Uptown se ravisent, trouvent le quartier plutôt chic, et commencent à fréquenter les boîtes et les galeries d'art hors des circuits commerciaux. East Village avec sa diversité, son activité fébrile, sa spontanéité, rentre dans les sentiers de la mode, et l'infernal cycle new-yorkais s'enclenche : les promoteurs s'intéressent de près au quartier, les loyers et les prix de l'immobilier augmentent, et l'exode recommence. Mais cette fois-ci, les artistes et les jeunes ne peuvent plus rester sur Manhattan, ils sont poussés vers Brooklyn ou le New Jersey.

East Village va sans doute changer de visage dans les dix années à venir : il faut donc se dépêcher de visiter ses rues animées parmi la foule bariolée qui déambule ici depuis plus d'un siècle.

Lafayette Street, III, C3

Dès son ouverture à la circulation en 1826, cette rue est devenue l'une des plus élégantes de la ville.

Situé entre Broadway et Lafayette Street, au n° 65, Bleecker Street, le **Bayard Building** (1898) est le seul gratte-ciel new-yorkais construit par Louis Sullivan, le pionnier des buildings de Chicago. Il s'éloigne des modèles néo-classiques et Renaissance à la mode ; les colonnes de la façade révèlent les relations existant entre la fonction et la forme. L'emploi de la céramique sur la façade ainsi que la corniche ornée de chérubins sont tout à fait remarquables.

Aux n°s 376-380, Lafayette Street, à l'angle de Great Jones Street, se dresse un immeuble commercial dessiné en 1888 par Henry J. Hardenbergh, l'architecte du Dakota et du Plaza Hotel. Construit pour servir de dépôt, il mêle les styles néo-gothique et Renaissance dans la décoration de sa façade. A l'est, au n° 44, Great Jones Street, la **« Engine Company n° 33 »** (caserne de pompiers) est si bien entretenue qu'elle offre un contraste avec le délabrement du quartier environnant. Le bâtiment date de 1898 et a été conçu dans un style Beaux-Arts flamboyant, avec un élégant arc central sur sa façade.

En revenant sur Lafayette Street, à l'angle de la 4e rue, on trouve l'énorme masse du **De Vinne Press Building,** construit en 1885 dans le style néo-roman. Son imposante silhouette en brique foncée, l'élégance de ses arcs et ses murs épais font oublier que ce bâtiment n'était à l'origine qu'une simple imprimerie. Au n° 27 de la 4e rue, entre Lafayette Street et le Bowery, l'**« Old Merchant's House »,** ancien hôtel particulier construit en 1832, est aujourd'hui un musée avec son mobilier d'origine *(ouv. le dim. de 13 h à 16 h ; fermé en août).* Cette maison de style fédéral et néo-classique appartint à la famille Tredwell jusque vers 1930. Son tunnel secret menant à l'East River était sans doute utilisé par M. Tredwell, anti-esclavagiste notoire, pour y faire transiter des fugitifs. Au n° 37 de la même rue, la **Samuel Tredwell Skidmore House** a en partie succombé aux ravages du temps. Cependant, son perron et ses colonnes ioniques gardent encore leur élégance d'antan.

Aux n°s 428-434, Lafayette Street, se trouve la célèbre **« Colonnade Row »** (1833). Cette rangée de maisons se nommait à l'origine « La Grange Terrace », du nom du domaine du marquis de Lafayette. Elle consistait en neuf maisons à colonnes corinthiennes en marbre de Westchester, qui abritaient les familles Astor, Delano, Vanderbilt et Gardiner. Les quatre maisons encore debout aujourd'hui sont occupées par des restaurants et des bars à la mode.

Le bâtiment situé en face de « Colonnade Row », au n° 425, est le **Public Theater** (1849). Construit dans le style Renaissance, ce bâtiment était à l'origine l'Astor Library, bibliothèque publique ouverte en 1854 par le milliardaire John Jacob Astor. En 1912, l'Astor Library fusionna avec d'autres bibliothèques pour former la New York Public Library, et quitta ses locaux. En 1965, Joseph Papp, le grand producteur de théâtre new-yorkais, réussit à faire acheter et rénover les locaux par la municipalité. Depuis, l'immeuble abrite le siège du Public Theater et celui du New York Shakespeare Festival. Ses sept salles de théâtre montent vingt-cinq productions nouvelles par an, et ses activités incluent le jazz, le cinéma, la littérature. Des pièces célèbres telles que *Hair* ou *Chorus Line* ont été montées dans ces locaux.

Astor Place, III, C3

Sur le côté ouest de Lafayette Street, au n° 13, Astor Place, se dressait autrefois l'**Astor Place Opera House** (1847), qui, le 10 mai 1849, fut le théâtre d'une émeute contre la présence de l'acteur britannique William Mac Ready. L'armée dut intervenir pour disperser la foule, et l'on releva plus de trente morts et de cent-cinquante blessés.

A l'est de la Troisième Avenue, au n° 15, 7e rue, se trouve l'un des pubs les plus célèbres de la ville, la **Mc Sorley's Old Ale House.** Fondé en 1850, ce pittoresque établissement est un vestige de l'époque où le quartier était habité par des immigrants irlandais. Les femmes n'y sont admises que depuis 1970.

Cette section d'East Village accueille aujourd'hui la communauté ukrainienne, regroupée autour de St George's Ukrainian Catholic Church. L'**Ukrainian Museum,** III, C2 *(ouv. du mer. au dim. de 13 h à 17 h)* se trouve au 203, Deuxième Avenue (près de la 12e rue). La 8e rue, à l'est de la Troisième Avenue, prend le nom de **Saint Mark's-Place.** Dans les années 60, cette rue était le rendez-vous des hippies new-yorkais. Elle est encore aujourd'hui la rue commerçante de l'East Village.

Perpendiculaire à St Mark's Place, la **Deuxième Avenue** était surnommée au début du siècle le « Broadway yiddish », en raison du grand nombre de théâtres yiddish qui la bordaient. Des comédiens tels que Molly Picon, Jacob Adler, Stella Adler et Paul Muni y ont fait leurs débuts. Sur la Deuxième Avenue, à la hauteur de la 10e rue, la charmante église de **St Mark's-in-the-Bouwerie** (1799) est la plus ancienne de la ville après St Paul's Chapel. La paroisse est connue pour ses campagnes publiques en faveur des nombreux pauvres du quartier. Son cimetière, à l'est du bâtiment, conserve les restes de l'ancien gouverneur Peter Stuyvesant et de six générations de cette famille célèbre.

A l'ouest de la 10e rue, entre la Deuxième et la Troisième Avenue, se trouve le **Renwick Triangle.** Ce groupe de seize hôtels particuliers fut dessiné par James Renwick, en 1861, dans le style Renaissance et construit en brique et grès brun. Tout ce quartier est bâti sur l'ancien domaine *(bouwerie)* du gouverneur Stuyvesant, qui s'étendait entre l'East River et la Quatrième Avenue, et entre la 5e et la 17e rue. C'est l'arrière-petit-fils de Peter Stuyvesant qui décida de lotir ces terrains en partant de l'allée qui menait de Bowery Road à la maison familiale. L'actuelle Stuyvesant Street suit le tracé de cet ancien chemin vicinal.

OÙ S'ARRÊTER?

Greenwich Village

Caffe Lucca, 228 Bleecker St., près de la 6e Avenue, ☎ 243-8385. En plein centre du *Village,* des *espresso* et des *cappuccino* à boire lentement.

Chez Brigitte, 77 Greenwich Ave., entre les 7e et 8e Avenues, ☎ 929-6736. Dans son minuscule restaurant, Brigitte propose des spécialités françaises et une ambiance agréable.

Gran Caffe degli Artisti, 46 Greenwich Ave., entre les 10e et 11e rues, ☎ 645-4431. L'ambiance Vieux Continent de ce café ajoute au plaisir de siroter un *espresso* dans le calme parmi des habitués.

Il Mulino, 86 W 3rd St., entre Thompson St. et Sullivan St., ☎ 673-3783. Un des restaurants favoris de l'ex-maire de New York. Bonne cuisine italienne en plein centre du South Village. Toujours très animé.

Ray's Famous Pizza, 11th St. et 6th Ave., ☎ 243-2253. Haut lieu de pèlerinage des amateurs de pizza fast-food. Ouvert jusqu'à 2 h du matin et toujours bondé. La pizza vaut bien le détour.

Sabor, 20 Cornelia St., entre Bleecker St. et la 4e rue W, ☎ 243-9579. Un petit restaurant cubain classé parmi les meilleurs de Manhattan. On pourra manger du riz aux haricots noirs, des poissons aux sauces épicées, arrosés de délicieux *daïquiris* ou de *margaritas.*

The Lion's Head, 59 Christopher St., près de la 7e Avenue, ☎ 929-0670. Le bar de ce restaurant réunit souvent les grandes plumes du monde littéraire et journalistique new-yorkais. La cuisine est un joli mélange de plats typiquement américains et européens.

East Village

Caramba, 684 Broadway et 3rd St., ☎ 420-9817. Restaurant branché spécialisé dans la cuisine tex-mex. Il est toujours bondé et bruyant. Ses *margaritas* (tequila et jus de citron) n'ont pas leur pareil sur la place de Manhattan.

De Robertis Pastry Shop, 176 1st Ave. et 11th St., ☎ 674-7137. Pâtisserie et salon de thé fréquenté par les jeunes de l'East Village. Ambiance calme et les *cappuccino* sont bons.

Dojo, 24 St. Mark's Place, ☎ 674-9821. Ce restaurant de cuisine américano-japonaise est l'un des favoris d'une faune très diverse (punks, intellectuels, *yuppies,* musiciens) qui habitent l'East Village.

Hasaki, 210 E 9th St., ☎ 473-3327. Restaurant japonais avec une grande variété de *sushi* et de *sashimi.* Si vous ne vous y retrouvez pas, demandez une sélection maison. Jardin au fond.

Odessa Restaurant, 117 Ave. A, entre les 7e et 8e rues, ☎ 473-8916. Pour les amateurs de *blintzes* et autres plats d'Europe orientale. En pleine frontière d'Alphabet City.

Second Avenue Deli, 156 2nd Ave. et 10th St., ☎ 677-0606. Un des meilleurs *delis* de Manhattan. On y trouve le meilleur *cole slaw* (chou en salade) de la ville. Pour avoir un échantillon de plusieurs spécialités (*pastrami, cole slaw,* cornichons, etc.), demandez le « Lou Singer Special ».

The Cloister Cafe, 238 E 9th St., entre les 2e et 3e Avenues, ☎ 777-9128. Le jardin de ce café est orné de pièces d'architecture gothique et d'une belle fontaine. Il est particulièrement agréable de s'y retrouver à la belle saison.

SOHO ET TRIBECA
Le pays des lofts

*SOHO*** : LE QUARTIER DES ARTISTES*

Pl. II, B1. — ***Métro** :* Canal St./Broadway (lignes D, N, R) ; Canal St./Ave. of the Americas (lignes A, C, E).

Le quartier de SoHo est limité au sud par Canal Street, à l'est par Broadway, à l'ouest par Sullivan Street et au nord par Houston Street (« SoHo » est une contraction de « SOuth of HOuston »). Les ateliers et les entrepôts de ce secteur à l'architecture essentiellement industrielle ont été restaurés dans les années 60 par des artistes à la recherche d'espace, de lumière et de loyers modérés. Depuis que les prestigieuses galeries d'Uptown sont venues à leur tour s'y installer, SoHo est l'un des centres mondiaux de l'art contemporain.

Un peu d'histoire

Au temps de la colonie hollandaise, SoHo n'était qu'une région vallonnée de Manhattan séparée du sud de l'île par un ruisseau situé à la hauteur de Canal Street. Loti après l'Indépendance, SoHo était dès 1825 le secteur le plus peuplé de la ville. Dans les années 1840 et 1850 le quartier prit une allure résidentielle grâce aux magasins prestigieux et aux hôtels de luxe qui bordaient Broadway, mais, à partir de 1860, l'industrie vint remplacer les résidences cossues. La plupart des bâtiments industriels en fonte que nous voyons aujourd'hui ont été construits à la fin du XIXe s. Les ateliers insalubres situés aux étages supérieurs employaient des immigrants qui travaillaient souvent plus de douze heures par jour. A partir des années 1950, les bâtiments industriels ne correspondirent plus aux exigences modernes et l'exode des commerces commença. La municipalité caressa un moment le dessein de faire démolir une partie des bâtiments pour construire une autoroute reliant l'East River à l'Hudson. Mais, intéressés par ces vastes locaux inoccupés, des artistes parfois regroupés en associations se mirent à les racheter et à les transformer en appartements. Pour empêcher l'intrusion des promoteurs, les résidents s'organisèrent et obtinrent en 1979 la classification du secteur comme quartier historique.

Les années 1970 furent l'âge d'or de SoHo. Les artistes, les propriétaires des galeries et les nouveaux commerçants formaient une communauté solide. On y rencontrait les grands noms de la nouvelle école de peinture américaine comme Robert Rauschenberg, initiateur du Pop Art, Roy Lichtenstein, Louise Nevelson, Arman ou Ivan Karp. Des dizaines d'expositions, de créations théâtrales et de séances de cinéma d'avant-garde avaient lieu chaque mois, attirant beaucoup de gens extérieurs au quartier. Aujourd'hui la vie de SoHo est toujours intéressante quoique moins spontanée. Le samedi après-midi, ses rues sont pleines de promeneurs et de curieux qui viennent visiter ses galeries et ses boutiques.

La fonte (Cast-Iron)

SoHo possède la plus forte concentration au monde de bâtiments en fonte. Ce procédé de construction fut conçu en Angleterre au XVIIIe s., puis perfectionné dans la première moitié du XIXe s. La structure métallique supportant le poids du bâtiment permettait la construction d'immeubles légers, aux espaces amples et aux larges fenêtres. Grâce à cette nouvelle technique, on pouvait aussi fabriquer de nombreux éléments en série (colonnes, fenêtres, corniches, etc.) préfigurant ainsi l'ère du pré-fabriqué. Le propriétaire de l'immeuble choisissait dans les pages d'un catalogue le style qu'il souhaitait donner à la façade de son magasin ou de son entrepôt : Renaissance ou néo-classique en imitation pierre. Aux États-Unis, James Bogardus perfectionna la technique de la fonte et franchit ainsi une étape importante dans l'évolution qui devait conduire aux gratte-ciel. Le plus ancien exemple préservé de ce type de construction est le **Haughwout Building,** construit en 1856 et situé au nº 488 sur Broadway. Le plus récent date de 1901 et se trouve au nº 550 de la même avenue.

Visite

Les bâtiments en fonte étant dispersés dans tout SoHo, la promenade proposée ici se limite aux exemples les plus représentatifs. Par ailleurs, l'association **Friends of Cast Iron Architecture** propose des visites guidées (235 E. 87th St.)

A la hauteur de **Canal Street,** on s'engage vers le nord sur Broadway. Au nº 480, le **Roosevelt Building** date de 1873. Il fut conçu par Richard Morris Hunt, architecte très apprécié par les milliardaires de la Cinquième Avenue et dessinateur du Metropolitan Museum of Art et du piédestal de la Statue de la Liberté. Les étroites colonnes de la façade ont permis l'installation de très larges fenêtres, essentielles pour laisser pénétrer la lumière à une époque où l'éclairage électrique n'existait pas. A l'origine, la façade était polychrome.

Plus au nord, aux nos 488-492 (à l'angle de Broome Street), se trouve le magnifique **Haughwout Building,** construit en 1856. Sa façade harmonieuse s'inspire de la Bibliothèque de Saint-Marc à Venise, œuvre de Sansovino. Précurseur des gratte-ciel, ce bâtiment fut l'un des premiers à New York à avoir une charpente en fonte. Ses fenêtres et les éléments qui les entourent se répètent à 92 exemplaires sur ses deux façades. L'immeuble, conçu par John P. Gaynor pour un grand importateur de porcelaine et de verre de luxe, comportait un élément innovateur à l'époque : le premier ascenseur à passagers, inventé par le célèbre M. Otis. Aujourd'hui, en regardant sa façade mal entretenue, on a peine à s'imaginer que, le jour de son inauguration, elle était peinte d'une belle couleur crème.

Au nº 502, Broadway, l'immeuble occupé par **The Canal Jean Company** est très bien conservé. Au rez-de-chaussée, les colonnes en fonte encadraient de vastes vitrines qui attiraient les passants.

A l'angle de Broadway et de Spring Street (nos 521-523, Broadway), on trouve les vestiges du légendaire **Hôtel St. Nicholas.** Au milieu du XIXe s., cet hôtel englobait tout le bloc situé au sud de Spring Street et était la plaque tournante de l'élégant quartier compris entre Canal Street et Houston Street. Lors de son inauguration en 1854, le luxe de ses tapis, de ses lustres, de ses miroirs et de ses porcelaines avait fortement impressionné la presse new-yorkaise.

A l'angle de Prince Street et de Broadway, (nos 561-563), le charmant **Little Singer Building** (1904), ainsi appelé car autrefois existait un Singer Building, plus imposant, dans le Financial District, fut dessiné par Ernest Flagg. Le bâtiment utilise le fer forgé et la céramique, avec profusion et créativité.

Au **nº 101, Spring Street** (à l'angle nord-est de Mercer Street), le verre est largement utilisé sur les deux façades d'un immeuble datant de 1870, occupé aujourd'hui par plusieurs artistes plasticiens. L'immeuble situé au

nº 111, Mercer Street, contraste par la sobriété de sa façade avec le reste des dépôts alentour. Il porte de larges baies conçues de façon utilitaire.

Au **nº 112, Prince Street** (à l'angle de Greene Street), un amusant mur en trompe-l'œil, peint en 1974 par Richard Haas, reproduit, sur le mur oriental du bâtiment, la façade en fonte. Prince Street est l'une des rues commerçantes de SoHo. Les anciens dépôts situés aux nºs 113-121 sont aujourd'hui occupés par des magasins très caractéristiques du quartier.

Prince Street mène à **West Broadway,** artère principale de SoHo, où s'alignent les galeries et les boutiques qui lui ont valu une réputation internationale. Le week-end, la rue fourmille d'activités. Dans cette rue, sont regroupées trois des plus importantes galeries de SoHo : **Mary Boone, Sonnabend** et **Castelli,** qui dominent une bonne part du marché de l'art new-yorkais.

Spring Street conduit à **Greene Street,** qui peut donner une idée de ce qu'était le quartier industriel au XIXe s. La rue est bordée des deux côtés de beaux immeubles en fonte, et ses pavés de granit sont un vestige des années 1860, époque à laquelle on en revêtit les rues new-yorkaises très fréquentées.

Au nº 72, Greene Street, se dresse le bâtiment connu sous le nom de **The King of Greene Street.** Construit en 1872 dans le style Second Empire par Isaac J. Duckworth, il consiste en réalité en deux bâtisses unies par un parvis à fronton. Au sommet, l'ensemble est également couronné par un fronton. A l'entrée du bâtiment, on peut voir les initiales de son ancien propriétaire, la Gardner Colby Company.

En descendant Greene Street vers le sud, on arrive à **Broome Street*,** qui au XIXe s. était l'une des grandes artères transversales de New York. A l'angle de Broome Street et de Greene Street, le **Gunther Building** est un ancien entrepôt construit en 1872 pour le fourreur William H. Gunther. C'est un des plus beaux bâtiments du quartier, remarquable par ses fenêtres arrondies et par la sobriété de son style.

A l'angle de Greene Street et de Grand Street, on peut admirer un énorme **dépôt commercial** construit en 1873. Les deux immeubles situés aux nºs 91-93, Grand Street, à l'angle de Greene Street, servaient de logements à des familles ouvrières, les rez-de-chaussée étant réservés au commerce. La façade en fonte, qui imite la pierre de taille, va jusqu'à en restituer les rainures.

En reprenant Greene Street, toujours en direction du sud, on arrive à la **Queen of Greene Street** (nºs 28-30). Ce bâtiment au toit mansardé, construit par Isaac F. Duckworth en 1872, est un des joyaux de SoHo. Le luxe de ses détails Second Empire et sa belle couleur bleue suscitent l'engouement des visiteurs du quartier. Un autre bâtiment (nº 23), édifié par Duckworth l'année suivante, mérite le coup d'œil malgré l'escalier de secours ajouté par la suite. Cette section de Greene Street et les rues adjacentes jouissaient dans les années 1850 de la plus mauvaise réputation. Les maisons de passe pour marins y florissaient tandis que, plus au nord, sur cette rue, les mêmes établissements, mais plus élégants, attiraient une clientèle aisée.

En débouchant sur **Canal Street,** on remarque, en direction de l'East River, une succession d'immeubles commerciaux. Les numéros 313 à 327 étaient à l'origine une rangée de maisons construites en 1825 dans le style fédéral. Lors de la transformation du quartier, ces résidences de trois étages furent transformées en locaux commerciaux et parfois rehaussées d'un ou deux étages.

TRIBECA : UN NOUVEAU SOHO

Pl. II, B1-2. — Métro : Canal St./Varick St. (ligne 1).

Canal Street marque la limite entre SoHo et Tribeca. Au début du XIXe s., cette artère transversale servait de canal de draînage et d'égout. Le canal était bordé d'arbres et ses berges étaient un des lieux de promenade favoris des New-yorkais. Dans les années 1820 le canal fut comblé et l'actuelle rue tracée, le quartier alentour devenant vite une zone résidentielle de maisons individuelles construites dans le style fédéral.

Aujourd'hui Canal Street relie le Manhattan Bridge au Holland Tunnel. Sa partie orientale, près du Bowery, était le centre diamantaire de New York jusqu'à ce qu'il déménage sur la 47e rue. Dans la partie ouest de Canal Street, entre Broadway et l'Avenue of the Americas, de nombreux magasins bon marché vendent de la quincaillerie d'occasion : boulons, pièces détachées, plexiglas, moteurs électriques de toutes tailles et une infinie variété d'écrous. En outre, le week-end, plusieurs marchés aux puces **(Flea Market)** se tiennent sur les terrains vagues qui bordent la rue.

« Tribeca » est une contraction des mots « TRIangle BElow CAnal Street » (le « triangle en dessous de Canal Street »). Quartier d'usines et d'entrepôts, Tribeca est devenu à la mode lorsque les loyers de SoHo ont commencé à augmenter dans les années 70. Des artistes et des jeunes ont alors transformé les bâtiments industriels en lofts résidentiels et ont donné son nom actuel au triangle délimité par Canal Street, Hudson Street et West Broadway. Mais Tribeca a largement dépassé ses frontières d'origine et s'étend aujourd'hui entre Canal Street au nord, Broadway à l'est, le World Trade Center au sud et West Street à l'ouest.

Tribeca est aujourd'hui, à l'exemple du SoHo des années 70, le quartier artiste par excellence. Ses nouveaux résidents sont appelés des « pionniers urbains » car ils sont en train de coloniser un quartier industriel. On peut repérer, au cours d'une promenade, les bâtiments déjà habités en regardant si des plantes poussent à l'intérieur ou si, le soir, des lampes y sont allumées.

De nombreux restaurants, discothèques et galeries à la mode se sont installés dans le secteur.

Un peu d'histoire

Les terrains correspondant à l'actuel Tribeca appartenaient à la Trinity Church, qui, au début du XIXe s., y fit construire des maisons individuelles en brique et aménager deux parcs. Dans les années 1850, le commerce et l'industrie prirent le quartier d'assaut, qui se couvrit alors de bâtiments en fonte.

Les nouveaux quais des bateaux à vapeur étant situés sur l'Hudson, les activités liées au commerce maritime s'y développèrent. Dans les années 1870, l'industrie de la confection et l'édition s'installèrent du côté de Broadway. Le Washington Street Market (halles new-yorkaises), situé près des quais, continua parallèlement son expansion dans le secteur. Avec le XXe s. commença le lent déclin, qui ne fut enrayé qu'à partir des années 1950, et surtout des années 1970, lorsque les artistes entreprirent de lui donner un nouvel élan.

Visite

Au **no 395, Broadway,** à l'angle de Walker Street, se trouve un exemple de bâtiment industriel transformé en lofts résidentiels. L'immeuble, entièrement rénové, porte une fausse corniche.

A l'ouest de Broadway, au no 49, White Street, la **Civic Center Synagogue,** II, B1, qui détonne au milieu de ce quartier industriel, dresse son amusante façade courbe en marbre.

En reprenant Broadway vers le sud, on parvient à l'angle de Worth Street où l'imposant **AT & T Long Lines Building,** II, B2, ressemble à une immense sculpture de granit. Cette énorme tour ne possède de fenêtres qu'à son sommet.

Dans les années qui suivirent la guerre de Sécession, **Worth Street** devint le centre de la confection new-yorkaise. Au lendemain de la Première Guerre mondiale, celle-ci déménagea sur la Septième Avenue, où elle se trouve encore. A l'angle de Worth Street et de Broadway, on jouit d'une belle perspective sur le Nord de Manhattan. La flèche néo-gothique que l'on aperçoit au fond est celle de **Grace Church,** à la hauteur de la 10e rue. Cette partie de Broadway, appellée **LowBro** (contraction de « Lower Broadway »), est bordée de magasins de surplus et de fripes.

Sur West Broadway, la principale artère de SoHo, les boutiques « mode » rivalisent de recherche et d'originalité.

En continuant sur Broadway, en direction du sud, on arrive à **Thomas Street.** Au n° 8, un charmant bâtiment datant de 1875 possède un rez-de-chaussée en fonte et une façade qui marie les styles néo-gothique et néo-roman.

Au n° 278, Spring St., le **New York City Fire Museum,** II, B2 (Musée des Sapeurs-pompiers), ☎ 691-1303, présente des véhicules, des gravures et des documents sur l'histoire des grands incendies à New York *(ouv. t.l.j. sf lun. et dim. de 10 h à 16 h).*

Duane Street mène à **Church Street,** la rue du discount. On y vend des vêtements, des chaussures, des appareils électriques et des milliers d'autres articles à des prix défiant toute concurrence. En continuant vers l'ouest sur Duane Street, on arrive à West Broadway, artère principale de SoHo et de Tribeca, qui commence au World Trade Center au sud et s'achève à Washington Square Park sous le nom de la Guardia Place. Au n° 147, West Broadway, se dresse la sobre façade d'un bâtiment en fonte construit en 1869, par un architecte qui souhaitait imiter la pierre dans ses moindres détails.

A l'angle de Duane Street et de Hudson Street, **Duane Park,** II, B2, aménagé au XIXe s. par la Trinity Church, est aujourd'hui entouré de jolis bâtiments industriels datant des XIXe et XXe s. La coexistence de grossistes en produits laitiers et en œufs et de lofts résidentiels en fait un échantillon vivant de Tribeca. Autour du parc, plusieurs bâtiments attirent l'œil : le no 165, Duane Street possède une belle façade en briques rouges ; le no 171 est remarquable par sa façade en fonte plaquée sur une ancienne maison du début du XIXe s. Au no 163 se dresse un bel immeuble à la façade néo-romane. Au no 60, Hudson Street, au nord du parc, le **Western Union Building,** II, B2, fut construit en 1930 dans le style art-déco. Sa façade comporte dix-neuf tonalités différentes de brique.

A l'ouest de Duane Park se trouvent Greenwich Street et les tours modernes d'**Independence Plaza.** Construites en 1975, celles-ci occupent l'ancien emplacement du Washington Market. Dans les années 60, la municipalité décida de déplacer le marché à Hunts Point, dans le Bronx, et de construire à la place ce grand ensemble résidentiel.

Greenwich Street passe par Jay Street et mène à **Harrison Street,** où l'on peut admirer six **townhouses,** II, B2, du début du XIXe s., transportées ici pierre par pierre et reconstruites selon le plan initial.

Au no 6, Harrison Street, se trouve la jolie façade en brique rouge et granit du **New York Mercantile Exchange** (1886). Plus au nord, la portion de White Street comprise entre West Broadway et l'Avenue of the Americas est typique du mélange des styles à Tribeca. Il faut jeter un coup d'œil aux façades du no 2 et du no 10 (datant respectivement de 1809 et de 1869) ainsi qu'au toit mansardé du no 17. En continuant vers le nord, on retombe sur Canal Street.

OÙ S'ARRÊTER?

Parmi les innombrables restaurants et cafétérias de SoHo et de Tribeca, voici notre sélection :

Broome Street Bar, 363 W Broadway, à l'angle de Broome St., ☎ 925-2086. Très populaire, ce bar propose de délicieux hamburgers et sandwiches. Le maire de New York l'adore.

Cafe Iguana, 235 Park Ave. South at 19th St., ☎ 529-4770.

Cafe Orlin, St Mark's place, 2nd Ave. Rendez-vous mode-intellectuels. Bon marché.

Fanelli's Café, 94 Prince St., ☎ 226-9412. Un des restaurants traditionnels du quartier. Les photos des boxeurs aux murs ne doivent pas faire oublier que la clientèle est faite essentiellement d'artistes et d'habitués du quartier de SoHo.

Hamburgers Harry's, 157 Chambers St. ☎ 267-4446. Pour les amateurs de hamburgers.

Moondance Diner, 80 6th Ave., entre Canal St. et Grand St., ☎ 226-1191. Ouvert 24 heures sur 24, ce *diner* sympathique propose une cuisine excellente et sans prétention. Délicieux *brunchs.*

The Odeon, 145 West Broadway et Thomas St., ☎ 233-0507. Ce restaurant art-déco est l'un des préférés du célèbre rocker Bruce Springsteen. La nouvelle cuisine y est bonne.

Ye Ye, 127 Chambers St. Bonne cuisine chinoise à des prix très modérés.

L'UPPER WEST SIDE
De Columbus Circle au Musée d'histoire naturelle

Pl. IV, AB1-2 ; V, AB3. — *Métro :* 59th St./Columbus Circle (lignes 1, 9 A, B, C, D) ; 66th St./Lincoln Center (ligne 1) ; 81st St./Museum of Natural History (lignes B, E). *Bus :* lignes 7, 10.

Jusqu'à une date récente, l'Upper West Side était dédaigné par les New-Yorkais aisés, qui lui préféraient l'East Side. Seuls les intellectuels et les artistes appréciaient ce quartier de commerçants, d'artisans ou d'employés souvent originaires du Lower East Side. A l'abri des activités industrielles et des grands bouleversements, l'Upper West Side a conservé beaucoup de rues tranquilles bordées de *townhouses.* En outre, il a donné aux riches New-Yorkais le goût des appartements bourgeois. Avant la construction du Dakota, au XIXe s., les immeubles locatifs étaient en effet réservés aux pauvres et aux immigrants, les familles aisées préférant occuper des maisons.

La population de l'Upper West Side est aujourd'hui en pleine mutation. Les petits commerces traditionnels sont remplacés par des boutiques élégantes. Des bâtiments entiers sont rénovés, et des îlots délabrés deviennent du jour au lendemain des quartiers bourgeois. On assiste donc à une juxtaposition de secteurs bourgeois, intellectuels et populaires. Quant aux jeunes couples, ils accourent des autres quartiers de la ville car ils savent que l'Upper West Side présente de multiples avantages pour élever ses enfants.

Du fait des déplacements de populations et de la transformation du quartier, les frontières de l'Upper West Side se brouillent. Commence-t-il au Lincoln Center ou à la 59e rue ? Se termine-t-il à la 110e rue, ou bien continue-t-il jusqu'à Columbia University ? Ce qui est sûr, en tout cas, c'est qu'il est bordé par deux merveilleux parcs : à l'est, Central Park, à l'ouest, Riverside Park, qui s'étend de la 72e à la 124e rue.

L'itinéraire commence à Columbus Circle, à l'angle sud-ouest de Central Park, et longe grosso modo la belle avenue de Central Park West. Le Lincoln Center peut être visité dans la même journée, mais il fait l'objet d'un itinéraire à part. Plus à l'ouest, Columbus Avenue, Amsterdam Avenue, Broadway et West End

Avenue offrent le spectacle d'un certain cosmopolitisme new-yorkais, avec des populations de diverses origines rejointes par de nouveaux arrivants : des musiciens, des acteurs, des écrivains. Les épiceries traditionnelles y côtoient les boutiques de luxe, tandis que les restaurants à la mode font bon voisinage avec les coffee shops bon marché. L'Upper West Side est un quartier résidentiel sympathique et décontracté, à l'opposé de son frère ennemi, l'Upper East Side, plus guindé.

DE COLUMBUS CIRCLE AU DAKOTA*

Pl. IV, AB1-2.

Columbus Circle, situé sur la 59e rue, IV, B2, au croisement de Central Park South, de la Huitième Avenue et de Broadway, fut conçu en 1867 pour faciliter l'aménagement de l'Upper West Side. Au début du siècle, le célèbre quartier noir de San Juan Hill se trouvait à l'ouest du carrefour. Une statue de Christophe Colomb, qui donne son nom au rond-point, trône au sommet d'une colonne de granit.

Au sud du rond-point, un immeuble de style vaguement mauresque abrite le **New York City Department of Cultural Affairs** (2, Columbus Circle). Au rez-de-chaussée de ce bâtiment en marbre blanc, le principal bureau d'accueil du **New York Convention and Visitor's Bureau** (Office de Tourisme) fournit tous les renseignements concernant un séjour à New York *(ouvert du lun. au ven. de 9 h à 18 h; les week-ends et jours de fête de 10 h à 18 h; tél. : 397-8222).* Au deuxième étage, une **galerie d'art** municipale présente des expositions temporaires.

A l'entrée de Central Park, le **Maine Memorial** commémore le souvenir du navire de guerre le *Maine,* qui, en 1898, fut coulé dans la baie de la Havane, ce qui déclencha la guerre hispano-américaine.

A la hauteur de Columbus Circle, la Huitième Avenue devient **Central Park West,** ainsi baptisée en 1876 car elle longe Central Park. Cette large voie qui se prolonge jusqu'à la 110e rue, correspond à la Cinquième Avenue de l'autre côté du parc. Jusqu'à la 96e rue, deux de ses immeubles seulement datent d'après 1931, ce qui est exceptionnel à New York, où l'on démolit sans cesse pour reconstruire. Elle est bordée de musées et de lieux de culte, et ses rues transversales ou *Park blocks* possèdent de belle rangées de *brownstones.*

Au no 25, Central Park West, entre la 62e et la 63e rue, les **Century Apartments,** IV, B2, datent de 1931. A l'époque, les deux tours, les terrasses et les retraits à la base de l'immeuble, les fenêtres en saillie et l'élégant sommet Art déco symbolisaient l'élégance de l'architecture nouvelle. Au no5, 63e rue, la West Side YMCA (1930) propose des dortoirs, des activités sportives et culturelles, aux hommes exclusivement.

Les façades des deux bâtiments de l'**Ethical Culture Society** se dressent entre la 63e et la 64e rue. Fondée en 1876, cette association prône le «progrès moral» de l'homme par l'Éducation et met en pratique des méthodes pédagogiques expérimentales. Le bâtiment situé le plus au nord fut construit en pierre en 1910 dans un style Art Nouveau peu fréquent à New York.

A l'angle sud-ouest de la 65e rue, on remarque l'entrée monumentale des **Prasada Apartments,** IV, B1 (1907). Plus au nord, le 55 Central Park West fut édifié dans le style Art déco en 1929. En utilisant des briques dont la tonalité varie de bas en haut du rouge au crème, on voulait donner l'impression que les rayons du soleil frappaient la façade en permanence. Ce bel immeuble est le cadre du film fantastique *Ghostbusters* (Ivan Reitman, 1985).

La 67e rue, une des plus élégantes du quartier, est bordée de bâtiments néo-gothiques abritant des ateliers d'artistes. Le plus ancien, au no 27, date de 1905. Le plus célèbre, l'**Hôtel des Artistes** (1918), situé au no 1, possède de superbes ateliers en duplex qui sont aujourd'hui très convoi-

La Plaza du Lincoln Center, avec l'Avery Fisher Hall (à droite), le Metropolitan Opera House (au fond) et le New York State Theater (à gauche).

tés. Parmi ses locataires, on peut citer Isadora Duncan, Noël Coward, l'ancien maire John V. Lindsay, le peintre Norman Rockwell et le muraliste Howard Chandler Christy. Les peintures murales de ce dernier ornent les murs du **Café des Artistes,** élégant restaurant situé au rez-de-chaussée de l'immeuble. La **synagogue de la Congregation Shearith Israel,** IV, B1 (1897) se trouve à l'angle de la 70e rue, au no 99 Central Park West. Cette congrégation juive, la plus ancienne des États-Unis, a pour origine l'arrivée en 1654 d'une poignée de Juifs séfarades en provenance du Brésil. A l'intérieur, une exposition d'objets et de documents retrace l'histoire de cette communauté.

D'anciens hôtels particuliers en grès brun *(brownstones)* bordent la 71e rue. Le no 20, en bon état de conservation, date de 1889. La décoration des façades est parfois très riche : on notera les cupidons du no 24 et les lions des nos 33 à 39. Les **Majestic Apartments,** situés entre la 71e et la 72e rue, IV, B1, ont été construits en 1930 par le même promoteur et dessiné par le même architecte que les Century Apartments. Leur façade en brique orange et céramique et leurs deux tours sculptées sont aujourd'hui d'illustres points de repère sur l'horizon de Central Park West. En traversant la 72e rue, on arrive devant l'un des immeubles les plus admirés de New York, abritant les Dakota Apartments.

Le Dakota*, IV, B1

Le Dakota a été construit en 1884 sur des plans de Henry J. Hardenbergh, l'architecte du Plaza Hotel sur la Cinquième Avenue. Son toit riche en mansardes et en tourelles, ses fenêtres et ses cheminées aux formes variées en font un exemple typique de ce qu'on appelle à New York le « style château », mélange de Renaissance allemande et de *Victorian* anglais. L'extérieur de l'immeuble est en brique couleur chamois, céramique et pierre.

Le promoteur de l'immeuble, **Edward S. Clark,** héritier des machines à coudre Singer, voulait à l'origine mettre en valeur des terrains qu'il possédait au nord de la ville. A l'époque, Central Park n'était pas encore achevé et seuls quelques squatters habitaient ces parages. Ses amis trouvèrent son idée extravagante car, selon eux, l'immeuble se trouverait « aussi loin que les plaines du Dakota ». Clark reprit aussitôt le nom à son compte, baptisa le projet *the Dakota Apartments,* et fit ajouter sur la façade des motifs évoquant le Far West : des épis de maïs, des flèches et, au-dessus de l'entrée principale, une tête d'Indien.

Pour attirer des locataires, on ne recula devant aucune dépense. L'intérieur fut revêtu de marbre, d'acajou et de chêne. Au sous-sol, on installa un groupe électrogène et une centrale téléphonique. Des courts de tennis et des écuries furent réservés aux résidents, et l'on engagea 150 femmes de chambre, blanchisseuses, repasseuses et tailleurs. Au rez-de-chaussée, une énorme salle à manger dirigée par un maître d'hôtel proposait une carte renouvelée quotidiennement. Cependant, la haute société bouda l'immeuble, le trouvant trop éloigné de la Cinquième Avenue. Seuls des intellectuels et des artistes aisés s'y installèrent, parmi lesquels William Steinway, le célèbre fabriquant de pianos, et Gustav Schirmer, le grand éditeur de musique. Lors de la venue de Tchaïkovsky à New York, Schirmer l'invita à dîner et le conduisit ensuite sur le toit pour admirer la vue. Tchaïkovsky, qui ne comprenait l'anglais qu'à moitié, raconta, à son retour en Russie, que l'éditeur américain possédait un palais plus grand que celui du tsar.

Le Dakota, conçu autour d'une cour centrale, ne possède pas d'escalier principal, mais **quatre entrées** donnant chacune accès à l'une des sections de l'immeuble. Très prisé par les artistes et les intellectuels de la ville, il compta parmi ses locataires Boris Karloff, O. Ciano, S. Magowan, Leonard Bernstein, Lauren Bacall, Roberta Flack, Yoko Ono et John Lennon. Ce dernier fut assassiné à l'entrée de l'immeuble, le 8 décembre 1980, par un déséquilibré. Enfin c'est dans cet immeuble que Roman Polanski tourna *Rosemary's Baby* (1968).

Situés entre la 74e et la 75e rue, les **San Remo Apartments,** IV, B1, furent construits en 1930 sur des plans de l'architecte Emery Roth, dans un style néo-classique avec deux tours portant chacune une petite rotonde au sommet. La **74e et la 76e rues,** entre Central Park West et Columbus Avenue, ont été classées monuments historiques pour leurs hôtels particuliers construits vers la fin du siècle dernier. Ici, la pierre l'emporte sur le traditionnel grès brun. Sur la **76e rue,** différents styles se mêlent : les nos 8 et 10 sont néo-baroques, les nos 31 à 37 néo-classiques ; d'autres sont néo-romans ou néo-Renaissance italienne.

LA NEW YORK HISTORICAL SOCIETY

Pl. V, B3

Le bâtiment de la New York Historical Society, au no 170 Central Park West, possède une sobre façade néo-classique. Fondée en 1804, cette association anime un musée et une bibliothèque consacrés à l'histoire et à l'art américains, en mettant l'accent sur la ville et l'État de New York *(ouv. t.l.j. sf lun. et sam. de 11 h à 17 h;* ☎ 873-3400). On peut y admirer des collections de peinture américaine, des meubles de la période coloniale, des pièces d'argenterie, des jouets et d'anciennes voitures de pompiers.

Rez-de-chaussée *(First Floor) :* collections d'argenterie comportant quelques pièces Tiffany du XIXe s. et des œuvres de John Rogers, sculpteur de scènes de genre.

Sous-sol *(Basement) :* la collection Fahnestock rassemble des voitures de pompiers, divers véhicules et des documents évoquant l'histoire des transports new-yorkais.

Premier étage *(Second Floor) :* la salle de New York expose des toiles représentant la ville et ses bâtiments. La salle Audubon présente une exposition permanente consacrée au naturaliste d'origine française Jean-

Jacques Audubon. Le musée possède 432 aquarelles des *Oiseaux d'Amérique*★, peintes par l'explorateur du bassin du Mississipi. Des jouets anciens y sont aussi exposés. La bibliothèque compte 600 000 volumes.

Deuxième étage *(Third Floor)* : plusieurs salles sont consacrées à l'artisanat et aux arts appliqués. On y trouve en outre de belles collections d'affiches publicitaires, de photographies de New York et de personnalités new-yorkaises.

Troisième étage *(Fourth Floor)* : reconstitution de salles de l'époque de la colonie hollandaise. Galerie de portraits et de paysages.

LE MUSÉE D'HISTOIRE NATURELLE★★★

Pl. V, B3

Entre la 77e et la 81e rue se dresse l'énorme masse hétéroclite de l'American Museum of Natural History et du Hayden Planetarium *(ouv. les lun., mar., jeu. et dim. de 10 h à 17 h 45, les ven. et sam. de 10 h à 20 h 45 ;* ☎ 769-5100 ; entrée gratuite le week-end). Des visites guidées du musée sont proposées plusieurs fois par jour. Renseignements à l'accueil du premier étage. Le musée d'Histoire naturelle, fondé en 1869, attire près de 3 millions de visiteurs par an grâce à ses extraordinaires collections de biologie, de paléontologie, d'anthropologie et de minéralogie, qui comportent 34 millions d'objets exposés dans 38 salles réparties sur quatre étages. Les dioramas ont été conçus avec un grand souci de réalisme. Onze départements scientifiques y sont présents pour parrainer la recherche dans divers domaines.

Le musée est un paradis pour les enfants. Sa **Discovery Room** leur permet de toucher et de sentir les multiples éléments de l'environnement naturel. Le samedi, des magiciens, des conteurs et des marionnettes participent à des spectacles.

Le musée occupe 4 blocks entiers. Ses vingt-deux bâtiments forment un véritable patchwork architectural illustrant les variations de styles au fil des époques. Le président Grant posa la première pierre en 1874. De 1877 à 1935, quatre ailes furent ajoutées au bâtiment central. L'aile donnant sur la 77e rue, bâtie en granit rose du Vermont, est typiquement néo-romane. L'entrée principale du musée, sur Central Park West, porte un arc immense encadré par quatre colonnes ioniennes.

Les collections du musée, constituées à partir de celle du naturaliste français Édouard Verreaux, comprennent aujourd'hui 8 millions d'insectes, plus de 8 millions de fossiles d'invertébrés et presque autant d'oiseaux et de mammifères. Sa bibliothèque réunit plus de 320 000 volumes.

Rez-de-chaussée *(First Floor)* : consacré essentiellement à l'histoire naturelle du continent nord-américain : sa flore, sa faune et ses premiers habitants. On y remarque de magnifiques totems.
Le grand hall abrite des expositions concernant les poissons et l'océanographie. A gauche de l'entrée se trouve le département de biologie humaine. Au fond, on peut admirer une très riche collection de minéraux, parmi lesquels le *Star of India*, le plus gros saphir du monde (563 carats).

Premier étage *(Second Floor)* : histoire naturelle et culturelle de l'Afrique Noire. D'autres salles sont consacrées au Mexique et à l'Amérique centrale : poteries, urnes funéraires, stèles et autres témoignages de la culture précolombienne. La section aztèque comporte une très belle **pierre du soleil**.

Deuxième étage *(Third Floor)* : la section des reptiles et amphibies possède des crapauds de 3 kg et des salamandres d'1,50 m de long. La salle des primates présente une amusante collection de gorilles, chimpanzés et autres orangs-outans empaillés. Plus loin, des dioramas reconstituent la vie des Indiens Blackfoot et la chasse au bison. La salle des oiseaux est remarquable par sa richesse, sa diversité et ses couleurs.

Troisième étage *(Fourth Floor)* : l'histoire de la terre est expliquée de manière très pédagogique, de même que la géologie de la ville de New York. Les collections d'animaux préhistoriques, absolument exceptionnelles, réunissent, entre autres, un immense squelette fossilisé de brontosaure, un dinosaure momifié et un redoutable Tyrannosaurus Rex.

Du côté nord du musée, sur la 81e rue, se trouve le **Hayden Planetarium★** *(ouv. du lun. au ven. de 12 h 30 à 16 h 45 ; les sam. et dim. de 12 h à 17 h, d'octobre à juin jusqu'à 17 h 45 ;* ☎ 769-5900). Le billet d'entrée donne accès au musée. Depuis son inauguration en 1935, il a attiré plus de 22 millions de spectateurs. Sa principale attraction est le **Sky Theater,** où un projecteur très perfectionné éclaire l'intérieur de la coupole (25 m de diamètre) et reproduit l'histoire de l'Univers, son présent et son avenir. Les séances ont lieu deux fois par jour *(à 13 h 30 et à 15 h 30)* en semaine et davantage pendant le week-end ; mercredi, soirée à 19 h 30 ; samedi matinée à 11 h. Elles sont renouvelées quatre fois par an. Le **Guggenheim Space Theater** possède vingt-deux écrans destinés à des spectacles audio-visuels. En outre, il expose une reproduction du système solaire et une météorite de 34 tonnes. La bibliothèque du planétarium est ouverte au public sur rendez-vous. Le **Hall of The Sun** (Salle du Soleil) est consacré aux relations entre la Terre et le Soleil, et entre notre Soleil et ceux des autres systèmes.

Notre itinéraire s'achève ici, mais les amateurs d'architecture trouveront d'autres bâtiments dignes d'intérêt au nord et à l'ouest du musée.

AUTOUR DU MUSÉE D'HISTOIRE NATURELLE

Situé à l'angle de la 81e rue, au no 211 Central Park West, le **Beresford,** V, B3 (1929) a la particularité de posséder deux énormes façades et trois tours de style baroque. Plus au nord, on remarquera l'Eldorado (300 Central Park West) et surtout le **Ardsley,** V, B2, bâti en 1930 par l'architecte du Beresford et du San Remo (320 Central Park West, au coin de la 92e rue). Il est considéré comme l'un des plus beaux immeubles d'appartements Art déco de Manhattan. Au no 1 de la 96e rue, la **First Church of Christ Scientist** (1903) rappelle quelques-unes des grandes églises de Londres par ses éléments néo-baroques.

A l'ouest du musée, beaucoup de rues transversales témoignent de l'élégance désinvolte de l'Upper West Side. Le **Dorilton,** IV, B1 (no 171 de la 71e rue) est un exemple remarquable du style Beaux-Arts en vogue au début du siècle. Entre la 73e et la 74e rue, au no 2109 Broadway, le célèbre **Ansonia Hotel,** IV, A1, fut dessiné par l'architecte français Paul Duboy dans une profusion de tourelles, de balcons en fer forgé, de corniches et de mansardes. Dès son inauguration, en 1904, cet hôtel de 17 étages connut un formidable succès grâce à son système de chauffage central et d'air conditionné, à ses deux piscines, à son bain de vapeur et à son gymnase. Une véritable ferme en occupait les toits, avec des poules et des chèvres, et les clients de l'hôtel pouvaient y acheter des œufs frais. En outre, l'excellente insonorisation des chambres attirait des musiciens et des comédiens de renom, tels Stravinsky, Caruso, Chaliapine, Toscanini, ou Lily Pons.

Juste en face, l'énorme bâtisse de l'**Apple Bank for Savings** (2100 Broadway) fut construite en 1928 par les architectes de la Federal Reserve Bank à Wall Street, sur le modèle des palais de la Renaissance italienne. A l'intérieur, on compte 27 variétés de marbre différentes. L'immeuble d'appartements **Apthorp,** au no 2207 Broadway (ou 390 West End Avenue), est un des monuments du quartier (1908). Remarquable pour sa belle façade néo-Renaissance, il fut l'un des premiers à être bâti autour d'une grande cour centrale. Conçu sur le même plan et la même année, le **Belnord,** V, A3 (no 225 de la 86e rue, entre Broadway et Amsterdam Avenue) est un autre fleuron du style néo-Renaissance.

LINCOLN CENTER★

Pl. IV, AB1-2

Situé sur Broadway, entre la 61e et la 66e rue, le Lincoln Center est un ensemble culturel consacré aux arts du spectacle : l'opéra, le théâtre, la musique et la danse. Ses six bâtiments abritent le **Metropolitan Opera,** le **New York City Opera,** le **New York City Ballet,** le **New York Philharmonic Orchestra,** la célèbre **Juilliard School of Music,** un musée et une bibliothèque des arts du spectacle.

A l'instar du Rockefeller Center, les bâtiments du Lincoln Center ont été dessinés par plusieurs architectes de renom. Cependant, le résultat n'est guère apprécié des critiques new-yorkais qui le trouvent « banal » et « timoré ». Le Lincoln Center, pourtant, a servi de modèle à d'autres centres culturels aux États-Unis.

Un peu d'histoire

Le comité de citoyens chargé de superviser le projet sous la présidence de John D. Rockefeller III, choisit comme architecte principal Wallace K. Harrison, qui collaborait déjà avec l'ancien Metropolitan Opera House et qui avait participé à la conception du quartier général des Nations unies et à celle du Rockefeller Center. Le chantier débuta en 1959, sur le site de ce qui était jusqu'alors un célèbre bidonville. C'est dans les rues de ce quartier, juste avant leur démolition, que fut tourné le fameux *West Side Story,* qui met face à face des gangs de Portoricains et d'Irlandais.

Aujourd'hui, les salles du Lincoln Center ont une capacité globale de plus de 13 000 spectateurs. Chaque année, plus de 5 millions de personnes assistent aux spectacles, auxquels collaborent près de 7 000 artistes et employés. Le fonctionnement du Centre est assuré en grande partie par les dons de personnes privées et de fondations philanthropiques. Véritable plaque tournante de la culture new-yorkaise, le Lincoln Center a contribué à la résurrection de l'Upper West Side dans les années 60.

Visite

Des visites guidées sont proposées tous les jours de 10 h à 17 h. Rendez-vous à l'Avery Fisher Hall (☎ 874-2421).

La **Plaza,** ou esplanade, face à Columbus Avenue et à Broadway, est encadrée par l'Avery Fisher Hall au nord, le New York State Theater au sud, et le Metropolitan Opera House à l'ouest. Au centre de l'esplanade, une fontaine de marbre noir sert traditionnellement de lieu de rendez-vous aux spectateurs. Les bâtiments sont revêtus de travertin crème d'Italie, et leurs façades possèdent des éléments inspirés de l'architecture classique.

Dessiné par Max Abramovitz, l'**Avery Fisher Hall** fut le premier construit. Sa façade présente un péristyle de 44 colonnes. Lors de son inauguration en 1962, le bâtiment s'appelait le Philharmonic Hall, mais il fut rebaptisé en 1973 après un don de Mr. Avery Fisher, fabricant de chaînes hi-fi. Le hall abrite les locaux et les salles du prestigieux New York Philharmonic Orchestra, dirigé par Zubin Mehta. L'acoustique de l'Avery Fisher Hall a longtemps été l'un des sujets de conversation favoris dans le monde des arts new-yorkais. En 1962, les musiciens se plaignirent de l'inaudibilité et des échos, de sorte qu'on dut modifier plusieurs fois les plafonds, les contours des murs, et le revêtement des fauteuils. En vain. Pendant des années, les grands orchestres de passage à New York refusèrent purement et simplement d'y jouer. Finalement, en 1976, les architectes Philip Johnson et John Burgee, et le spécialiste de l'acoustique Cyril Harris s'attaquèrent au problème. Ils réaménagèrent l'espace de fond en comble et parvinrent à tirer un excellent parti de cette salle de 2 700 places. Le New York Philharmonic Orchestra y donne quatre concerts hebdomadaires de septembre à mai, et le festival Mostly Mozart y a lieu chaque été.

L'**intérieur** comporte de nombreuses œuvres d'art, parmi lesquelles *Orphée et Apollon* de Richard Lippold, *L'Archange* de Seymour Lipton, *K 458-La Chasse* de Dimitri Hadzi, ainsi que les bustes de Beethoven par Bourdelle et de Gustav Mahler par Rodin.

Le **New York State Theater** fut édifié en 1964 sur des plans de Philip Johnson et Richard Foster. Sa façade en verre est précédée d'une série de colonnes doubles qui soutiennent un balcon. Ce bâtiment est le siège du New York City Ballet et du New York City Opera, dirigé par l'ancienne diva Beverly Sills. Le mur du fond de l'énorme foyer est orné d'une pein-

Une nuit à l'Opéra avec Jessye Norman

Jessye Norman, l'une des grandes sopranos de notre temps et l'une des têtes d'affiche du Metropolitan Opera House, maîtrise les œuvres classiques, mais elle est aussi très fière de son héritage américain, comme le prouvent ses enregistrements de gospels, de chansons populaires et de succès de Broadway. Quand elle parle de New York, ville qu'elle connaît à merveille, on décèle un soupçon de malice dans son regard et dans sa voix profonde.

« New York est sans doute la ville la plus passionnante du monde, il faut bien l'admettre. Comme disait Frank Sinatra, " cette ville reste ouverte toute la nuit ! ". On y trouve à toute heure des loisirs et des activités qui n'existent nulle part ailleurs. C'est cela qui attire les étrangers.

« J'aime beaucoup Greenwich Village, c'est un véritable village. On sent que les gens qui y habitent s'y sentent à l'aise. J'aime bien les merveilleuses boutiques de SoHo et de Tribeca et les restaurants français : " Le Montrachet " ou " La Chanterelle ".

« Mais je fréquente aussi des restaurants plus simples. Dans l'Upper West Side, le " Good Enough To Eat " est un endroit formidable ! La nourriture est très fraîche et sans fioritures. On n'y a jamais entendu parler de « nouvelle cuisine ». Et c'est bien ainsi ! On y fait de la bonne cuisine qui va droit au but.

« Dans l'Upper East Side, je vais souvent écouter mon ami Bobby Short au " Cafe Carlyle ". C'est un admirable chanteur. La salle du café est petite, ce qui crée une agréable intimité.

« Ma saison préférée à New York ? L'automne, sans hésitation. Le mois de septembre est le plus beau de l'année. On peut se promener à pied. La ville est vidée de ses visiteurs, et l'on a presque l'impression d'avoir New York à soi toute seule ! »

ture *(Numbers)* de Jasper Johns, tandis que les paliers exposent des œuvres de Nadelman et de Lipchitz. A l'étage, le plafond de la Grand Promenade est revêtu de feuilles d'or. La Grande Salle, qui accueille 2 700 spectateurs, a été conçue sans couloir central afin d'offrir une meilleure visibilité au public. Elle comprend cinq balcons circulaires et est éclairée par un immense lustre en forme de diamant.

Au fond de la place se dressent les cinq arcs en marbre de la façade du **Metropolitan Opera House,** pièce maîtresse du Lincoln Center. Cet immense bâtiment de 10 étages est l'œuvre de Wallace K. Harrison (1966). A travers les vitres, on peut apercevoir, de chaque côté du foyer, une immense peinture murale de **Chagall,** qui a embelli l'Opéra de New York après celui de Paris. Celle de gauche, intitulée *Le Triomphe de la Musique,* représente des danseurs et des musiciens, et fait allusion à l'opéra, au jazz et à la ville de New York. L'ancien administrateur de la maison, Sir Rudolph Bing, s'y trouve représenté sous les traits d'un gitan. A droite, la peinture murale à prédominance jaune s'intitule *Les Sources de la Musique* et fait référence à Orphée, au Roi David et aux grands de l'art lyrique, tels Mozart, Verdi et Wagner.

Dans les années 1870, le seul opéra de New York était l'**Academy of Music,** situé sur la 14ᵉ rue. Les quinze loges de la salle étaient réservées aux vieilles familles de la ville, et inaccessibles aux nouveaux riches d'alors, les Whitney, Morgan et autres Vanderbilt. En réplique à cette discrimination, ces derniers se réunirent et décidèrent d'édifier le plus grand opéra du monde. Le Metropolitan Opera House fut inauguré en 1883, sur Broadway, entre la 39ᵉ et 40ᵉ rue. Il possédait 122 loges réparties sur trois niveaux et disposées de telle façon qu'on voyait mieux ses vis-à-vis que la scène proprement dite. Après plusieurs tentatives de déménagement manquées, le Metropolitan Opera House s'installa enfin au Lincoln Center et ouvrit ses portes le 16 septembre 1966 avec *Antoine et Cléopâtre* de Barber. Le « Met », décoré en rouge, devint, avec ses 3 790 fauteuils, le plus grand théâtre d'art lyrique au monde.

Au sud du Metropolitan Opera House, le **Damrosch Park** (1969), accueille un kiosque à musique (Guggenheim Bandshell) qui propose des concerts gratuits à la belle saison. Au nord du bâtiment, on notera également, au milieu d'un bassin, une sculpture de Henry Moore, intitulée *Figure allongée du Lincoln Center*. Au fond se trouve *Le Guichet* de Calder.

Derrière le bassin, le **Vivian Beaumont Theater,** construit en 1965 par l'architecte finlandais Eero Saarinen, fut dès l'inauguration en proie à d'énormes difficultés financières et artistiques. Après une cascade de démissions et un réaménagement, il a rouvert ses portes en 1986 avec un programme volontairement à la pointe de la création artistique. L'intérieur du bâtiment est orné d'une sculpture de David Smith, *Zig IV*. La salle, qui peut accueillir 1 100 spectateurs, est considérée comme l'une des meilleures de la ville. Le Mitzi E. Newhouse Theater, dont la capacité est de 300 places, est spécialisé dans les productions d'avant-garde.

A gauche du théâtre se trouvent les locaux du **Library and Museum of the Performing Arts.** Dessinée par Skidmore, Owings et Mervill, cette annexe de la New York Public Library possède des archives sur l'histoire du théâtre, de la danse et de la musique, et propose gratuitement des expositions temporaires, des concerts, des films et des conférences *(ouv. les lun. et jeu. de 12 h à 20 h; les mer. et ven. de 12 h à 18 h; le sam. de 10 h à 18 h. En été : f. lun., mar. et dim.* ☎ 870-1630*)*.

En traversant la 65ᵉ rue, on arrive à l'illustre **Juilliard School of Music.** Créée en 1905 sous le nom d'Institute of Musical Arts, elle a été rebaptisée en 1920 après une donation du philanthrope Augustus D. Juilliard. Le bâtiment actuel, dessiné par Pietro Balluschi et inauguré en 1969, est donc le plus récent du Lincoln Center. La Juilliard School — conservatoire de la ville de New York — enseigne la musique, la danse et le théâtre. Elle possède de petites salles de théâtre et des salles de répétitions mises à la disposition de ses élèves. Le bâtiment abrite en outre l'Alice Tully Hall, salle de concerts de 1 100 places conçue spécialement pour la musique de chambre, mais qui accueille également, à l'automne, le New York Film Festival, organisé par la Lincoln Center Film Society.

OÙ S'ARRÊTER ?

Cafe Luxembourg, 200 W 70th St., près de West End Ave., ☎ 873-7411. Restaurant jumeau de l'« Odeon », à Tribeca. Dans un cadre très mode, vous goûterez au charme de la nouvelle cuisine. Toujours bondé.

Diane's Uptown, 249 Columbus Ave., près de la 71ᵉ rue, ☎ 799-6750. Les meilleurs hamburgers du quartier. Il faut absolument goûter les délicieux *onion rings* (rondelles d'oignons panées). Glaces et autres *sundaes* également tout-à-fait recommandables.

Good Enough To Eat, 483 Amsterdam Ave., ☎ 496-0163. Un tout petit restaurant où la soprano Jessye Norman descend souvent. Cuisine maison et *brunchs* très appréciés des artistes du quartier.

Ray's Famous, 72nd St., à l'angle de Columbus Ave., ☎ 873-1135. Une pizzeria fast-food, considérée par beaucoup comme la meilleure de tout Manhattan.

Rikyu, 210 Columbus Ave., près de la 69ᵉ rue, ☎ 721-0066. Bar-restaurant japonais proposant une grande variété de *sushi* et de *sashimi*.

P.S. 144 M.
Khadijah

HARLEM
L'âme de l'Amérique noire

Pl. V, BCD1 ; VI, BCD2-3. — *Métro* : 110th St./Cathedral Parkway (lignes 1, B, C) ; 110th St./Central Park North (ligne 2) ; 125th St./Broadway (ligne 1) ; 125th St./St. Nicholas Ave. (lignes A, B, C, D).

Pour le visiteur étranger, Harlem évoque à la fois l'âge d'or des boîtes de jazz et la misère urbaine liée aux problèmes raciaux. Aujourd'hui, cependant, ces deux clichés ne sont plus de mise : les années 20 sont bien révolues, les grands jazzmen sont morts, et, par ailleurs, les bidonvilles insalubres des années 60 et 70 ont en grande partie disparu. Si la pauvreté et les tensions sont toujours bien réelles, il ne faut pas oublier que Harlem compte près d'un million de Noirs appartenant à des couches sociales très différentes. Nulle part ailleurs les contrastes ne sont aussi marqués : la bourgeoisie noire des beaux immeubles de Sugar Hill côtoie les chômeurs et les dealers des quartiers délabrés, et d'élégants boulevards croisent des rues sordides aux chaussées défoncées.

De plus, après bien des années d'oubli, les New-Yorkais, à la suite des étrangers, recommencent à s'intéresser au quartier. Des jeunes Blancs s'installent à proximité de Harlem, d'autres viennent goûter la *soul food* de ses restaurants. Le célèbre Apollo Theater rouvre ses portes avec des projets ambitieux, et le Schomburg Center for Research in Black Culture acquiert une réputation mondiale dans l'étude des civilisations noires. Des musées, des centres culturels et des théâtres proposent des programmes intéressants. Si ces transformations sont lentes, il n'en est pas moins vrai que Harlem a plus changé dans les années 80 que durant les deux décennies précédentes, et qu'il redevient la capitale noire des États-Unis.

Harlem regroupe en fait trois entités distinctes. D'abord, **Central Harlem,** qui n'est autre que le Harlem noir. Ensuite, **Spanish Harlem** ou *El Barrio,* situé à l'est de Park Avenue et au nord de la 96e rue East, habité en grande partie par les Portoricains. Enfin, **l'Italian Harlem,** vestige d'une autre époque, à l'extrémité est de la 116e rue. Notre promenade se déroule dans le

Un sourire plus une grimace, dans la 125e rue d'Harlem.

Black Harlem (pour les Spanish Harlem voir *La Marketa* dans «Promenades à Manhattan» p. **211**), qui commence à la 110e rue en lisière de Central Park, et s'étend jusqu'à la 168e rue. Morningside Park et Columbia University définissent sa limite occidentale.

Il est déconseillé de se promener dans certains secteurs. Contrairement aux autres promenades, celle-ci regroupe des lieux souvent assez éloignés les uns des autres, même si bon nombre d'entre eux se trouvent à proximité de la 125e rue, l'artère commerçante du quartier. Plusieurs compagnies proposent des visites guidées, telles que **Harlem Tours, Inc.** Par leur entremise on peut découvrir le quartier en toute sécurité, déguster la cuisine noire et, le dimanche, assister à un service religieux, avec les merveilleux gospels scandés par les battements de mains des fidèles.

Un peu d'histoire

Au XVIIe s., les Hollandais fondèrent un village auquel ils donnèrent le nom d'une ville des Pays-Bas : Haarlem. Cette région vallonnée était reliée à la ville, distante d'une dizaine de kilomètres, par un ancien sentier indien (Broadway). La fertilité du terrain attira de riches propriétaires dont quelques demeures subsistent encore, telles la Morris-Jumel Mansion et la Hamilton Grange. Jusqu'à la fin du XIXe s., la région demeura essentiellement rurale à l'exception d'un quartier ouvrier dans sa partie est, au nord de la 86e rue. Harlem était alors le royaume des cyclistes, des pique-niqueurs, des canotiers et des promeneurs du week-end.

Les promoteurs immobiliers stimulés par les travaux du métro souterrain, commencèrent alors à aménager le quartier afin d'attirer la bourgeoisie aisée avide de loisirs et d'espace. De larges avenues et des rues furent pavées, on construisit de beaux immeubles, des clubs de loisirs, des brasseries, des restaurants et des théâtres. En 1889 fut inauguré le Harlem Opera House, qui fut suivi par un orchestre symphonique, un casino, des hôtels, des grands magasins et même un yacht-club. Au début du siècle, Harlem était devenu l'un des quartiers élégants de New York. La spéculation immobilière allait bon train, jusqu'à ce qu'un petit krach entraîne un effondrement du marché, faute de clients. Survint alors un homme providentiel : **Philip A. Payton,** agent immobilier noir. Il proposa des loyers élevés aux propriétaires à la seule condition qu'ils acceptent des Noirs dans leurs immeubles. Au cours des années qui suivirent cet accord, des milliers de bourgeois noirs s'installèrent à Harlem.

Lors de l'abolition de l'esclavage, dans les années 1860, la population noire de New York comptait 20 000 personnes concentrées dans des ghettos à Greenwich Village. A la fin du XIXe s., cette population était remontée vers le *Tenderloin* (entre la 30e et la 40e rue, le long de Broadway) et vers *Hell's Kitchen* (autour de la 45e rue et de la Septième Avenue). Entre-temps, une bourgeoisie noire s'était développée, qui se voyait interdire les quartiers riches. Aussi la possibilité de vivre à Harlem fut-elle accueillie avec enthousiasme par cette minorité qui cherchait depuis longtemps à s'établir dans des logements confortables. Les pauvres arrivèrent à leur tour, et, en 1918, Harlem était devenue noire avec une population de 100 000 personnes. Dans la foulée, les spéculateurs s'efforcèrent d'attirer les jeunes paysans noirs originaires du Deep South.

Dizzy Gillespie

Dizzy Gillespie appartient à la légende du jazz. Trompettiste talentueux, il fut le co-équipier du saxophoniste Charlie Parker, avec lequel il impose le be-bop, dont le rythme complexe et tendu rompait avec celui du jazz traditionnel.

Dizzy — «l'étourdi» — est né en 1917 en Caroline du Sud. New-Yorkais depuis 1937, il s'est d'abord produit, comme tout jazzman qui se respecte, dans les boîtes de Harlem, puis de Midtown. Aujourd'hui, il joue à Downtown. Il avait créé dans les années 40 le look des be-boppers : barbiche, béret noir, lunettes en écailles et complets aux couleurs extravagantes. Impossible de ne pas le reconnaître sur scène : regard égaré mais narquois, grimaces, joues démesurément gonflées font de lui un personnage truculent dont l'appétit de vivre est à la mesure du talent.

«New York, quand j'y suis arrivé, était la capitale de la musique noire. C'est là qu'il fallait aller si l'on voulait réussir. C'était l'époque du swing et des grands orchestres de Count Basie, Duke Ellington et Fletcher Henderson. Les gens comme Charlie Parker, Thelonius Monk, Kenny Clarke et moi-même voulions réagir contre le rythme fabriqué et mou du swing. Le be-bop est né à Harlem dans les années 40, et il a provoqué un véritable scandale dans les premiers temps. Les critiques new-yorkais nous ont descendus ! Mais nous, on se fichait pas mal que l'on veuille ou non écouter notre musique.

«A l'époque, Manhattan était incroyablement tranquille. A la fin des spectacles, on rentrait à pied chez soi au petit jour. Personne ne vous dérangeait. Impensable, aujourd'hui.

«D'ailleurs, maintenant, j'habite en banlieue. Mais j'adore toujours Manhattan. Mes restaurants préférés? Le " Brazilian Pavillon ", ou le restaurant cubain " Victor's ". J'y commande toujours une assiette de riz aux haricots noirs, ça me rappelle la cuisine du sud des États-Unis.»

A l'époque, Harlem était le seul ghetto noir «élégant» des États-Unis. Une grande partie de ses logements offrait un certain confort et ses larges avenues tranchaient sur les ruelles sordides des autres quartiers noirs. Lorsque le jeune Duke Ellington, arrivant de Washington, découvrit Harlem, il s'exclama : «Mais c'est les Mille et Une Nuits!» Après la Grande Guerre, le jazz conquit les milieux mondains et la jeunesse blanche. La musique noire, le théâtre noir, la littérature noire s'imposèrent à New York. Le légendaire Cotton Club et le Connie's Inn connurent alors leur heure de gloire, qui s'acheva avec la Dépression.

VISITE

La **125e rue,** ou **Martin Luther King Jr. Boulevard,** est avec **Lenox Avenue** l'artère principale de Harlem. Le samedi, jour du shopping, elle est animée par la musique provenant des chaînes portatives *(ghetto blasters)* et par la clientèle des nombreux discounts, fast-foods, et épiceries. Les peintures sur les stores métalliques des boutiques, œuvres de Franco, ne sont évidemment visibles que lorsque les stores sont baissés.

Le célèbre **Apollo Theater,** VI, B3 (1913) se trouve au nº 253 de la 125e rue, entre la Septième et la Huitième Avenue (respectivement Adam Clayton Powell Jr. Boulevard et Frederick Douglass Boulevard). Autrefois, ce music-hall était interdit aux Noirs. A partir de 1934, revues et orchestres noirs s'y produisirent, et la liste des artistes qui y défilèrent durant les quatre décennies suivantes est impressionnante : Bessie Smith, Billie Holliday, Duke Ellington, Count Basie, Dizzy Gillespie, Charlie Parker, Thelonius Monk, Aretha Franklin et beaucoup d'autres. L'Apollo propose, le mercredi soir, des *Talent Shows* (soirées d'amateurs) intéressantes.

Le **Theresa Towers,** VI, B3 (1910), situé à l'angle de la 125e rue et de la Septième Avenue, au no 2090 de cette dernière, devint célèbre du jour au lendemain lors de la visite aux Nations-Unies de Fidel Castro en 1960. Le jeune guerillero d'alors avait tenu à descendre dans cet hôtel en plein cœur de Harlem.

Le **Studio Museum of Harlem,** VI, B3 (144, W 125th St.) se consacre depuis 1970 aux créations des artistes noirs contemporains *(ouv. du mer. au ven. de 10 h à 17 h; les sam. et dim. de 13 h à 18 h;* ☎ 864-4500). Il sert, en outre, de centre culturel à la communauté noire du quartier. Le musée possède une riche collection de photos et propose des films et des concerts. **St. Martin's Episcopal Church** se trouve à proximité, à l'angle sud-est de Lenox Avenue et de la 122e rue, VI, C3. Cette église néo-romane fut édifiée en 1888, à l'époque où Harlem attirait la bourgeoisie blanche.

Le célèbre **Schomburg Center for Research in Black Culture**★, VI, B2 (1978) se situe au 515, Lenox Avenue, entre la 135e et la 136e rue. Ses 80 000 volumes et ses 50 000 photographies sur l'histoire et la civilisation du peuple noir ont pour origine la bibliothèque personnelle de l'immigrant portoricain Arthur A. Schomburg. Ce centre fait la joie de tous ceux qui s'intéressent à l'Afrique et aux différents rameaux du peuple noir sur les autres continents.

Dans les Années Folles, la portion de la 133e rue (aujourd'hui occupée par un immeuble) comprise entre Lenox Avenue et la Septième Avenue était plus connue sous le nom de **Jungle Alley.** Ici, proclamait la publicité, on pouvait voir l'essence primitive de Harlem. Les clubs n'étaient bien sûr que des pièges à touristes destinés aux gogos qui « montaient à Harlem » à la recherche d'exotisme. Le cabaret le plus célèbre de l'époque était le **Cotton Club,** situé sur Lenox Avenue, à la hauteur de la 143e rue. Les propriétaires blancs présentaient des revues, des orchestres et des girls noirs, mais refusaient les spectateurs de couleur. De 1927 à 1931, l'orchestre de Duke Ellington anima ce club légendaire.

La curieuse façade de style Tudor, en pierre bleu-gris, de **l'Abyssinian Baptist Church** se dresse au no 132, 138e rue (entre Lenox Avenue et la Septième Avenue, VI, B2). Cette congrégation doit sa célébrité à deux pasteurs : Adam Clayton Powell et son fils Adam Clayton Powell Jr., qui fut représentant au Congrès et combattit la discrimination raciale. Après sa mort en 1972, la municipalité donna son nom à la Septième Avenue, tout du moins à sa partie septentrionale, celle qui traverse Harlem.

Le **St. Nicholas Historic District,** qui possède des alignements de maisons classées monuments historiques, s'étend entre la Septième et la Huitième Avenue, et entre la 138e et la 139e rue, VI, B2. L'élégance et la sobriété de ces maisons contrastent avec l'aspect général de Harlem. L'ensemble fut bâti en 1891 pour des familles blanches aisées. De longues cours intérieures permettaient l'accès des voitures à chevaux. Les styles, les matériaux et les couleurs sont très variés, car trois cabinets d'architectes collaborèrent au projet. La façade nord de la 139e rue fut dessinée dans le style Renaissance italienne par la célèbre firme Mc Kim, Mead and White. Les habitants de Harlem ont baptisé cet îlot privilégié « Striver's Row » (« rue des tâcherons »), car les ambitieux travaillent avec acharnement dans l'espoir de pouvoir un jour y habiter.

Sugar Hill, quartier traditionnel de la bourgeoisie noire, s'étend entre St. Nicholas Avenue et Edgecombe Avenue, et entre la 143e et la 155e rue, VI, AB1. Le nom du quartier — « la Colline sucrée » — vient du fait qu'on y jouissait des délices de la vie *(sweet life).* De nombreuses personnalités y ont vécu : Count Basie, Duke Ellington, le boxeur Ray Sugar Robinson et le juge de la Cour Suprême Thurgood Marshall.

Morris-Jumel Mansion★, hors plan B1

La **Morris-Jumel Mansion,** ancienne demeure coloniale située à l'angle nord-ouest de la 160e rue et d'Edgecombe Avenue, mêle les styles georgien et fédéral (1765).

Ce manoir bâti sur une colline dominant Harlem River était la maison de campagne du Colonel britannique Roger Morris, ami personnel de George Washington qui préféra pourtant rentrer en Angleterre lorsque la Révolution éclata. Grâce à sa position stratégique, il servit, lors de la bataille de Harlem Heights en 1776, de quartier-général à Washington. Après des années de délabrement, il fut restauré par le marchand de vins Étienne Jumel, dont la veuve épousa en 1832 Aaron Burr, ancien vice-président des États-Unis.

L'intérieur de la demeure est aujourd'hui un **musée** dans lequel les salles et les appartements privés des anciens propriétaires ont été reconstitués *(ouv. du mar. au dim. de 10 h à 16 h* ☎ 923-8008). Au premier étage, la chambre de Mr. Burr est meublée dans le style fédéral, celle de Mrs. Jumel dans le style Empire. On peut admirer des meubles ayant appartenu à Napoléon et le bureau du général Washington.

En face de Jumel Terrace, entre la 160e et la 162e rue, la charmante **Sylvan Terrace** est une ruelle qui servait autrefois d'accès à la Morris Jumel Mansion. Elle est bordée de jolies maisons en bois construites en 1882.

Au centre de **Hamilton Heights,** coincée entre deux immeubles se trouve **Hamilton Grange,** VI, B2 (1802), au no 287, Convent Avenue, entre la 141e et la 142e rue. Cette demeure à deux étages était la maison de campagne d'Alexander Hamilton, un des pères fondateurs des États-Unis. Située à l'origine à une centaine de mètres au nord, elle fut déplacée en 1889. Hamilton y vécut les dernières années de sa vie, avant d'être mortellement blessé en duel par un de ses nombreux ennemis politiques, Aaron Burr, le futur mari de Mrs. Jumel.

A l'est de Convent Avenue, au no 6, Hamilton Terrace, le **Aunt Len's Doll and Toy Museum,** VI, B1, expose plus de 3 000 poupées et jouets *(ouv. t.l.j, uniquement sur rendez-vous ;* ☎ 281-4143).

Au sud, sur Convent Avenue, la **City University of New York,** VI, B2, fondée en 1849, accueille plus de 50 000 étudiants. Véritable tremplin de l'ascension sociale, elle a servi pendant de longues années aux fils d'immigrants juifs d'Europe centrale, avant de former les minorités noires et hispaniques. Les beaux bâtiments néo-gothiques du North Campus (situé sur Convent Avenue, entre la 138e et la 140e rue) furent construits en 1905 avec le schiste extrait des travaux du premier métro souterrain. Le South Campus, entre la 130e et la 135e rue, abrite le bâtiment des Finley Student Center et Goldmark Hall, qui date de 1847 et était à l'origine une chapelle.

A la hauteur de la 123e rue, on distingue les escarpements du **Morningside Park,** VI, B3 ; VB1, qui fut dessiné au XIXe s. par Olmsted et Vaux, les architectes paysagistes de Central Park. Aujourd'hui, il sert de frontière entre Columbia University et Harlem. Ses terrains boisés sont à première vue très agréables, mais ils réservent souvent de mauvaises surprises aux promeneurs.

OÙ S'ARRÊTER ?

Copeland's, 549 W 145th St., ☎ 234-2356. *Soul food,* bien sûr. En plein centre d'Harlem, ce restaurant est l'un des favoris du comédien Richard Pryor.

Rao's, 455 E 114th St., ☎ 534-9625. Dans le Little Italy d'East Harlem, un petit restaurant italien traditionnel.

Sylvia's, 328 Lenox Ave., près de la 127e rue, ☎ 996-0660. Délicieuse cuisine *soul* : riz, côtelettes, patates douces, citrouilles et la délicieuse tourte aux pêches.

MORNINGSIDE HEIGHTS
Saint John-The-Divine et Columbia University

Pl. V, AB1 ; VI, AB3. — ***Métro** :* 116th St./8th Ave. (lignes B, C) ; 110th St./Cathedral Parkway (ligne 1). ***Bus** :* ligne 10.

Les hauteurs qui portaient autrefois le nom de Harlem Heights et qui ont été rebaptisées Morningside Heights sont délimitées par la plaine de Harlem à l'est, le versant de l'Hudson à l'ouest, la 110e rue au sud et la 125e rue au nord. Ce secteur relativement réduit regroupe cependant quelques-unes des plus importantes institutions de Manhattan.

La présence de Columbia University domine la vie du quartier. Ses milliers d'étudiants donnent le ton aux rues avoisinantes, pleines de petits restaurants, de bars et de librairies ouvertes 24 heures sur 24. Mais l'ambiance générale est aussi conditionnée par la proximité de Harlem, symbole de la pauvreté et du délabrement urbains.

Un peu d'histoire

Jusqu'à la fin du XIXe s., cette région exclusivement rurale ne comptait qu'un orphelinat et un asile d'aliénés. L'ouverture au public du Riverside Drive, en 1880, et celle du Morningside Park en 1887 furent à l'origine de l'aménagement des terrains alentour. Au début du XXe s., Columbia University et la cathédrale St. John-The-Divine s'installèrent dans ce quartier, entraînant avec elles une partie de la bourgeoisie aisée de Manhattan.

*ST. JOHN THE DIVINE**

Pl. V, B1. *Cathédrale ouv. t.l.j. de 7 h à 17 h. Des visites guidées sont proposées du lun. au sam. à 11 h et à 14 h, le dim. à 12 h 30* (☎ 316-7540).

La cathédrale épiscopale de la ville de New York dresse son énorme masse inachevée à l'angle d'Amsterdam Avenue et de la 112e rue. Bien que commencée en 1892, elle est toujours en cours de construction. C'est la plus vaste église néo-gothique du monde : sa superficie est de 36000 m^{2} et sa longueur totale atteint 182 m. Sa façade occidentale fait 63 m de large et son transept mesurera 33 m de long. La hauteur de la voûte de la nef centrale est de 53 m et ses deux tours, lorsqu'elles seront achevées, s'élèveront à 88 m.

Un peu d'histoire

New York, la ville des records, se devait d'en établir un dans le domaine de l'architecture religieuse. En 1872, la décision fut prise d'édifier la plus grande cathédrale du monde, selon la proposition de l'évêque Horatio Potter. Le concours lancé en 1888 fut remporté par les architectes Heins et La Farge auteurs d'un projet de cathédrale néo-romane aux éléments néo-byzantins, dont l'axe sud-nord épouserait les accidents de terrain de Morningside Heights, et dont l'entrée principale se situerait sur la 110ᵉ rue. Mais, finalement, les évêques optèrent pour le plan liturgique traditionnel : maître-autel face au soleil levant et entrée principale à l'ouest. La première pierre fut posée en 1892. J. P. Morgan finança personnellement les travaux des fondations, et, dès 1911, le chœur et les quatre arcs de soutènement du dôme étaient achevés. Quelques années plus tard, on décida pour des raisons esthétiques d'adopter le style néo-gothique et de rallonger la nef centrale de 25 m. En 1916, on recommença les fondations de la nef, mais les architectes rencontrèrent de nombreux obstacles et les caisses se vidèrent, de sorte que le transept nord ne put être terminé.

La Seconde Guerre mondiale interrompit le chantier. En 1967, l'évêque de l'église épiscopale déclara alors que la cathédrale ne serait peut-être jamais terminée. Après un ralentissement des travaux, une nouvelle campagne fut lancée en 1978 pour l'achèvement des tours et du transept. Aujourd'hui, un siècle après la pose de la première pierre, les travaux continuent comme au Moyen Age, en plein Manhattan. Les tailleurs de pierres, les charpentiers et les autres corps de métier s'affairent sur le chantier de la cathédrale pour la plus grande gloire du Seigneur.

Visite

Quatre des **cinq portails** de la façade occidentale possèdent des vantaux en teck de Birmanie. Seules les sculptures du portail situé à l'extrême gauche sont achevées. Les portes de bronze du portail central ont été fondues à Paris par Barbedienne. Leurs **60 panneaux ciselés** représentent des scènes de l'Ancien et du Nouveau Testament. Une **statue de St. Jean l'Évangéliste** regardant le ciel orne le trumeau. Au-dessus de celui-ci, sur le tympan, une **rosace** représente le Christ en majesté. La grande rose qui surplombe le portail central mesure 13 m de diamètre.

L'intérieur de la cathédrale est parmi les plus beaux de la ville. Dans le **narthex,** le vitrail nord représente la Création, celui du sud ou « Vitrail Prototype », des scènes de l'Ancien Testament. On remarque également de belles icônes grecques, russes et byzantines datant du XVᵉ au XVIIᵉ s. **Cinq nefs** organisent l'espace intérieur. Des piliers alternativement massifs et minces servent de soutien à la nef centrale. La cathédrale se veut lieu de prière pour tous les peuples, et l'on retrouve ce thème sur ses vitraux et dans ses chapelles. Le sol de la nef est orné de médaillons représentant des personnages et des lieux importants de l'histoire de la chrétienté, ainsi que des épisodes de la vie du Christ et des lieux de pèlerinage. Les nefs latérales exposent quelques œuvres d'art, dont des tapisseries de Mortlake d'après Raphaël.

A la **croisée du transept,** on peut encore observer des éléments néo-romans de la première version de l'église : les arcs inachevés, l'impressionnante coupole temporaire de 1909, la chaire en marbre du Tennessee datant de 1916. De belles tapisseries italiennes du XVIIᵉ s. décorent cette partie de l'église.

Le **chœur néo-roman** est fermé par 8 colonnes de granit du Maine, hautes de 17 m et pesant chacune 130 tonnes. Les stalles du chœur, en chêne sculpté, s'inspirent de celles de la cathédrale de Taormina, en Sicile. Remarquer les deux *menorah* juifs (chandeliers à sept branches). D'ici, on peut apprécier la **grande rose** qui surmonte le portail central sur la façade occidentale. Le déambulatoire donne accès à des chapelles appelées *Chapels of Tongues* (chapelles des langues) car chacune est dédiée à une nationalité différente. Dans sa partie sud se trouve une belle *Annonciation* en terre cuite vernissée attribuée à Luca della Robbia (XVᵉ s.). Le baptistère, au nord du chœur, a été construit grâce aux dons de l'ancienne famille new-yorkaise des Stuyvesant, dont le fondateur, Peter, est représenté dans une des niches. Ce baptistère mesure 4 m de haut et s'inspire du baptistère de la cathédrale de Sienne.

Dans la partie nord du transept, un **musée** consacré à l'histoire de la construction de la cathédrale présente entre autres une maquette du monument terminé. Au sud de la croisée du transept se trouve l'entrée du **Musée d'Art religieux.**

Les cinq hectares entourant la cathédrale abritent des bâtiments réservés à l'administration du diocèse (dont la résidence de l'évêque) et à son école mixte. Le **Jardin biblique** ne contient que des espèces végétales mentionnées dans le Livre.

Au nord de St. John The Divine, sur la 113e rue, **St. Luke's Hospital,** fondé en 1846 par l'église épiscopale, est une institution célèbre de Morningside Heights. L'**église de Notre-Dame** se dresse à l'angle de Morningside Drive et de la 114e rue. Cette église catholique, édifiée en 1914 pour la congrégation française de la ville et toujours inachevée, rappelle l'architecture napoléonienne. Une reconstitution de la grotte de Lourdes est visible derrière l'autel.

A l'angle de Morningside Drive et de la 116e rue, le domicile officiel du président de la Columbia University fut occupé par le général Eisenhower de 1948 à 1953. De là, on accède au campus de Columbia.

*COLUMBIA UNIVERSITY**

Pl. VI, AB3

Un peu d'histoire

Columbia University fut fondée en 1754, sous le règne de George II, et baptisée King's College. Elle devait concurrencer d'autres universités telles que Harvard et Yale. Elle s'installa le long de l'Hudson, près de l'emplacement actuel du World Trade Center. Son premier président fut le Dr. Samuel Johnson, pasteur anglican de renom, et sa première promotion ne compta guère que huit élèves issus des bonnes familles de la ville. Rebaptisée Columbia après l'Indépendance, elle se dota d'une université pour femmes, le prestigieux Barnard College, en 1889. A partir de 1897, date de son déménagement à Morningside Heights, Columbia s'imposa comme l'une des meilleures universités du pays. Parmi les innombrables célébrités qui profitèrent de son enseignement, on peut citer Alexander Hamilton, premier secrétaire au Trésor, John Jay, premier président de la Cour Fédérale, et le Gouverneur Morris, ambassadeur des États-Unis à Paris sous la Révolution. Au XXe s., le jeune Franklin D. Roosevelt y fit quelques années de droit avant de délaisser ses études au profit de la politique. Plusieurs professeurs ayant enseigné à Columbia ont obtenu le prix Nobel.

Columbia University est délimitée par la 114e rue au sud, la 121e rue au nord, Morningside Drive à l'est et Claremont Avenue à l'ouest. Quelque 18 000 étudiants y suivent les cours de 3 500 professeurs. Columbia est réputée pour ses facultés de droit, de gestion, de journalisme, de sciences et d'architecture.

Visite

Pour les visites guidées et gratuites du campus, se renseigner au 201 Dodge Hall, à l'angle de la 116e rue et de Broadway (Visitor Services ☎ 854-2845).

La célèbre **Law School,** VI, B3 (1961) à l'angle de la 116e rue et d'Amsterdam Avenue, est ornée d'une sculpture de Lipchitz, *Bellérophon domptant Pégase,* censée représenter la maîtrise des forces du désordre par la loi. En traversant l'avenue, on arrive au **College Walk,** VI, AB3, prolongement piétonnier de la 116e rue. Le campus fut conçu en 1893 par les architectes Mc Kim, Kead et White, et les bâtiments d'origine furent édifiés sur une terrasse, au nord du College Walk, dans le style néo-classique cher à l'époque. Le projet originel prévoyait des bâtiments organisés

A Columbia comme dans toute autre université, la remise des diplômes, le commencement, *est un jour solennel qui se fête dans l'allégresse.*

autour de plusieurs petites cours, avec une grande pelouse au milieu de l'ensemble, mais on a finalement opté pour des espaces ouverts.

Butler Hall (1934), la grande bibliothèque de l'Université située au sud de l'esplanade, rassemble 4 800 000 volumes, ce qui fait d'elle une des plus grandes du pays. A côté, le **Ferris Booth Hall** est le centre de loisirs des étudiants. La monumentale **Low Memorial Library**★ (1897), au nord, domine l'ensemble du campus. Cet énorme bâtiment, dessiné par Mc Kim, servait à l'origine de bibliothèque, mais il abrite aujourd'hui des bureaux administratifs et des salles consacrées à l'histoire de l'Université. Sa colonnade et sa coupole de 41 m de haut s'inspirent du Panthéon de Rome. L'escalier est orné d'une statue de l'*Alma mater* (1903) par Daniel Chester French, qui a voulu représenter les bienfaits de l'éducation. Célèbre parmi les étudiants, elle fait toujours l'objet de plaisanteries et de farces.

St. Paul's Chapel, à l'est de la Low Library, date de 1904 et combine des éléments néo-classiques et néo-byzantins. Ses boiseries s'inspirent de la cathédrale de Santa Croce à Florence. Au sud de la chapelle, le **Buel Hall** est le plus ancien bâtiment du campus (1878). L'**Avery Hall** (1912), au nord de la chapelle, accueille la célèbre école d'architecture de l'Université. Sa bibliothèque est, dans son domaine, la plus vaste des États-Unis.

A l'angle de la 120ᵉ rue et de Broadway, les **Pupin Physics Laboratories** ont abrité dans les années 30 des expériences sur la fission nucléaire menées par Urey, Fermi et Rabi, auxquels ces travaux ont valu le prix Nobel. En revenant vers le sud, on parvient à Dodge Hall, point de départ des visites guidées, et à la célèbre **School of Journalism,** fondée par Joseph Pulitzer en 1912. Chaque printemps, un jury y décerne le prestigieux prix Pulitzer, qui récompense les meilleurs reportages de l'année.

De l'autre côté de Broadway, entre la 116ᵉ et la 120ᵉ rue, se trouve **Barnard College,** VI, A3, section féminine de Columbia University. A la hauteur de la 117ᵉ rue, une plaque apposée sur le Mathematics Building commémore la bataille de Harlem Heights qui vit la victoire du général Washington sur les troupes britanniques, le 16 septembre 1776. A l'angle de Broadway et de la 120e rue, l'**Union Theological Seminary** (1910) est une autre institution fameuse. Le style néo-gothique et la disposition de ses bâtiments rappellent les universités d'Oxford et de Cambridge.

Le grand bâtiment néo-georgien du **Jewish Theological Seminary** (1886), à l'angle de la 122e rue et de Broadway, est le centre du judaïsme conservateur aux États-Unis. Sa bibliothèque abrite une exceptionnelle collection de documents sur le peuple juif. En 1966, un incendie a dévasté les lieux, brûlant plus de 65 000 volumes.

Riverside Church, VI, A3

A l'ouest, sur la 122e rue, se dresse la belle silhouette néo-gothique de Riverside Church (1930). Cette église, affiliée à la congrégation baptiste, est un lieu de culte interconfessionnel connu pour ses idées progressistes et son travail dans le quartier. La famille Rockefeller, de confession baptiste, a été l'une de ses grandes bienfaitrices. Le carillon de l'église est composé de 74 cloches, dont la célèbre cloche Bourdon, la plus grosse jamais fondue (20 tonnes). La disproportion entre sa tour haute de 125 m et sa nef longue de 65 m a toujours été un motif de polémique chez les New-Yorkais. Cependant, l'édifice mérite une visite en raison du travail de la pierre, des boiseries et des vitraux. Beaucoup d'éléments rappellent la cathédrale de Chartres, en particulier le Christ en majesté du tympan. On peut admirer des vitraux flamands du XVIe s. et, au sud du narthex, une chapelle copiée d'après l'église romane de Saint-Nazaire à Carcassonne. Les baies supérieures s'inspirent de celles de Chartres. L'église possède 50 vitraux fabriqués artisanalement à Boston, Chartres et Reims. Le labyrinthe formé par le dallage évoque celui que les pèlerins suivaient à genoux dans la cathédrale de Chartres. La clôture du chœur représente sept aspects différents de la vie du Christ, qui est entouré de personnages ayant incarné l'idéal chrétien : Luther, Savonarole, le poète Milton, l'infirmière Florence Nightingale, Pasteur, Bach. Au fond de la nef se trouve une œuvre du sculpteur Jacob Epstein, *le Christ en majesté*. A l'extérieur de l'église, sur Claremont Avenue, on peut voir une *Vierge à l'Enfant* du même artiste. Du narthex, on monte dans la tour, qui offre une très belle vue sur le nord de Manhattan et sur l'Hudson. Des concerts de carillon ont lieu le samedi à midi, et le dimanche avant et après le service, puis à 15 h.

GENERAL GRANT NATIONAL MEMORIAL

Pl. VI, A3

Situé au nord de Riverside Church, à la hauteur de la 122e ruc, ce monument (1897) est plus connu sous le nom de Grant's Tomb *(ouv. du mer. au dim. de 9 h à 17 h ;* ☎ 666-1640). Inspiré du mausolée d'Halicarnasse, en granit et marbre, il contient la dépouille du président Grant, chef d'état-major des armées nordistes pendant la guerre de Sécession, puis président des États-Unis de 1868 à 1876. 90 000 souscripteurs contribuèrent à l'édification de ce monument, qui était jadis un but de promenade très apprécié des New-Yorkais.

Précédé par une esplanade, un large escalier flanqué de deux aigles mène à l'entrée. Au-dessus de la corniche sont inscrits les mots prononcés par Grant lors de son investiture en 1868 : *Let us have peace* (« Que la paix soit avec nous »). Des vitraux d'albâtre éclairent l'intérieur austère, lequel rappelle le tombeau de Napoléon aux Invalides. Au-dessus des fenêtres sont représentées les principales victoires de Grant et la reddition du général Lee, chef des armées sudistes.

Dans la crypte, les sarcophages de Grant et de sa femme sont entourés par les bustes des généraux Sherman, Sheridon, Thomas, Oud et Mc Pherson. Plusieurs salles d'exposition sont consacrées à la vie du général Grant.

OÙ S'ARRÊTER?

Terrace Restaurant, 400 W. 119th St., ☎ 666-9490. Un restaurant de nouvelle cuisine française. Veste et cravate exigées.

Rosita's-El Ideal, 2825 Broadway et 111st St., ☎ 866-3244. De la cuisine portoricano-cubaine dans un petit restaurant ouvert 24 heures sur 24. De succulents *milk-shakes* aux fruits tropicaux et les assiettes de riz aux haricots rouges font les délices des chauffeurs de taxi et autres noctambules. Une véritable expérience.

The West End Café, 2911 Broadway, ☎ 662-6262. Ce restaurant et « jazz club » a été dans les années 50 le rassemblement des jeunes écrivains de la « Beat Generation » : William Burroughs, Allen Ginsberg et Jack Kerouac.

MUSÉES ET GALERIES

Avec ses 150 musées, dont la richesse des collections est colossale, et ses innombrables galeries d'art, New York est aujourd'hui le centre international des arts plastiques, le passage obligé des artistes contemporains.

La peinture y est omniprésente. Il suffit, pour s'en convaincre, de se rendre au Whitney ou de contempler les murs du métro couverts de graffitis délirants.

La vie artistique y bouillonne. Faite d'événements, de mini-happenings, elle est à l'affût de tout ce qui bouge. Prête à saisir, avec empressement, le nouveau pour l'écarter aussitôt. Gourmande, elle recompose et décompose les données de l'univers des peintres, des marchands et des critiques d'art, objet de toutes les convoitises et de toutes les curiosités.

Nous vous présentons ici une **sélection des musées,** d'abord les cinq grands musées d'art (★★★, à voir absolument) puis une liste d'une vingtaine de musées (p. **187**) à vocations diverses, classés par ordre d'intérêt (★★ ou ★). Quant aux **galeries d'art** (p. **191**), nous les avons classées par quartier, en prenant soin de préciser pour chacune d'elle le type d'œuvres qu'elles exposent.

THE FRICK COLLECTION★★★

Pl. IV, C1. — ***Métro** :* 68th St./Hunter College (ligne 6, *local*). ***Bus** :* lignes 1, 2, 3, 4.
1 E 70th St., ☎ 288-0700.
Ouv. du mar. au sam. de 10 h à 18 h, le dim. de 13 h à 18 h, fermé le lun. et le mar. en juil. et août.

Élégante et raffinée, la Frick Collection occupe l'ancien hôtel particulier du roi de l'acier Henry Clay Frick (1849-1919), construit par l'architecte Thomas Hastings dans le style néo-classique français. On y trouve des toiles des grands maîtres européens du XIVe au XVIIIe s., de l'argenterie, des meubles français et des émaux de Limoges. L'ambiance chaleureuse est davantage celle d'une demeure que d'un musée anonyme.

Le Guggenheim, véritable œuvre d'art. Une architecture d'épure et de spirale. Un voyage au cœur de la modernité.

Frick Collection

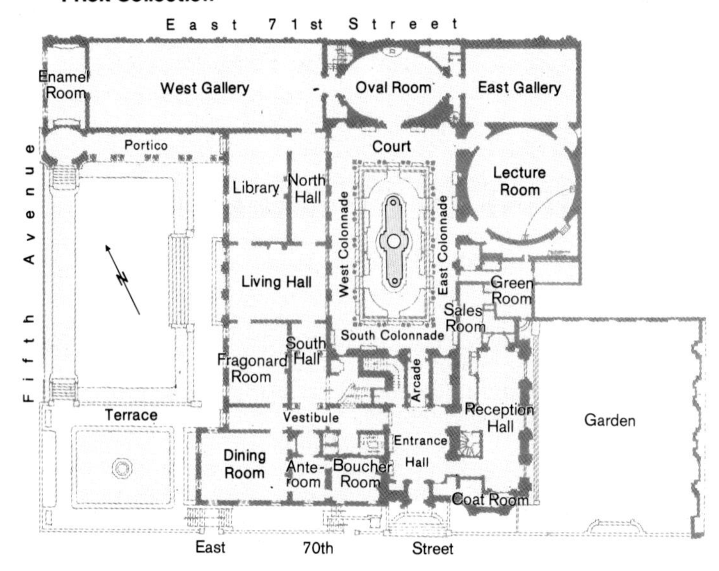

VISITE

L'Ante-room (Antichambre) est réservée aux expositions temporaires.

La Boucher Room a été reconstituée dans le style des boudoirs français du XVIIIe s. Aux murs, panneaux représentant *Les Arts et les Sciences***, peints par **Boucher** pour le boudoir de Mme de Pompadour au château de Crécy.

Dining-Room : série de toiles des grands peintres anglais : **Hogarth** *(Miss Mary Edwards)*, **Reynolds** *(General John Burgoyne)* et **Gainsborough** (*The Mall at St. James' Park**).

Le West Vestibule abrite les *Quatre Saisons**, peintes par **Boucher** en 1755, et un bureau de Boulle.

*Fragonard Room : Les Progrès de l'Amour***, célèbre cycle de **Fragonard** exécuté pour le pavillon de Mme Du Barry, favorite de Louis XV, à Louveciennes. Meubles français du XVIIIe s. par **Riesener,** porcelaine de Sèvres et buste* par **Houdon.**

A côté, le *South Hall* abrite *L'Officier et la jeune fille riant*** et *La Leçon de musique*** de **Vermeer,** ainsi qu'un **Boucher** et un **Renoir.** Parmi les meubles, **secrétaire** et **commode** exécutés par Riesener pour Marie-Antoinette.

Le Living Hall est une des plus belles salles du musée. Les écoles vénitienne, espagnole et allemande y sont représentées : **Bellini** (*Saint François en extase***), **le Titien** (*L'homme à la toque rouge*** et *Portrait de Pietro Aretino***), **El Greco** (*Saint Jérôme*** ; une autre version se trouve au Metropolitan Museum), **Holbein** (*Sir Thomas More***, *Thomas Cromwell***). En outre, on peut admirer des meubles de **Boulle** et des porcelaines chinoises.

La Bibliothèque abrite les portraits de George Washington par **Gilbert Stuart** (il en existe une autre version au Metropolitan) et de M. Frick en personne, ainsi que des tableaux anglais **(Gainsborough, Reynolds, Constable** et **Turner)** et des sculptures de la Renaissance italienne.

Le North Hall expose des dessins et des estampes, un buste par **Houdon** et le *Portrait de la Comtesse d'Haussonville*** par **Ingres.**

La West Gallery accueille de magnifiques toiles européennes : trois **Rem-**

brandt, dont l'admirable *Autoportrait*★★★ (1658) et le *Cavalier polonais*★★, *La Sagesse et la Force*★ de **Véronèse**, le *Portrait de Vincentio Anastagi*★★ du **Greco**, des portraits par **Frans Hals** et **Velázquez** *(Philippe IV d'Espagne)*, des **Van Dyck**, des paysages de **Constable** et de **Turner**, *l'Éducation de la Vierge*★★ de **Georges de la Tour** et *La Forge* de **Goya**.

L'Enamel Room abrite une belle collection d'émaux de Limoges et un *Saint Simon*★★ par **Piero della Francesca**. **Van Eyck** (*Vierge à l'Enfant* avec des saints et des donateurs) et **Memling** sont aussi représentés, de même que des peintres provençaux.

L'Oval Room est ornée d'une statue de *Diane* par **Houdon** et de portraits par **Whistler**.

L'East Gallery expose des tableaux de **Van Dyck** et de **Goya**, un admirable *Sermon sur la montagne* par **Claude Lorrain** et un *Portrait*★ par **David**.

Le patio, protégé par une verrière, est un endroit merveilleux pour se reposer, avec sa colonnade, sa fontaine, ses plantes vertes et ses sculptures.

GUGGENHEIM★★★
Solomon R. Guggenheim Museum

Pl. V, C3. — *Métro* : 86th St./Lexington Ave. (ligne 4). *Bus* : lignes 1, 2, 3, 4.
1071 5th Ave., entre la 88e et la 89e rue, ☎ 423-3500.
Ouv. le mar. de 11 h à 20 h, du mer. au dim. de 11 h à 17 h, fermé le jeudi. Entrée, 7 $.

Le Guggenheim Museum, construit en 1959, est le seul musée new-yorkais aussi célèbre par son architecture que pour les œuvres qu'il abrite. On a comparé l'œuvre de **Frank Lloyd Wright** à une brioche, à une machine à laver, à un chapeau extravagant ou à un vaisseau spatial qui aurait atterri sur la Cinquième Avenue. En fait, le musée n'est qu'un cylindre creux entouré d'une rampe en spirale longue de 432 m.

VISITE

Le visiteur monte en ascenseur jusqu'au dernier étage du bâtiment, puis il descend la pente douce de la rampe tout en regardant les toiles accrochées aux murs. Couronnant le bâtiment, une énorme verrière éclaire l'ensemble.

Fondé en 1939 par le magnat du cuivre **Solomon R. Guggenheim**, le Museum for Non Objective Art se consacrait à l'art non-figuratif européen. Il adopta par la suite le nom de son fondateur et élargit son champ d'action à l'ensemble de l'art moderne.

Aujourd'hui, il possède plus de 4000 tableaux, sculptures et dessins, parmi lesquels la plus grande collection de **Kandinsky**★★★ au monde et de nombreux **Klee, Chagall, Léger, Rousseau, Picasso, Braque** et **Delaunay** (série sur la tour Eiffel★). Les sculpteurs **Brancusi, Archipenko** et **Calder** sont bien représentés, de même que l'école de New York **(Kline, Rothko, Newman, Pollock** et **Gottlieb)** et que **Dubuffet** et **Miró**.

Dans une salle à part, l'admirable **collection Tannhauser** présente des impressionnistes et post-impressionnistes : **Manet, Degas, Renoir** (*La Femme au perroquet*★★), **Gauguin, Van Gogh, Cézanne, Vuillard, Toulouse-Lautrec** (*Le Moulin de la Galette*★) et le jeune **Picasso**.

D'excellentes expositions temporaires sont également organisées. Par ailleurs, un important projet d'agrandissement est actuellement en cours ; une fois achevé, il permettra d'exposer de façon permanente une grande partie des collections.

LE MUSÉE D'HISTOIRE NATURELLE***

Reportez-vous, pour la visite, au chapitre «L'Upper West Side : de Columbus Circle au Musée d'histoire naturelle», p. **155.**

THE METROPOLITAN MUSEUM OF ART*** (MET)

Pl. V, C3 et p. 178. — *Métro :* 86th St./Lexington Ave. (ligne 4). *Bus :* lignes 1, 2, 3, 4.
5th Ave. et 80th St. (Central Park), ☎ 879-5500.
Ouv. du mar. au ven. de 9 h 30 à 17 h 15 ; les sam. et dim. de 9 h 30 à 20 h 45 ; f. le lun. Salles ouvertes par roulement. Entrée 6 $.

Les fabuleuses collections du Metropolitan Museum comprennent plus de 3 millions de toiles, de sculptures et d'objets d'art provenant de tous les continents et allant de la Préhistoire à l'époque actuelle. Malgré des rénovations et des agrandissements constants, les 270 salles du «Met», réparties sur 45 ha, n'exposent qu'un quart des collections. Cependant, il faudrait des semaines entières pour faire le tour complet des antiquités égyptiennes, grecques, romaines et du Moyen-Orient, des collections de peintures et sculptures européennes et américaines, des arts primitifs, des armes et armures, des instruments de musique, des dessins et des costumes. Les **Cloisters** sont une annexe du «MET» (voir le chapitre «Promenades à Manhattan et autour», p. **206**).

Histoire

L'idée de créer un grand musée d'art à New York est née en 1866 à Paris. Lors d'un dîner au Bois de Boulogne, un groupe de riches Américains décida de fonder à Manhattan une institution comparable aux grands musées d'Europe. En 1870, le Metropolitan Museum of Art s'installa à l'angle de la Cinquième Avenue et de la 54e rue, puis sur la 14e rue. Ce n'est qu'en 1880 qu'il ouvre ses portes à l'emplacement actuel.

Calvert Vaux, l'un des architectes du parc, adopta le style néogothique pour le premier bâtiment du musée, dont le côté ouest est toujours visible de Central Park. L'imposant bâtiment central fut édifié par **Richard Morris Hunt** en 1902, selon une échelle monumentale qui rappelle les anciens bains romains. Sur la façade Renaissance néo-classique, des colonnes à chapiteaux corinthiens encadrent trois énormes arches, au-dessus desquelles de curieux blocs de pierre devaient servir à des sculptures qui n'ont jamais été exécutées. Les marches du large escalier d'entrée, sur la Cinquième Avenue, sont, à la belle saison, le rendez-vous des visiteurs qui peuvent parfois assister à des spectacles improvisés de bateleurs.

VISITE

Le Metropolitan Museum of Art, comme tous les musées new-yorkais, met tout en œuvre pour satisfaire les besoins du public. Des visites guidées gratuites sont proposées quotidiennement (renseignements à l'**Information Desk** dans le Grand Hall). L'**Uris Center for Education,** situé au sous-sol, fournit toutes les informations nécessaires aux visiteurs (plans, renseignements sur les collections et sur les expositions temporaires, etc.).

Les collections du Metropolitan Museum, regroupées en 18 départements principaux, sont enrichies régulièrement par des dons de collectionneurs privés, par des achats et de nombreuses dotations en argent. Le nombre d'objets exposés est tel que l'on doit se contenter d'un ou deux départements par visite.

Le **Grand Hall,** au rez-de-chaussée *(First Floor),* qui regroupe le bureau d'accueil, la boutique du musée et le vestiaire, donne accès à la cafétéria et au restaurant, situés dans l'aile sud, ainsi qu'à la Thomas J. Watson Library, la plus grande bibliothèque d'art aux États-Unis, et au Grace Rainey Rogers Auditorium.

Rez-de-chaussée (First Floor)

Antiquités égyptiennes (Egyptian Art)***

Situées au nord du Grand Hall, les collections égyptiennes figurent parmi les plus importantes au monde. Des fouilles organisées par le musée ont enrichi considérablement son fonds, qui comprend plus de 10 000 objets allant de la période prédynastique (antérieure à 3 100 av. J.-C.) à la période byzantine (VIIIe s. apr. J.-C.).

Les collections comportent des sculptures et des reliefs de la Ire à la Xe dynastie (3100 à 2040 av. J.-C.) et des objets rapportés des fouilles effectuées à Thèbes, dont le **buste en granit de la reine Hatchepsout*,** de la XVIIIe dynastie (1503-1482 av. J.-C.), coiffée de la *némès,* signe distinctif de la royauté.

On peut également admirer de nombreux **sarcophages** et objets funéraires de la XIXe à la XXVIe dynastie (1300 à 500 av. J.-C.), ainsi que des œuvres exécutées sous les Ptolémée et sous les Romains.

Le **Temple de Dendur**,** situé dans la Sackler Wing, a été offert par le gouvernement égyptien aux États-Unis. Pour le sauver des eaux du barrage d'Assouan, on l'a démonté pièce par pièce puis remonté dans la vaste salle aux baies vitrées qui l'abrite aujourd'hui. Il fut édifié sous l'empereur Auguste au Ier s. av. J.-C., mais son plan est conforme à celui des lieux de culte égyptiens traditionnels construits durant les siècles précédents.

Antiquités grecques et romaines (Greek and Roman Art)***

Les collections grecques et romaines rassemblent de beaux spécimens de sculptures, de vases, de bijoux et de peintures murales.

« MET » — Mode d'emploi

Philippe de Montebello, conservateur en chef du musée depuis 1978, recommande les visites courtes mais fréquentes qui évitent la saturation et permettent de se concentrer sur un département ou sur une période.

Il est préférable de venir tôt le matin, du lundi au vendredi, le week-end étant exclu.

Nous lui avons demandé quel était son choix personnel parmi le vaste fonds de tableaux européens du premier étage. Il place au premier rang les toiles de Tiepolo (*Le Triomphe de Marius* et la *Chute de Carthage*), *L'Adoration des Bergers* d'Andrea Mantegna, les célèbres *Moissonneurs* de Brueguel l'Ancien et le merveilleux diptyque de la *Crucifixion* et du *Jugement Dernier.* De Rubens il apprécie l'autoportrait, *Rubens, sa femme Héléna Fourment et leur fils Peter Paul.* Le *Portrait de Juan de Pareja* par Velásquez est selon lui « une des plus grandes toiles » du maître espagnol. Parmi la plus grande collection de Rembrandt du monde, il choisit le célèbre *Autoportrait.* Watteau *(Mezzetin),* David *(La Mort de Socrate),* Manet *(La Chanteuse Espagnole),* Van Gogh *(Les Cyprès)* et Seurat *(Un dimanche après-midi sur l'île de la Grande Jatte)* complètent cette sélection.

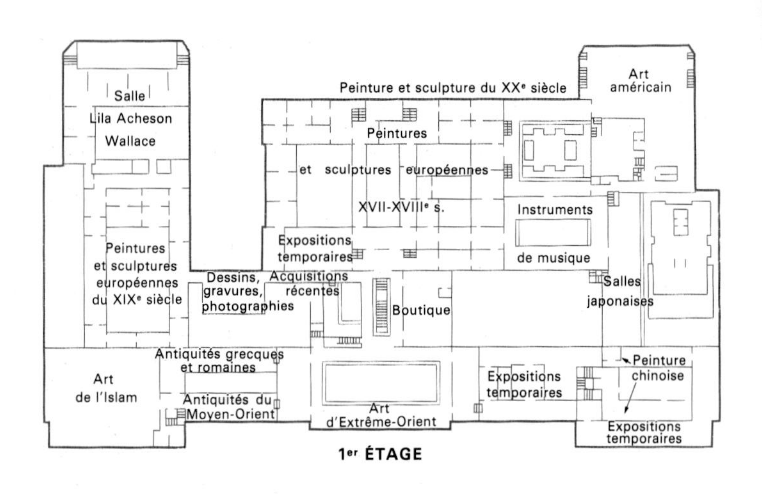

1er ÉTAGE

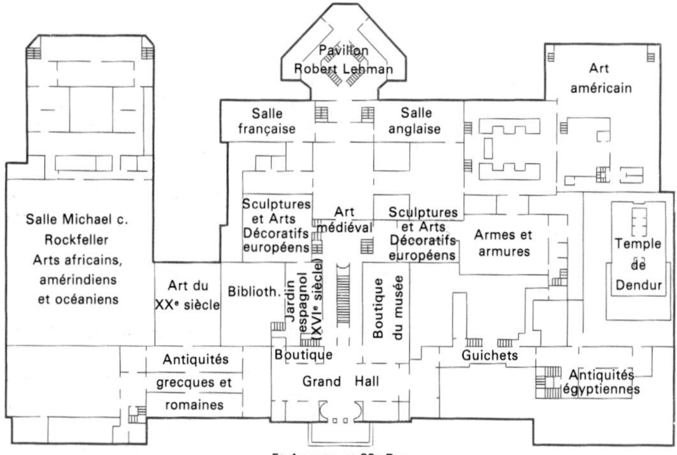

5e Avenue et 82e Rue

REZ-DE-CHAUSSÉE

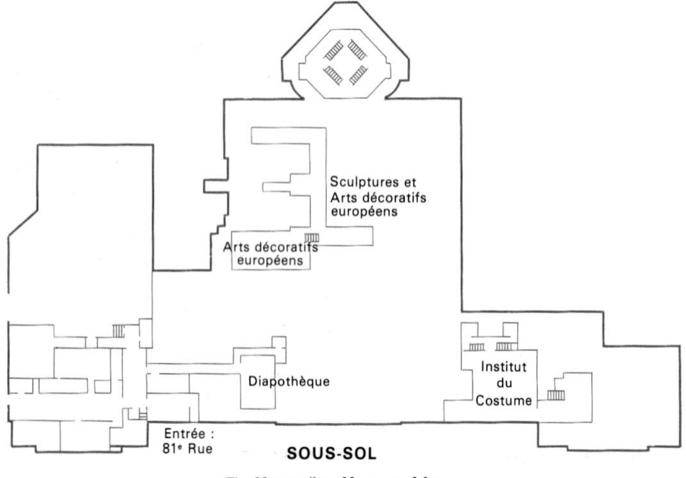

SOUS-SOL

The Metropolitan Museum of Art

Parmi l'admirable collection de statuettes des Cyclades, on remarque le **Joueur de harpe**** (3000 av. J.-C.). Dans une position peu traditionnelle, le musicien joue la tête inclinée. Le souci du détail est admirable, surtout si l'on songe aux outils archaïques employés à l'époque.

La collection de sculpture grecque archaïque comporte un magnifique **kouros**** (statue de jeune homme) en marbre rose, datant du VIIe s. av. J.-C. C'est l'une des plus anciennes statues grecques du musée. On est encore loin de la perfection classique : la position rigide de la statue, le pied gauche en avant et les poings fermés, révèle l'influence de la statuaire égyptienne.

La poterie grecque atteint l'un de ses sommets avec le raffinement technique du **cratère d'Euphronios***** (500 av. J.-C.), qui représente en figures rouges sur fond noir une scène de la mythologie : Sarpédon emporté par le Sommeil (Hypnos) et la Mort (Thanatos). Remarquer les différentes tonalités dans la couleur des cheveux et des barbes des personnages.

Les amateurs d'art romain ne manqueront pas de visiter la chambre à coucher *(cubiculum)* d'une villa de Boscoreale (localité située près de Pompéï) ensevelie par le Vésuve en 79 apr. J.-C. Les vues d'architecture urbaine peintes sur ses murs évoquent un décor de théâtre.

La Michael C. Rockefeller Wing**

Elle abrite des trésors artistiques d'Afrique, d'Océanie et d'Amérique précolombienne. Plus de 2 000 objets y sont exposés : des sculptures en bronze du Bénin, des bois sculptés des Dogons, des sculptures rituelles des redoutables Asmat de Nouvelle-Guinée, des céramiques amérindiennes, des objets eskimo.

Cette admirable collection et ces salles ont été offertes au musée par Nelson Rockefeller, en souvenir de son fils Michael, disparu lors d'une expédition chez les Asmat en 1961.

La Lila Acheson Wallace Wing (art du XXe s.)***

La salle la plus récente du musée, inaugurée en février 1987, consacre 18 000 m² à l'art moderne et contemporain (9 000 toiles, dessins et sculptures).

Rassemblée par Bill Lieberman, cette collection renferme quelque 90 **Klee**, le célèbre *Gertrude Stein* de **Picasso**, de remarquables **Kooning**, quelques belles pièces de **David Smith**, les *Débuts*, triptyque de **Max Beckmann**, sans oublier des œuvres d'**Edward Hopper**, de **Georgia O'Keefe** et l'admirable *Autumn Rythm*** de **Jackson Pollock**, ainsi qu'une série exceptionnelle de toiles des **Expressionnistes Abstraits.**

Art médiéval (Medieval Art)***

Les collections d'art médiéval sont réparties entre ces cinq salles et l'annexe des Cloisters, au nord de Manhattan (voir « Promenades à Manhattan et autour », p. **206**). Plus de 4 000 objets sont ici exposés, les points forts étant l'art byzantin, les ivoires, l'orfèvrerie romane et gothique, les vitraux, les tapisseries et les émaux français.

Une **chapelle romane***** (Romanesque Chapel) a été reconstituée derrière l'escalier principal, à l'entrée de la salle des tapisseries. Celles-ci furent pour la plupart tissées dans des ateliers flamands et français entre le XIVe et le XVIe s. *L'Annonciation* date du début du XVe s., mais ses origines ne sont pas certaines. Découverte en Espagne, elle fut probablement tissée à Arras.

Dans la galerie des sculptures médiévales, une belle grille baroque du XVIIe s. espagnol provient de la cathédrale de Valladolid. Parmi les sculptures figure une **Vierge à l'Enfant**** de l'école bourguignonne (XVe s.), qui se trouvait au couvent des Clarisses à Poligny, dans le Jura. Remarquer l'intimité suggérée entre la mère et le fils et l'impression de réalisme qui s'en dégage.

Armes et armures (Arms and Armors)**

Aux belles armures équestres, aux épées, aux dagues, aux hallebardes, aux lances et aux boucliers font pendant de superbes armes à feu : mousquets, arquebuses, fusils et pistolets. La collection comprend plus de 15 000 objets venant du monde entier.

La salle d'Art américain (American Wing)***

Elle renferme la plus grande collection d'œuvres américaines du monde. Elle est répartie sur trois étages et s'étend de l'époque coloniale (1630) au XXe s. Si l'on veut suivre l'ordre chronologique, il faut d'abord monter au deuxième étage *(Third Floor)*, puis redescendre. La peinture et la sculpture américaines (à l'exception de l'art moderne et contemporain) se trouvent au premier étage *(Second Floor)*.

La cour intérieure (Garden court) comporte entre autres, sous une verrière, la façade néo-classique de la **United States Bank** (1824), des **vitraux de Tiffany** et la célèbre loggia de l'ancienne résidence de Louis Comfort Tiffany. Parmi les peintures, remarquer le célèbre portrait de *George Washington**** par Stuart, la charmante *Femme avec ses chiens**** du peintre naïf Hathaway, l'épique *Washington traversant la Delaware**** de Leertze et la fière *Madame X*** par Sargent. Ne pas oublier les peintres de l'école d'Hudson, dont le plus fameux est **Thomas Cole.** Dans la section réservée aux verreries se trouvent des œuvres remarquables de Tiffany, inspirées par l'Art Nouveau. Parmi les nombreuses reconstitutions d'intérieurs, on notera la salle de séjour de la Little House conçue en 1915, dans le Minnesota, par le célèbre architecte Frank Lloyd Wright.

Sculpture et Arts décoratifs européens (European Sculpture and Decorative Arts)**

Ce département regroupe soixante mille œuvres allant du XVe au XXe s. et privilégiant l'art français. Outre une admirable *Vierge à l'Enfant* d'Andrea Della Robbia et des œuvres de Bernini et Canova *(Persée avec la tête de la Méduse)*, on trouve de nombreux **sculpteurs français** (Houdon, Monnot, Lemoyne, Carpeaux, Degas, Rodin et Maillol).

Les reconstitutions d'intérieurs les plus réussies sont le patio de style Renaissance espagnole du château de Vélez Blanco et la devanture du n° 3 Quai Bourbon à Paris au XVIIIe s. Ne pas oublier les sections consacrées à l'argenterie et à la porcelaine.

Pavillon Lehman***

La fabuleuse collection Robert Lehman fut léguée par le grand banquier new-yorkais à la seule condition que le musée reconstitue, pour l'abriter, sa demeure de la 54e rue. Cette collection de chefs-d'œuvre, évaluée à plus de 100 millions de dollars en 1975, comprend plus de 300 toiles et un millier de dessins d'artistes européens du XIVe au XXe s.

L'école de Sienne est représentée par *Adam et Ève chassés du Paradis*** de **Giovanni Di Paolo,** l'école florentine par l'*Annonciation**** de **Botticelli,** la Renaissance flamande par des **Memling** et des **Petrus Christus. Rembrandt** voisine avec **le Greco** (*Le Christ portant la croix*** et *Saint Jérôme***) et avec **Goya.** La France des XIXe et XXe s. est présente avec le magnifique *Portrait de la princesse de Broglie*** d'**Ingres** et avec des toiles de **Degas, Corot, Renoir, Cézanne, Van Gogh, Matisse, Vlaminck, Derain.**

L'étage inférieur expose de superbes dessins de **Dürer** *(Autoportrait à vingt-deux ans)*, Rembrandt, Botticelli, **Léonard de Vinci,** Ingres, Degas, Cézanne.

Premier étage (Second Floor)

Le grand escalier central mène au premier étage, qui accueille plus de 3 000 peintures européennes, exposées en fonction de la provenance géographique et de la chronologie (XIIe-XIXe s.).

École italienne : *L'Épiphanie**** de **Giotto** appartient à une série de sept panneaux de la vie du Christ. Ce tableau réussit à réunir *L'Annonce aux bergers* (au fond) et *L'Adoration des Mages* en une seule composition. Pour le XVe s., citons **Fra Filippo Lippi** (*Homme et Femme à la fenêtre**),

Le Metropolitan Museum, situé sur Central Park, l'un des plus grands musées du monde, constitue le joyau du Museum Mile.

Sandro **Botticelli** (*La Dernière Communion de saint Jérôme*★★★), et **Sassetta** (*Le Voyage des Mages*★★). Le XVIe s. est représenté par **Raphaël** dont l'*Agonie dans le jardin*★ est remarquable pour sa définition de l'espace, par **Titien** (*Vénus et Adonis*★★★ et *Vénus et le joueur de luth*★★★), par **Véronèse** et le **Tintoret,** figures marquantes de l'école vénitienne.

École espagnole : la puissante *Vue de Tolède*★★★ est un merveilleux exemple du caractère orageux, mystique et dense de la peinture du **Greco,** dont on notera aussi la *Vision de saint Jean* et le *Portrait du cardinal de Guevara.* Le *Portrait de Juan de Pareja*★★, de **Velázquez,** est remarquable par sa précision et sa richesse d'exécution.

École flamande : chefs-d'œuvre de **Van Eyck, Memling, Bosch, Bruegel l'Ancien** (*Les Moissonneurs*★★), **Rubens** (*Vénus et Adonis*★★) et **Van Dyck.**

École hollandaise : dans son *Aristote contemplant le buste d'Homère*★★★, **Rembrandt** restitue grâce à sa technique du clair-obscur la présence solennelle du philosophe grec. Dans son célèbre *Autoportrait,* il révèle sa formidable simplicité. *La jeune fille à l'aiguière*★★★ montre à quel point le rôle de la lumière est prépondérant chez **Vermeer.**

École allemande : grâce à la *Vierge à l'Enfant avec sainte Anne*★★, on peut mesurer l'influence de l'école italienne sur le style gothique de **Dürer.** Le goût de **Lucas Cranach l'Ancien** pour la mythologie se manifeste dans le *Jugement de Pâris.* Quant au *Portrait d'un membre de la famille Wedigh*★★, il illustre le talent de portraitiste de **Holbein.**

École anglaise : toiles de **Hogarth, Reynolds** et **Gainsborough.**

École française : la France du XVIIe est fort bien représentée par *La Diseuse de bonne aventure*★★ de **Georges de La Tour.** Le célèbre *Enlèvement des Sabines*★★ de **Poussin** et les toiles de **Claude Lorrain** voisinent avec la peinture souvent précieuse et coquette du XVIIIe s., celle de **Watteau, Boucher** et **Fragonard.**

Peintures et sculptures du XIXe s. (salles André Meyer)***

Inaugurées en 1980, ces salles forment un des points d'orgue de la visite du Metropolitan Museum. Le néo-classicisme et le romantisme sont représentés par la *Mort de Socrate*** de **David,** par des portraits d'**Ingres** et par *L'Enlèvement de Rebecca*** de **Delacroix.** De superbes **Goya** *(Majas au balcon**, Portrait de Manuel Osorio)* y figurent aussi. La lumière particulière de **Turner** éclaire la vue du *Grand Canal de Venise****.

Parmi les 22 toiles de **Courbet,** on remarquera particulièrement la voluptueuse *Femme au perroquet***, qui fit scandale à l'époque.

Corot, Daumier et **Millet** représentent l'école de Barbizon. Une salle abrite des sculptures de **Rodin, Bourdelle** et **Maillol** tandis qu'une autre est consacrée aux symbolistes : **Puvis de Chavanne, Moreau.**

Mais la plus grande place revient aux impressionnistes et aux post-impressionnistes : on compte 18 **Manet,** 29 **Monet** (dont les célèbres *Peu-*

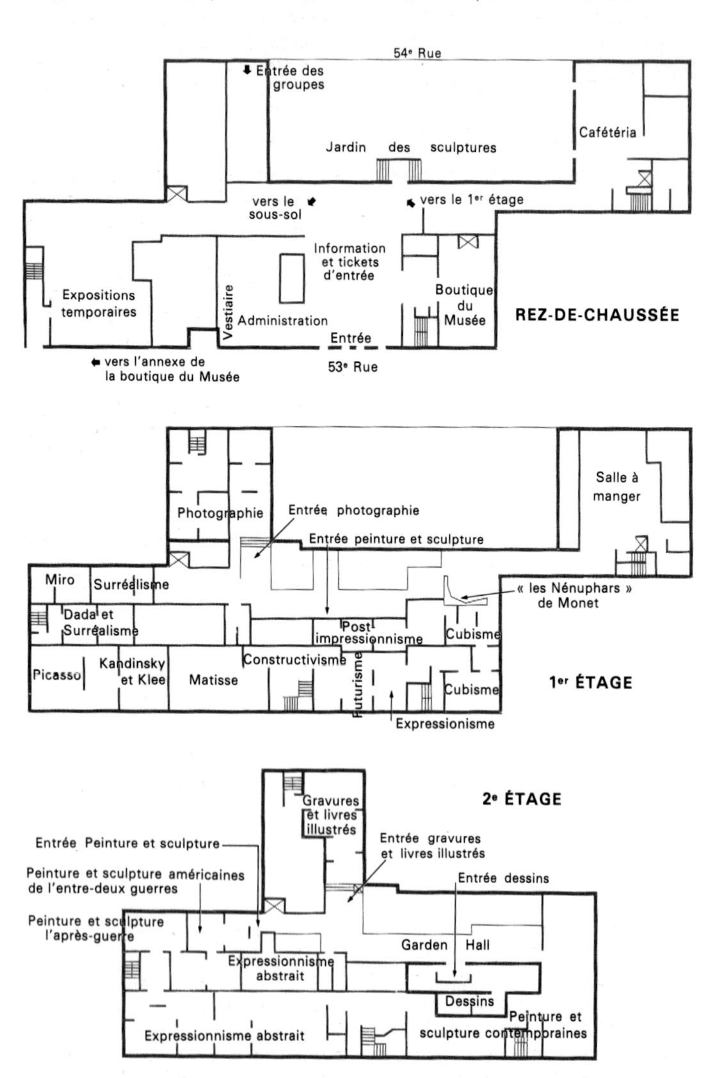

The Museum of Modern Art (MOMA)

pliers★★★), une centaine de **Degas**, des **Renoir**, des **Seurat**, des **Pissarro**. Parmi les 17 **Cézanne**, on trouve la *Montagne Sainte-Victoire* et les *Joueurs de cartes*★★. **Van Gogh** est présent avec *L'Arlésienne*, *Autoportrait au chapeau de paille*, les *Iris*★★★, les *Tournesols*★★★ et les *Cyprès*★★★. La force des couleurs de **Gauguin** se matérialise dans le magnifique *la Orana Maria*★★ (« Je Te salue Marie »). Le **Douanier Rousseau** figure également parmi les artistes du début du XXe s.

Art islamique (Islamic Art)★

Cette collection, l'une des plus belles du monde, est renommée pour ses pièces d'orfèvrerie, ses tapis du XVIe et du XVIIe s., et ses enluminures. Une belle maison du XVIIIe s., provenant de Damas, a été reconstituée avec une grande fidélité.

Antiquités du Moyen-Orient (Ancient Near Easten Art)★

Ce département couvre la période qui s'étend de 6000 av. J.-C. jusqu'à la conquête arabe (626 apr. J.-C.), et comprend des sculptures en pierre sumériennes et de nombreux objets de métal. Un groupe de **bas-reliefs et de statues**★★ assyriennes provenant du palais d'Assurnasirpal à Nimrud comporte deux énormes bœufs ailés à tête humaine qui en gardaient l'entrée.

Art d'Extrême-Orient (Far Eastern Art)★

Sculptures bouddhiques chinoises, peintures chinoises, jades et porcelaines, sculptures de l'Inde et du Sud-Est asiatique. On notera la superbe reconstitution d'un **jardin intérieur**★★★ datant de l'époque Ming (XIVe au XVIIe s.).

Les salles japonaises ont été inaugurées récemment. Une fontaine de granit d'**Isamu Noguchi** orne un minuscule jardin. Remarquer l'admirable paravent japonais d'**Ogata Kōrin**★, dont les iris et les coups de brosse rappellent la peinture occidentale, en particulier celle de Van Gogh.

Instruments de musique (Musical Instruments)★★

Plus de 4000 instruments de musique, parmi lesquels des pièces exceptionnelles du Moyen Âge et de la Renaissance, le premier **piano**★★ de l'histoire et plusieurs **stradivarius**★★, dont un est dans un état exceptionnel.

Sous-sol (Ground Floor)

Institut du costume (Costume Institute)★ : si la collection de costumes et d'accessoires de mode n'est pas exposée en permanence, des expositions temporaires sont organisées sur la haute couture ou sur les costumes régionaux et folkloriques.

THE MUSEUM OF MODERN ART★★★ (MOMA)

Pl. IV, BC2. — *Métro* : 5th Ave./53rd St. (lignes E et F). **Bus** : lignes 1, 2, 3, 4, 5 (Uptown) ; lignes 6, 7 (Downtown).
11 W 53rd St., ☎ 708-9480.
Ouv. du ven. au mar. de 11 h à 18 h, le jeu. de 11 h à 21 h, fermé le mer. Entrée 7,50 $. Le jeu. entrée gratuite de 17 h à 21 h.

Depuis sa fondation en 1929, le MOMA est devenu l'un des carrefours de la vie culturelle new-yorkaise. Sa collection d'art moderne, la première du monde, compte aujourd'hui 4000 tableaux et sculptures, ainsi que 50000 dessins et gravures. Le MOMA a en outre contribué à la reconnaissance de la photographie et du cinéma comme arts à part entière : il possède plus de 20000 photographies et une cinémathèque de 8000 films.

Histoire

A l'origine de sa création, on trouve l'historien d'art **Alfred Barr** et la famille **Rockefeller** qui, en réaction contre le conservatisme du Metropolitan Museum, décidèrent de fonder une institution exclusivement consacrée à l'art postérieur à 1880. La première tâche assignée au musée fut de faire connaître les impressionnistes et post-impressionnistes français par l'organisation d'une exposition en 1929.

En 1939, le MOMA s'installa dans ses locaux définitifs, sur la 53e rue, entre la Cinquième Avenue et l'Avenue of the Americas. En 1984, l'achèvement du programme d'agrandissement et de rénovation permit de doubler sa capacité d'exposition, qui ne dépasse pas cependant le quart de ses collections.

Une description détaillée de ses salles de peinture, de sculpture, de photographie, d'architecture et d'Arts décoratifs ressemblerait à une histoire complète de l'Art moderne des cent dernières années, d'autant que l'agencement chronologique a été choisi. Nous devrons nous contenter dans le cadre de ce guide d'indiquer les œuvres de toute première importance.

VISITE

Le **Hall d'entrée,** au rez-de-chaussée *(Ground Floor)* permet d'accéder à un nouvel espace aux parois vitrées, le **Garden Hall,** derrière lequel se trouve l'**Abby Aldrich Rockefeller Sculpture Garden.** Cet agréable jardin, en plein cœur de Midtown, regroupe des œuvres de **Rodin** *(Balzac** et *Les bourgeois de Calais),* **Maillol, Lipchitz, Picasso** (*La Chèvre**), **Moore, Nevelson** et **David Smith.**

A gauche du Garden Hall, des escaliers mécaniques mènent au sous-sol *(Lower Level)* : salle d'expositions temporaires (René d'Harnoncourt Galleries) et salles de projections (des films sont programmés quotidiennement. Renseignements au bureau d'accueil ou au 708-9490).

Premier étage (Second Floor)

Dans la plupart des salles, le plafond est bas et le sol recouvert de moquette afin de conserver l'aspect intime des œuvres qui y sont exposées. A droite du palier du 1er étage, des escaliers mènent aux salles qui couvrent l'histoire entière de la photographie depuis le XIXe s. et donnent une place de choix aux artistes français et américains **(Lange, Berenice Abbott, Steichen, Weston, Alfred Stieglitz).**

On accède au ***département*** **Peinture et Sculpture** ***(Painting and Sculpture Collections)*** par les salles consacrées aux **post-impressionnistes,** où l'on remarque aussitôt *La Bohémienne endormie*** et *Le Rêve*** (1897) du peintre naïf **Henri Rousseau,** douanier de son état et ami de Picasso, Jarry et Apollinaire. Parmi les rares **Van Gogh,** noter *La Nuit étoilée****, toile pleine de tension. *La Lune et la Terre*** de son ami **Gauguin** révèle l'importance capitale de la couleur pour les post-impressionnistes. Précurseur du cubisme, **Cézanne** est représenté par une *Nature morte aux Pommes*** et par *Le Baigneur***.

La salle des **cubistes** est dominée par les œuvres de **Picasso, Braque, Gris** et **Léger.** *Les Demoiselles d'Avignon**** (1907), de Picasso, est l'œuvre capitale de ce mouvement. Une salle voisine est consacrée à la série des *Nymphéas*** de **Monet,** où la couleur prédomine sur la ligne. On peut également admirer des œuvres des **fauves : Matisse, Derain** *(Les Baigneuses),* **Vlaminck.**

Le MOMA possède 17 toiles de **Piet Mondrian,** dont la célèbre *Composition en noir, blanc et rouge***, bel exemple d'abstraction géométrique. Et, puisqu'on est à New York, on comprendra mieux *Broadway Boogie Woogie*** (1943), une des dernières grandes toiles du peintre hollandais.

Parmi les **expressionnistes,** citons **Rouault** et les Allemands **Kirchner** et **Nolde.** L'intérêt des **futuristes** pour le mouvement et la vitesse est décelable chez **Giacomo Balla, Umberto Boccioni** et **Gino Severini.** Des suprématistes et constructivistes russes, **Kasimir Malevitch** est sans doute le plus important avec *Carré blanc sur fond blanc*** et *Carré rouge et Carré noir***.

La salle consacrée à* Matisse** expose la quasi-totalité des 40 pièces appartenant au musée, dont *La Danse*. On a ainsi un aperçu de l'évolution du peintre, dont l'œuvre a toujours été dominée par la couleur. *La Piscine***, son célèbre collage, est exposé au deuxième étage *(Third Floor),* afin de montrer son influence sur les expressionnistes abstraits.

Klee et **Kandinsky** sont réunis dans une même salle, comme ils l'étaient dans la vie. Le Russe **Kandinsky** fut un des théoriciens de l'abstraction, tandis que le Suisse **Klee** passa d'une inspiration proche du surréalisme au travail sur les lignes et à la recherche du dépouillement.

***Une salle entière consacrée à* Picasso** permet de découvrir les innombrables sources d'inspiration du peintre espagnol.

Le MOMA donne également beaucoup d'importance aux **dadaïstes** et aux **surréalistes** : **Picabia** *(Je revois en souvenir ma chère Udnie),* et **Marcel Duchamp** *(Le passage de la Vierge à la Mariée),* **Dali** *(Persistance de la Mémoire),* **Magritte, Max Ernst** *(Femme, Vieillard et Fleur),* **De Chirico** *(Nostalgie de l'Infini).* Du grand surréaliste espagnol **Joan Miró,** on peut admirer *Intérieur hollandais* (1928), inspiré par la peinture hollandaise du XVIIe s.

Deuxième étage (Third Floor)

Cet étage est consacré en grande partie à la peinture et à la sculpture américaines du XXe s. On appréciera les toiles d'Edwin Dickinson, de Ben Shahn et *Le Monde de Christina,* exécuté par Andrew Wyeth dans un style réaliste.

Peinture

En Europe, les principaux représentants de l'expressionnisme abstrait sont **Mathieu, Bazaine, Hans Hartung, Soulages** et **de Staël.** La riche école américaine regroupe les peintres **Kline, Gottlieb, de Kooning** *(Femme I* et *Femme II),* **Mark Rothko** *(Rouge, marron et noir),* **Motherwell** *(Élégie pour la République espagnole).* Le plus important d'entre eux, **Jackson Pollock,** figure centrale de l'**Action Painting** («peinture gestuelle») est représenté par le superbe *One Number 31* et par *Full Fathom Five,* qui s'inspire d'un sonnet de Shakespeare. Le mouvement **Pop Art,** essentiellement américain, est présent avec **Rauschenberg, Andy Warhol** *(Ten Marylins),* **James Rosenquist, Jasper Johns** *(Tir à blanc avec quatre visages),* **George Segal** et **Roy Lichtenstein** *(Drowning Girl).*

Sculpture

De nombreuses sculptures sont exposées à l'intérieur du musée : citons **Bourdelle,** le Roumain **Brancusi** *(L'oiseau),* l'Italien **Giacometti** et ses formes allongées, les stabiles et mobiles de **Calder,** l'Espagnol **Julio González,** le Français **César,** l'Américano-Japonais **Nogushi** et **Barbara Hepworth.**

Gravures et livres illustrés

Cette section comporte plusieurs milliers d'œuvres, depuis Degas jusqu'à nos jours. Des expositions temporaires sont organisées régulièrement. Ne pas manquer les estampes de l'expressionniste autrichien **Egon Schiele.**

Dessins

Les collections du musée comportent des milliers de dessins des artistes modernes et contemporains (surréalistes, Russes, Klee, Dubuffet, etc.).

Troisième étage (Fourth Floor)

L'architecture, le dessin industriel et les Arts décoratifs occupent cet étage. On peut y admirer des projets de l'architecte **Hector Guimard,** des dessins de **Le Corbusier, Mies Van der Rohe** et **Frank Lloyd Wright,** des meubles (une chaise en bois de **Rietveld**), des voitures et même un hélicoptère.

THE WHITNEY MUSEUM OF AMERICAN ART***

Pl. IV, C1. — ***Métro*** : 77th St./Lexington Ave. (ligne 6, *local*). ***Bus*** : lignes 1, 2, 3, 4.
946 Madison Ave., à l'angle de la 75e rue, ☎ 570-3600.
Ouv. le mar. de 13 h à 20 h, du mer. au sam. de 11 h à 17 h, le dim. de 11 h à 18 h. Le mar. entrée gratuite après 18 h.

Histoire

Le Whitney Museum, consacré exclusivement à l'art américain du XXe s., est unique en son genre. Dès 1918, **Gertrude Vanderbilt Whitney,** riche héritière et sculpteur, installa une galerie d'art dans son atelier de Greenwich Village afin d'exposer les œuvres de nombreux peintres et sculpteurs refusés partout ailleurs. Sa collection personnelle grandissant au même rythme que l'intérêt du public, elle décida en 1930 de fonder un musée à partir des 600 œuvres de sa collection.

Aujourd'hui, le Whitney Museum rassemble plus de 10000 œuvres (toiles, dessins, sculptures, films) des plus grands artistes américains de notre siècle. Une politique d'achats audacieuse et des expositions temporaires originales le placent au tout premier rang des musées new-yorkais.

De plus, la Biennale organisée par le Whitney s'est imposée comme un véritable événement national. De nombreux artistes vivants y exposent leurs créations récentes à intervalles réguliers (prochaine Biennale prévue pour le printemps 1993).

Enfin, les quatre annexes du musée, réparties dans Manhattan et sa banlieue, font connaître l'art américain contemporain au grand public, et les films et vidéos d'avant-garde occupent une place importante dans la programmation. Cette orientation novatrice est couronnée de succès, comme l'attestent les 500000 visiteurs accueillis annuellement.

Le bâtiment du Whitney (1966), a la forme d'une pyramide tronquée et inversée. Il a été dessiné par **Marcel Breuer** et édifié en granit et béton brut. Sur la façade et sur les côtés de l'immeuble, seules sept fenêtres trapézoïdales éclairent l'intérieur. Au pied du bâtiment, en contrebas, se trouve un jardin visible du pont d'accès.

VISITE

Les accrochages et expositions du Whitney Museum changent souvent. Nous nous en tiendrons donc à quelques œuvres capitales. Tous les mouvements des arts plastiques américains du XXe s. sont représentés, à commencer par le groupe **The Eight,** initiateur du réalisme urbain dans le premier quart du siècle. **Maurice Prendergast** et **John Sloan** en sont les principaux représentants.

La grande école réaliste des années 30 est également présente avec des toiles de **Ben Shahn** *(La Passion de Sacco et Vanzetti),* les 2500 œuvres du legs **Edward Hopper** *(Early Sunday Morning, Railroad Sunset)*, les toiles de **Thomas Hart Benton** et les 900 tableaux et dessins de **Reginald Marsh.**

On peut aussi apprécier l'influence des peintres européens du début du siècle sur **Georgia O'Keefe** *(Flower Abstraction, White Calico Flower* et *It Was Blue and Green)*, **Stuart Davis** *(Coin de Paris* et *Rue Lippe)* et David Demuth *(My Egypt)*. Parmi les sculpteurs de l'entre-deux-guerres, il faut noter **Isamu Noguchi, Louise Nevelson, Gaston Lachaise** et **Alexander Calder,** dont l'amusant *Cirque* miniature, conçu en fil de fer et tissu, met en scène des personnages et des animaux.

Les collections du musée possèdent naturellement de nombreuses œuvres des artistes de l'école de New York. Ainsi, **Jackson Pollock,** chef de file de l'expressionnisme abstrait, est représenté par plusieurs tableaux, dont le remarquable *Number 27*. Les autres grands noms de ce mouvement sont **Arshile Gorky, Franz Kline, Willem de Kooning, Barnett Newman, Rothko, Gottlieb** et le sculpteur **David Smith.**

Le **Pop Art** figure également en bonne place avec **Andy Warhol** *(Bouteilles vertes de Coca Cola)*, **Johns** (le célèbre *Three Flags*), **Lichtenstein** *(Little Big Painting)* et l'hyperréaliste Richard Estes *(The Candy Store)*.

Le Whitney Museum possède également un excellent fonds de dessins et gravures contemporains, ainsi qu'une importante collection de films et vidéos d'avant-garde.

UNE SÉLECTION PARMI LES AUTRES MUSÉES DE NEW YORK

*ABIGAIL ADAMS SMITH MUSEUM***

Pl. IV, D2. — Métro : 59th St./Lexington Ave. (lignes 4, 5, 6) ; Lexington Ave./60th St. (lignes N, R). Bus : lignes 31, 101, 102.
421 E 61st St., ☎ 838-6878.
Ouv. du lun. au ven. de 10 h à 16 h, fermé les sam. et dim.

Véritable havre de paix en plein cœur de Midtown, cette charmante écurie (1799) faisait partie d'une propriété de 10 ha appartenant à la fille de John Adams, deuxième président des États-Unis. La ville se trouvait alors à 8 km au sud. La reconstitution intérieure a été exécutée dans le style fédéral de l'époque, avec des meubles et des objets de la famille Adams.

*NATIONAL MUSEUM OF THE AMERICAN INDIAN*** (MUSÉE DES AMÉRINDIENS)

Pl. VI, A1. — Métro : 157th St./Broadway (ligne 1) ; 155th St./St. Nicholas Ave. (lignes B, A). Bus : lignes 4, 5.
Broadway et 155th St. ☎ 283-2420.
Ouv. du mar. au sam. de 12 h à 17 h, le dim. de 13 h à 17 h.

Ce musée, qui fait partie d'**Audubon Terrace,** est dédié exclusivement aux cultures amérindiennes, du Cercle Arctique à la Terre de feu. Ses collections rassemblent aussi bien des vestiges archéologiques que des objets d'art précolombien. Un projet de fusion avec un grand musée est actuellement à l'étude.

*ASIA SOCIETY (ASIA HOUSE GALLERY)***

Pl. IV, C1. — Métro : 68th St./Hunter College (ligne 6, *local*). Bus : lignes 1, 2, 3, 4.
725 Park Ave. et E 70th St., ☎ 288-6400.
Ouv. du mar. au sam. de 11 h à 18 h, le dim. de 12 h à 17 h, fermé le lun.

Dans un beau bâtiment de granit, un des nombreux cadeaux offerts à la ville de New York par la famille Rockefeller. Ses collections de peinture, de sculpture et de porcelaines asiatiques (Chine, Japon, Inde et Indochine) figurent parmi les plus importantes du monde. Les expositions temporaires s'attachent à présenter tous les aspects des civilisations asiatiques.

*MUSEUM OF THE CITY OF NEW YORK***

Pl. V, C1. — Métro : 103rd St./Lexington Ave. (ligne 6, *local*). Bus : lignes 1, 2, 3, 4.
1220 5th Ave. et 103rd St., ☎ 534-1672.
Ouv. du mer. au sam. de 10 h à 17 h, le dim. de 13 h à 17 h.

Ce musée consacré à la vie de New York propose des reconstitutions d'intérieurs (dont la chambre à coucher de John D. Rockefeller), des costumes d'époque, des photographies, une charmante collection de jouets et de poupées, et un excellent montage audio-visuel sur l'histoire de la ville. Le dimanche, d'avril à octobre, le musée organise des visites guidées de différents quartiers de New York.

*COOPER-HEWITT MUSEUM** (SMITHSONIAN INSTITUTE NATIONAL MUSEUM OF DESIGN)*

Pl. V, C2. — Métro : 86th St./Lexington Ave. (lignes 4, 5 et 6). Bus : lignes 1, 2, 3, 4.
5th Ave. et 91st St., ☎ 860-68/98.
Ouv. le mar. de 10 h à 21 h, du mer. au sam. de 10 h à 17 h, le dim. de 12 h à 17 h.

La plus vaste collection d'Arts décoratifs des États-Unis occupe l'ancienne demeure d'Andrew Carnegie. Des tissus, des papiers peints, des meubles, des objets de verre, des vêtements, des dessins et des gravures ont été rassemblés dans les 64 salles de cet élégant hôtel particulier de style néo-Renaissance.

*HISPANIC SOCIETY OF AMERICA***

Pl. VI, A1. — Métro : 157th St./Broadway (ligne 1) ; 155th St./St. Nicholas Ave. (lignes A et B). Bus : lignes 4, 5.
Broadway et 155th St., ☎ 926-2234.
Ouv. du mar. au sam. de 10 h à 16 h 30, le dim. de 13 h à 16 h, fermé le lun.

Au centre de l'ensemble d'**Audubon Terrace,** ce musée se consacre à l'art et la civilisation des peuples ibériques, de la préhistoire à nos jours. La peinture, la sculpture et les Arts décoratifs sont largement représentés, avec en particulier des toiles du Greco, de Velàsquez et de Goya.

*INTERNATIONAL CENTER OF PHOTOGRAPHY***

Pl. V, C2. — Métro : 96th St./Lexington Ave. (ligne 6, *local*). Bus : ligne M19.
1130 5th Ave. et 94th St., ☎ 860-1777.
Ouv. du mar. au jeu. de 12 h à 20 h, du ven. au dim. de 12 h à 18 h.

Cet excellent musée propose des expositions temporaires de photographies qui attirent un grand nombre d'amateurs.

*PIERPONT MORGAN LIBRARY***

Pl. III, C1. — Métro : 33rd St./Park Ave. (ligne 6, *local*). Bus : lignes 1, 2, 3, 4.
29 E 36th St., entre Madison Ave. et Park Ave., ☎ 685-0610.
Ouv. du mar. au sam. de 10 h 30 à 17 h, le dim. de 13 h à 17 h, fermé le dim. en juil. et août.

Le banquier **J. Pierpont Morgan** était un grand collectionneur de manuscrits, d'enluminures, de gravures, de livres et de tableaux. A sa mort, son hôtel particulier fut transformé en bibliothèque. On peut y admirer une Bible de Gutenberg, le **Livre d'Heures de la Princesse de Clèves****, des œuvres de Shakespeare, des manuscrits de Byron et de Dickens, des papyrus égyptiens, des tablettes cunéiformes du Moyen-Orient et un portrait de *Luther et sa femme** par Lucas Cranach l'Ancien.

AMERICAN CRAFT MUSEUM*

Pl. IV, C2. — Métro : 5th Ave./53rd St. (lignes E, F). ☎ 956-6047.
44 W 53rd St., entre la 5e Avenue et l'Avenue of the Americas.
Ouv. les mar. et ven. de 10 h à 20 h, les mer., jeu., sam. et dim. de 10 h à 17 h, fermé le lun.
Annexe au 77 W 45th St., ☎ 397-0630, *ouv. du lun. au ven. de 11 h à 19 h, fermé le week-end.*

Récemment installé dans ce bel immeuble en brique, le musée abrite des collections et des expositions temporaires sur l'artisanat américain de haute qualité (bois, céramique, verre, métal, papier). Son annexe sert de complément aux expositions.

MUSEUM OF AMERICAN FOLK ART*

Pl. IV, BC2. — Métro : 5th Ave./53rd St. (ligne E).
49 W 53rd St., entre la 5e Avenue et l'Avenue of the Americas, ☎ 977-7170.
Ouv. le mar. de 10 h 30 à 20 h, du mer. au dim. de 10 h 30 à 17 h 30, fermé le lun.

Ce musée, fondé en 1963 pour favoriser l'art populaire américain, présente des expositions d'artisanat. On peut y voir des santons du Sud-Ouest américain, des girouettes, des édredons en patchwork, des céramiques, du mobilier appartenant à la secte religieuse des Shakers, et de magnifiques statues polychromes indiennes.

MUSEUM OF AMERICAN ILLUSTRATION* (SOCIETY OF ILLUSTRATORS)

Pl. IV, C2. — Métro : 59th St./Lexington Ave. (lignes 4, 5 et 6) ; Lexington Ave./60th St. (lignes N, R).
128 E 63rd St. et Park Ave., ☎ 838-2560.
Ouv. du lun. au ven. de 10 h à 17 h, jusqu'à 20 h le mar. F. en août.

Les immenses collections de la Société des illustrateurs sont présentées dans le cadre d'expositions temporaires organisées par thèmes, par auteurs ou dans une optique historique. Andy Warhol, Norman Rockwell et beaucoup d'autres artistes de premier plan y sont présents.

AMERICAN NUMISMATIC SOCIETY*

Pl. VI, A1. — Métro : 157th St./Broadway (ligne 1) ; 155th St./St. Nicholas Ave. (lignes A et B). Bus : lignes 4, 5.
Broadway et 155th St. ☎ 234-3130.
Ouv. du mar. au sam. de 9 h à 16 h 30 ; sonner pour entrer.

Ce musée, qui fait également partie d'**Audubon Terrace,** utilise ses collections pour présenter des expositions sur l'histoire des monnaies.

MUSEO DEL BARRIO**

Pl. V, C1. — Métro : 103rd St./Lexington Ave. (ligne 6, *local*). Bus : lignes 1, 2, 3, 4.
1230 5th Ave. et 104th St., ☎ 831-7272/73.
Ouv. du mer. au dim. de 11 h à 17 h.

Sous la direction de Mme Barreras, cette institution cherche à faire connaître l'art portoricain et latino-américain aux États-Unis. Des expositions temporaires sont consacrées aux artistes du ghetto et d'ailleurs. Le musée possède en outre une intéressante collection de santons anciens et modernes d'Amérique latine.

BIBLE HOUSE★ (AMERICAN BIBLE SOCIETY)

Pl. IV, B2. — Métro : 59th St.-Columbus Circle (lignes 1, 9, A, B, C, D).
1865 Broadway et 61st St., ☎ 408-1200.
Ouv. du lun. au ven. de 9 h à 17 h, fermé les sam. et dim.

Livres saints en tous genres : depuis des fragments des Manuscrits de la Mer Morte jusqu'à la Bible de Gutenberg et une bible en braille. Des expositions temporaires sont organisées. La bibliothèque spécialisée renferme 30 000 volumes écrits en 1 600 langues.

MUSEUM OF HOLOGRAPHY★ (MUSÉE DE L'HOLOGRAPHIE)

Pl. II, B1. — Métro : Canal St./Broadway (lignes 1, 6, N, R). Bus : lignes 1, 6.
11 Mercer St. (SoHo, près de Canal Street), ☎ 925-0581.
Ouv. du mar. au sam. de 11 h à 18 h, fermé les lun. et dim.

L'holographie est un procédé permettant de reproduire une photographie en trois dimensions à l'aide de rayons lasers. On trouvera dans ce musée de fascinantes expositions.

JEWISH MUSEUM (MUSÉE JUIF)★

Pl. V, C2. — Métro : 96th St./Lexington Ave. (ligne 6, *local*). Bus : lignes 1, 2, 3, 4.
1109 5th Ave. et 92nd St., ☎ 399-3440.
Ouv. du lun. au jeu. de 12 h à 17 h, le mar. de 12 h à 21 h, le dim. de 11 h à 18 h, fermé les ven. et sam.

La plus grande collection mondiale d'art et de culture juifs est rassemblée dans l'ancien hôtel particulier du banquier Felix M. Warburg. On y trouve des *menorah* (chandeliers à sept branches), des tissus, des poteries, de l'argenterie et de l'orfèvrerie religieuse. La collection Benguiat comprend des objets allant du Moyen Âge à nos jours.

NEW MUSEUM OF CONTEMPORARY ART★

Pl. II, B1. — Métro : Spring St./Lafayette St. (ligne 6, *local*) ; Prince St./Broadway (lignes D, N, R). Bus : lignes 1, 5, 6.
583 Broadway, ☎ 219-1222.
Ouv. les mer., jeu. et dim. de 12 h à 18 h, le ven. de 12 h à 22 h, le sam. de 12 h à 20 h, fermé les lun. et mar.

Fondé en 1977 en plein SoHo, le New Museum mène une politique dynamique qui met l'accent sur l'art de ces dix dernières années. Il s'oppose, sous la houlette de Marcia Tucker, à la commercialisation de l'art, et cherche à promouvoir une création critique de recherche. Afin d'éviter la sclérose, il est prévu que tous les dix ans les collections seront vendues aux enchères dans leur totalité.

POLICE ACADEMY MUSEUM★

Pl. III, C2. — Métro : 23rd St./Park Ave. South (ligne 6, *local*).
235 E 20th St. et 2nd Ave., ☎ 477-9753.
Ouv. du lun. au ven. de 9 h à 15 h, fermé les sam. et dim.

Les amateurs de menottes, de matraques et d'armes à feu ne manqueront pas de visiter le plus fameux musée policier des États-Unis.

SONGWRITER'S HALL OF FAME MUSEUM★

Pl. IV, B2. — Métro : 59th St./Columbus Circle (lignes A, B, C, D, 1, 9) ; Bus : lignes M5, M7, M10, M30, M57, M58, M104.
950 8th Ave., entre 56th et 57th St., ☎ 319-1444.
Ouv. du mar. au sam. de 10 h à 15 h.

Ce petit musée, fondé en 1977 et installé ici au printemps 1992, possède des manuscrits, des photographies, des instruments et des objets retraçant l'histoire de la musique populaire aux États-Unis. On peut y voir, entre autres, la table de travail de Gershwin, des objets ayant appartenu à Fats Waller et Elvis Presley, des pianos, des guitares et des synthétiseurs.

THEODORE ROOSEVELT BIRTHPLACE★

Pl. III, C2. — Métro : 23rd St./Broadway (lignes 6, N, R). Bus : M, 1, 2, 3, 5, 6, 7.
28 E 20th St., ☎ 260-1616.
Ouv. du mer. au dim. de 9 h à 17 h, fermé les lun. et mar.

Theodore Roosevelt, chasseur, explorateur, Prix Nobel de la Paix, aventurier et président des États-Unis (1901-1909) est né au sein d'une vieille famille new-yorkaise. Sa maison natale de Gramercy Park a été démolie, mais on l'a reconstruite et reconstituée intérieurement. On peut donc visiter le salon, le bureau et la chambre à coucher de cet homme d'État entreprenant. A la vue de sa petite robe de baptême, on découvrira que cet homme taillé en Hercule était, à l'origine, un enfant chétif et asthmatique.

LES GALERIES DE NEW YORK QUARTIER PAR QUARTIER

UPTOWN

Pl. IV, C1. Uptown, et particulièrement Madison Avenue entre la 57e rue et la 79e rue, est la partie la plus élégante de New York. Les grands noms de la haute couture, les boutiques d'antiquité s'y regroupent pour satisfaire une clientèle raffinée. Les galeries d'art essaimées dans ce quartier ont le même propos. Elles bénéficient, en plus, de la proximité des musées.

Claude Bernard Gallery

33 E 74th St., ☎ 988-2050. Métro : 77th St./Lexington Ave. (ligne 6, *local*). *Ouv. du mar. au sam. de 9 h 30 à 17 h 30.*

Branche de la galerie parisienne. Artistes européens et américains des XIXe et XXe s. (Cardenas, Cremonini, Morales, Séguì, Szafran, Bravo, etc.)

Carus Gallery

872 Madison Ave. et 71th St., ☎ 879-4660. Métro : 68th St./Hunter College (ligne 6, *local*). *Ouv. du mar. au sam. de 11 h à 17 h.*

Spécialisée dans les artistes du début du siècle, particulièrement les futuristes italiens, constructivistes russes, expressionnistes allemands et les artistes du Bauhaus : Feininger, Kirchner, Kupka, Malevitch, Moholy-Nagy, Nolde, Schwitters.

Castelli Graphics

4 E 77th St., ☎ 941-9855. Métro : 77th St./Lexington Ave. (ligne 6, *local*). *Ouv. du mar. au sam. de 10 h à 18 h.*

Gravures et lithographies en édition limitée de peintres américains contemporains : Jasper Johns, Ellsworth Kelly, Roy Lichtenstein, Julian Schnabel, Andy Warhol. Également des photographies et des dessins.

David Findlay Galleries

984 Madison Ave. et 77th St., ☎ 249-2909. Métro : 77th St./Lexington Ave. (ligne 6, *local*). *Ouv. du mar. au sam. de 10 h à 17 h.*

Artistes américains et européens des XIXe et XXe s., en particulier peintres français de cette période : Boudin, Brianchon, Guillaumin, Segonzac.

Hemingway African Gallery

1050 2nd Ave. et 55/56th St., ☎ 838-3650.

Tenue par Sean et Edward Hemingway, petits-fils de l'écrivain. Art africain.

Hirschl and Adler et Hirschl and Adler Modern

21 E 70th St., ☎ 535-8810. Métro : 68th St./Hunter College (ligne 6, *local*). *Ouv. du mar. au ven. de 9 h 30 à 17 h 15, le sam. de 9 h 30 à 16 h 45*; et 851 Madison Ave., ☎ 744-6700. Métro : 68th St. *Ouv. du mar. au ven. de 9 h 30 à 17 h 30, le sam. de 9 h 30 à 17 h.*

La première possède une belle collection de dessins, aquarelles et peintures d'Edward Hopper. La deuxième présente des artistes contemporains tels Joan Snyder, John Lee et l'Anglais Graham Nickson.

M. Knoedler & Co

19 E 58th St., ☎ 794-0550. Métro : 5th Ave./59th-60th St., lignes N et R. *Ouv. du mar. au sam. de 9 h 30 à 17 h 30.*

Peintres américains contemporains, particulièrement expressionnistes abstraits : Richard Diebenkorn, Adolph Gottlieb, Howard Hodgkin, Robert Motherwell, Jules Olitski, David Smith, Frank Stella. Maîtres allemands, flamands et italiens (sur rendez-vous) et peintres impressionnistes.

Prakapas Gallery

19 E 71st St., ☎ 737-6066. Métro : 68th St./Hunter College (ligne 6, *local*). *Ouv. du mar. au sam. de 12 h à 17 h.*

Une des galeries de photos les plus connues des États-Unis (photographes des années 20 et 30). Tirages originaux de Laszlo Moholy-Nagy, Man Ray, entre autres.

57e RUE

Pl. IV, C2. La 57e rue est traditionnellement le haut lieu de l'art à New York. De prestigieuses galeries — souvent regroupées à des étages différents d'un même bâtiment — s'y sont installées et exposent les œuvres d'artistes morts ou vivants dont la célébrité est internationalement reconnue.

Blum Helman Gallery

20 W 57th St., ☎ 245-2888. Métro : 57th St./Ave. of the Americas (ligne S, *local*). *Ouv. du mar. au sam. de 10 h à 18 h.*

Irving Blum et Joseph Helman, les deux directeurs associés de la galerie, montrent les œuvres de peintres contemporains consacrés (Diebenkorn, Ellsworth Kelly, Richard Serra) ou encore peu connus (Bryan Hunt ou Donald Sultan).

Blum Helman a ouvert récemment une galerie dans SoHo : **Blum Helman Warehouse,** 80 Greene St., II, B1, ☎ 226-8770. Métro : Prince St./Broadway (lignes N, R). *Ouv. du mar. au sam. de 10 h à 18 h.*

Andre Emmerich Gallery

41 E 57th St., ☎ 752-0124. Métro : 5th Ave./59th-60th St. (lignes N, R). *Ouv. du mar. au sam. de 10 h à 17 h 30.*

Artistes américains contemporains (Sam Francis, Helen Frankenthaler, Kenneth Noland, David Hockney). Également une section d'œuvres classiques et d'art précolombien.

David Findlay Jr. Fine Art

41 E 57th St., ☎ 486-7660. Métro : 5th Ave./59th-60th St. (lignes N, R). *Ouv. du mar. au sam. de 9 h 30 à 17 h 30.*

Peinture américaine du XIXe s. et du début du XXe s., en particulier impressionnistes américains (Hassam, Homer, Inness, Kensett, Metcalf, Stuart).

Gallery of Applied Arts

24 W 57th St., ☎ 765-3560. Métro : 57th St./Ave. of the Americas (ligne S, *local*). *Ouv. du lun. au ven. de 9 h 30 à 17 h 30.*

Pour les amateurs d'Arts décoratifs : une excellente collection permanente de mobilier et d'objets conçus par des sculpteurs et des architectes du monde entier.

Marian Goodman Gallery/Multiples Inc.

24 W 57th St., ☎ 977-7160. Métro : 57th St./Ave. of the Americas (ligne S, *local*). *Ouv. du lun. au sam. de 10 h à 18 h.*

Artistes contemporains américains et européens (Tony Cragg, Anselm Kiefer, Sigmar Polke, Robert Wilson, etc.), ainsi que des dessins et épreuves de John Chamberlain, de Claes Oldenburg, Susan Rothenberg, Sol LeWitt.

Jackson-Iolas Gallery

52 E 57th St., ☎ 755-6678. Métro : 5th Ave./59th-60th St. (lignes N, R).

Peinture moderne européenne et américaine.

Sidney Janis Gallery

110 W 57th St., ☎ 586-0110. Métro : 57th St./7th Ave. (lignes D, R, N). *Ouv. du lun. au sam. de 10 h à 17 h 30.*

L'une des galeries les plus connues, installée depuis plus de 40 ans sur la 57e rue. Grands noms de l'art moderne européen et américain : Albers, Duchamp, Gorky, Kandinsky, Kline, de Kooning, Léger, Mondrian, Pollock, Rothko, George Segal, Tom Wesselmann. La collection personnelle de Sidney Janis se trouve maintenant au Musée d'Art moderne.

Galerie Maeght Lelong

20 W 57th St., ☎ 315-0470. Métro : 57th St./Ave. of the Americas (ligne S, *local*). *Ouv. du mar. au sam. de 10 h à 17 h 30.*

La galerie Maeght-Lelong possède également des succursales à Paris et à Zurich. Elle est spécialisée dans l'art européen et américain du XXe s. Artistes internationalement consacrés, tels Alechinsky, Chagall, Giacometti, de Kooning, Miro, Riopelle, Serra, Tapies.

Marlborough Gallery

40 W 57th St., ☎ 541-4900. Métro : 57th St./Ave. of the Americas (lignes B, Q). *Ouv. du lun. au ven. de 10 h à 17 h 30, le sam. de 10 h à 17 h.*

Peintres et sculpteurs européens et américains de renom : Francis Bacon, Oskar Kokoschka, Henri Moore, Kurt Schwitters. Artistes contemporains : Fernando Botero, Red Grooms, Alex Katz. Photographies d'Eugène Atget, Brassaï, H. Newton.

Robert Miller Gallery

41 E 57th St., ☎ 980-5454. Métro : 5th Ave./59th-60th St. (lignes N, R). *Ouv. du mar. au sam. de 10 h à 17 h 30.*

Art moderne et contemporain, plus particulièrement axé sur l'art figuratif. Nombreux peintres européens et américains (Louise Bourgeois, Jedd Garet, Jean Hélion, Lee Krasner). La galerie présente également des photographes (Robert Mapplethorpe, etc.) ainsi que des artistes classiques.

Pace Gallery of New York

32 E 57th St., ☎ 421-3292. Métro : 5th Ave./59th-60th St. (lignes N, R). *Ouv. du mar. au ven. de 9 h 30 à 17 h 30, le sam. de 10 h à 18 h.*

Une des plus prestigieuses galeries qui présente les œuvres d'artistes modernes et contemporains internationalement consacrés (Chuck Close, Jim Dine, Jean Dubuffet, Agnes Martin, Picasso, Lucas Samaras, Julian Schnabel). Section d'arts africain et primitif. Également éditeur d'art.

Galerie Saint-Étienne

24 W 57th St., ☎ 245-6734. Métro : 57th St./Ave. of the Americas (lignes B, Q). *Ouv. du mar. au sam. de 11 h à 17 h.*

A l'origine installée à Vienne, la galerie est depuis 1939 sur la 57e rue. Expressionnistes autrichiens et allemands (Gustav Klimt, Oskar Kokoschka, Egon Schiele), et peintres américains (John Kane, Grandma Moses).

EAST VILLAGE

La première galerie d'art à s'installer dans l'East Village (Fun Gallery, en 1982) a déjà disparu depuis plus de deux ans, mais elle a entraîné dans son sillage une multitude de petites galeries qui, pour plusieurs raisons, ont préféré tenter l'aventure dans ce quartier peuplé par des Portoricains et par la vieille immigration ukrainienne.

Elles se sont installées dans les boutiques abandonnées du quartier, bénéficiant de bas loyers, et ont créé leur propre marché de l'art, certains des jeunes propriétaires de galerie étant eux-mêmes des artistes qui ne pouvaient exposer dans les galeries fameuses de SoHo ou de la 57e rue.

Les acheteurs d'art se sont intéressés à ce phénomène et ont investi dans des artistes encore peu connus et dont la cote restait modérée. La rénovation du quartier a repoussé les anciens habitants, les boutiques de vêtements, les restaurants ne cessent de s'ouvrir, mais la vie de nombreuses petites galeries reste précaire.

Avenue B Gallery, III, D3

167 Ave. B, entre les 10e et 11e rues, ☎ 473-4600. Métro : 1st Ave./14th St. (ligne L). *Ouv. du mer. au dim. de 12 h à 18 h.*

Martin Hason, le directeur de la galerie, cherche à présenter des artistes qui ne se plient pas aux tendances de l'art en vogue dans l'East Village. Sculptures de Tim Rietenbach et Lee Stoliar, peintures de Chris Costan et Kevin Larmée, connu pour avoir placardé ses peintures un peu partout sur les murs de New York, et des assemblages de tissus et d'objets de Bonnie Lucas.

La Mama-la Galleria Second Classe, III, C3

6 E 1st St., entre la Seconde Avenue et Bowery, ☎ 505-2476. Métro : 2nd Ave./Houston St. (ligne F). *Ouv. du mer. au dim. de 13 h à 18 h.*

La galerie, qui est liée avec le théâtre La Mama, dispose d'un très bel espace d'exposition, particulièrement bien adapté à la sculpture (l'année 1988 lui fut exclusivement consacrée). Œuvres de Marcia Kaplan et Robert Taplin, et peintures de Ken Burgess, Chico, Hena Evyatar, Eric Sparre.

Gracie Mansion, III, D3

167 Ave. A, entre les 10e et 11e rues, ☎ 477-7331. Métro : 1st Ave./14th St. (ligne L). *Ouv. du mer. au dim. de 13 h à 18 h.*

Gracie Mansion est une des pionnières de la vie artistique de l'East Village. Avant d'ouvrir sa galerie, elle s'est fait connaître en organisant des expositions, dès mars 1982, dans sa salle de bains.

Peintres et sculpteurs post-contemporains, principalement figuratifs (Guy Augerie, Mike Bidlo, Claudia Demonte, Jonathan Ellis, Rodney Greenblat, David Sandlin, David Wojnarowicz, Rhonda Zwillinger).

Nature morte, III, C3

204 E 10th St., entre la Seconde et la Première Avenue, ☎ 420-9544. Métro : 1st Ave./14th St. (ligne L). *Ouv. du mer. au dim. de 12 h à 18 h.*

La galerie, ouverte en 1982, est l'une des plus anciennes du quartier. Peter Nagy, lui-même artiste, représente des peintres et sculpteurs de la génération post-punk (Dennis Adams, Gretchen Bender, Silvia Kolbowsky, Kevin Larmon, Joel Otterson, Julie Watchel).

P.P.O.W., III, D3

572 B'way, 3rd floor, ☎ 941-8642. Métro. : 1st Ave./14th St. (ligne L). *Ouv. du mer. au dim. de 12 h à 18 h.*

Œuvres contemporaines, pour la plupart figuratives, aux références sociaux-politiques (Paul Benney, Roxanne Blanchard, Joe Houston, Jed Jackson, Paul Marcus, Erika Rothenberg, Todd Watts, etc.).

Sharpe, III, D3

175 Ave. B et 11st St., ☎ 777-4622. Métro : 1st Ave./14th St. (ligne L). *Ouv. du mar. au dim. de 13 h à 18 h.*

Deborah Sharpe a été l'une des premières à s'aventurer sur l'Avenue B. Sa galerie a maintenant acquis un renom international. Peintures architecturales de Mark Dean et Jane Irish, dessins de Peter Drake, tableaux symbolistes de Sheryl Laemnle, ainsi que des œuvres du peintre italien Lorenzo Bonechi et du berlinois Thomas Schindler.

Zeus-Trabia, III, D3

437 E 9th St., entre la Première Avenue et l'Avenue A, ☎ 505-6330. Métro : 1st Ave./ 14th St. (ligne L). *Ouv. du mer. au dim. de 13 h à 18 h.*

Bianca Lanza expose des œuvres aux références spirituelles, religieuses, ou surréalistes. Artistes principalement européens, encore méconnus sur la scène new-yorkaise : les Italiens Sergio Calatroni, Pietro Finelli, Paolo Polli, le sculpteur russe Leonid Sokov, le peintre américain Elizabeth Smitt. Exposition de sculptures dans l'arrière-cour.

SOHO

Pl. II, B1. La vie artistique de SoHo date du début des années 60. Les artistes à la recherche d'ateliers à des prix abordables se sont installés dans les buildings commerciaux désaffectés, pour pouvoir travailler sur de grands formats. Les galeries n'ont pas tardé à les suivre, puis restaurants et boutiques de mode. Cela a évidemment entraîné une surenchère des loyers et nombreux sont les artistes qui ont reflué vers Tribeca, Brooklyn ou Queens. Mais les galeries d'art sont restées et une promenade à SoHo, en particulier sur West Broadway, donne une bonne approche de l'art contemporain.

Brooke Alexander

59 Wooster St., ☎ 925-4338. Métro : Spring St./Ave. of the Americas (lignes C, E). *Ouv. du mar. au sam. de 10 h à 18 h.*

Sélection intéressante d'artistes contemporains se situant entre l'expressionnisme et le conceptualisme, dont John Chamberlain. Brooke Alexander cherche également à promouvoir de jeunes artistes.

Mary Boone

417 West Broadway, ☎ 431-1818. Métro : Spring St./Ave. of the Americas (lignes C, E). *Ouv. du mar. au sam. de 10 h à 18 h, fermé en juil. et août.*

Mary Boone s'est fait connaître en exposant les œuvres de David Salle et de Julian Schnabel. Artistes européens et américains parmi les plus intéressants de leur génération : Jean-Michel Basquiat, Francesco Clemente, Barbara Kruger, Sigmar Polke, etc.

Leo Castelli

420 West Broadway, ☎ 431-5160. Métro : Spring St./Ave. of the Americas (lignes C, E) ; et au 578 Broadway, ☎ 431-6279. Métro : Broadway/Lafayette St. (lignes S, F). *Toutes deux sont ouv. du mar. au sam. de 10 h à 18 h.*

Installée dans Uptown en 1947, puis en 1968 à SoHo, cette galerie a exposé des artistes américains qui sont maintenant internationalement connus. De l'expressionnisme abstrait à la nouvelle figuration, en passant par le pop art et le minimalisme, toutes les tendances sont représentées (Jasper Johns, Roy Lichtenstein, Robert Morris, Robert Rauschenberg, David Salle, Cy Twombly, Andy Warhol).

Paula Cooper Gallery

155 Wooster St., ☎ 674-0766. Métro : Broadway/Lafayette St. (lignes S, F). *Ouv. du mar. au sam. de 10 h à 18 h.*

L'une des premières à s'installer dans SoHo dans les années 60. Peintres, sculpteurs, photographes contemporains américains et européens, de la figuration à l'abstraction (Carl Andre, Jennifer Bartlett, Lynda Benglis, Robert Mangold, Elizabeth Murray, Joel Shapiro).

Crown Point Press

568 Broadway (salle 105), ☎ 226-5476. Métro : Prince St./Broadway (lignes N, R). *Ouv. du mar. au ven. de 9 h 30 à 17 h 30, le sam. de 10 h à 18 h.*

Une galerie spécialisée dans les gravures. Une grande sélection signée John Cage, Alex Katz, Diebenkorn, Judy Pfaff, Brian Hunt, Pat Stier, Francesco Clemente.

Rosa Esman Gallery

575 Broadway, ☎ 219-3044. Métro : Spring St./Ave. of the Americas (lignes N, R). *Ouv. du mar. au sam. de 10 h à 18 h.*

Artistes d'avant-garde des années 20 et 30 (Ilya Chasnik, Laszlo Moholy-Nagy, Man Ray). Peintres et sculpteurs contemporains plus ou moins connus (Peter Ambrose, John Bellamy, Don Hazlitt, Lizbett Mitty, Richard Mock, Joan Witek).

Ronald Feldman Fine Arts

31 Mercer St., ☎ 226-3232. Métro : Canal St./Varick St. (lignes 1, 9). *Ouv. du mar. au sam. de 10 h à 18 h.*

Intéressante galerie centrée sur l'art contemporain et l'avant-garde (entre autres Joseph Beuys, Buckminster Fuller et Andy Warhol).

Metro Pictures

150 Greene St., ☎ 925-8335. Métro : Broadway/Lafayette St. (lignes S, F). *Ouv. du mar. au sam. de 10 h à 18 h.*

La galerie expose des artistes qui représentent les tendances les plus en vogue de l'art actuel, utilisant les images de notre société et des médias (Robert Longo, Laurie Simmons, etc.).

O. K. Harris Works of Arts

383 West Broadway, ☎ 431-3600. Métro : Spring St./Ave. of the Americas (lignes C, E). *Ouv. du mar. au sam. de 10 h à 18 h.*

Cette immense galerie présente de jeunes artistes encore inconnus et

De nombreuses galeries de SoHo ont élu domicile dans les **«cast-iron buildings»**. *Aux étages supérieurs, les lofts s'arrachent à prix d'or.*

CONDESO
LAWLER
GALLERY

organise des one man shows pour les artistes consacrés, parmi lesquels Duane Hanson, Richard Mc Lean, Eric Stoller...

Phyllis Kind Gallery

136 Greene St., ☎ 925-1200. Métro : Broadway/Lafayette St. (lignes S, F). *Ouv. du mar. au sam. de 10 h à 18 h.*

Peintres américains, et naïfs (Doug Anderson, Roger Brown, Mark Greenwald, Ed Paschke). La galerie a également organisé une exposition rassemblant des peintres contemporains d'Union Soviétique.

Tony Shafrazi Gallery

130 Prince St., ☎ 274-9300. *Ouv. du mar. au sam. de 10 h à 18 h.*

Un choix audacieux de jeunes artistes à découvrir (peintres graffiti, pop, primitivistes) ou déjà célèbres (Keith Haring, Kenny Scharf, J. M. Basquiat).

Sonnabend Gallery

420 West Broadway, ☎ 966-6160. Métro : Spring St./Ave. of the Americas (lignes C, E). *Ouv. du mar. au sam. de 10 h à 18 h.*

Importante galerie privilégiant l'art pop, l'art conceptuel et le minimalisme. Parmi les artistes consacrés exposés, citons Alain Kirili, Dennis Oppenheim, Anne et Patrick Poirier, Robert Morris, Robert Rauschenberg, Gilbert and George.

Sperone Westwater

142 Greene St., ☎ 431-3685. Métro : Broadway/Lafayette St. (lignes S, F). *Ouv. du lun. au dim. de 11 h à 18 h.*

Peintres et sculpteurs américains et européens contemporains parmi lesquels Sandro Chia, Enzo Cucchi, Richard Long, Carlo Mariani, etc.

TRIBECA

Le nombre des galeries dans Tribeca s'accroît à mesure que le quartier se développe, animé par des artistes, des stars, et par des endroits en vogue tels l'Odéon ou le Zinc. Les anciens bâtiments commerciaux reconvertis offrent d'immenses espaces particulièrement adaptés aux expositions de groupes.

The Alternative Museum, II, B1

17 White St., ☎ 966-4444. Métro : Franklin St./Varick St. (ligne 1). *Ouv. du mer. au sam. de 11 h à 18 h.*

The Alternative Museum existe depuis 1975, mais il s'est installé à Tribeca en 1980. Il a été fondé par des artistes et sa fonction principale est d'offrir ses murs à des artistes méconnus (Andrev Veljkovic y a présenté un projet « Collaborations » qui regroupait les œuvres de plus de 200 artistes).

Outre sa collection permanente, il organise des expositions thématiques, des concerts de jazz, de folk music, de musique américaine traditionnelle.

Artists Space, II, B1

223 West Broadway, entre Franklin St. et White St., ☎ 226-3970. Métro : Franklin St./Varick St. (ligne 1). *Ouv. du mar. au sam. de 11 h à 18 h.*

Cette galerie à but non lucratif, sponsorisée entre autres par le New York State Council on the Arts et le National Endowment for the Arts, met l'accent sur l'art abstrait.

Certains des artistes exposés ici sont universellement reconnus (R. M. Fisher, Robert Longo, Laurie Simmons, etc.). Également programmes vidéos réalisés par des artistes, conférences, musique.

SoHo Photo Gallery, II, B1

15 White St., tél. : 226-8571. Métro : Franklin St./Varick St. (ligne 1).

La galerie est subventionnée par ses membres, dont la plupart sont des photographes professionnels. Ouverte depuis presque dix ans, elle a exposé les œuvres de nombreux photographes inconnus ou établis, parmi lesquels Tim Barnwell, Ross Elmi, Nina Glaser, Diane Kornberg, Len Speier.

White Columns, II, A1

325 Spring St., tél. : 924-4212. Métro : Canal St./Varick St. (ligne 1). *Ouv. du mar. au sam. de 12 h à 18 h.*

Située à l'extrémité ouest de Spring Street, près de Hudson River, White Columns n'appartient pas à proprement parler à Tribeca, mais l'esprit que son directeur, Bill Aming, lui donne l'associe aux galeries de Tribeca. Elle expose exclusivement des artistes qui n'ont encore jamais exposé et ne leur donne cette chance qu'une seule fois. Certains sont maintenant largement reconnus : Ashley Bickerton, Jon Bowman, Fab Five Freddy, Jon Kessler.

QUELQUES SALLES DES VENTES

A New York, les enchères, comme du reste tout ce qui concerne l'argent, sont un passe-temps très prisé. On va dans les salles des ventes comme on irait jouer à la roulette. Aussi, avant de mettre le doigt dans l'engrenage, mieux vaut connaître les règles du jeu... Inspectez bien les objets à vendre avant de proposer un prix. Une fois que vous l'avez décidé, ne vous laissez surtout pas entraîner dans le piège des enchères, et tenez votre budget. N'oubliez pas que la plupart des gens qui fréquentent les salles des ventes sont de redoutables spécialistes.

Le *New York Times* du vendredi ou du dimanche publie les programmes des ventes. Voir également *The New Yorker* et *New York Magazine*.

Christie's et **Sotheby's** sont les grandes rivales du monde des enchères. Les ventes sont les plus belles et les plus spectaculaires, autant par leur clientèle très chic que par la flambée des cotes. *Les Tournesols* de Van Gogh ont atteint chez Christie's en 1987 la somme de 39,9 millions de $, (enchères par téléphone). Le plus impressionnant est d'assister à la montée des prix : le tableau de Van Gogh s'est vendu en 4 minutes 30 secondes, soit un prix augmentant de 147 700 $ chaque seconde !

Christie's, 502 Park Ave. et 59th St., IV, C2, tél. : 546-1000. Métro : Lexington Ave./60th St. (lignes N, R) ; 59th St./Lexington Ave. (ligne 4). *Ouv. du lun. au ven. de 10 h à 17 h.* Spécialisé dans les objets et le mobilier traditionnels américains, les œuvres d'art d'Extrême-Orient.

Christie's East, 219 E 67th St., IV, C1, tél. : 606-0400. Métro : 68th St./Hunter College (ligne 6, *local*). *Ouv. du lun. au sam. de 10 h à 17 h, dim. de 13 h à 17 h.* Moins importante que la précédente. On y vend du mobilier, du verre, du cristal et de la porcelaine.

William Doyle Galleries, 175 E 87th St., entre Lexington Avenue et la Troisième Avenue, V, C3, tél. : 427-2730. Métro : 86th St./Lexington Ave. (ligne 4). Troisième des grandes salles de ventes new-yorkaises. Objets essentiellement américains.

Phillips Fine Art Auctioneers 406 E 79th St., entre la Première et la Seconde Avenue, V, D3, tél. : 570-4830. Métro : 77th St./Lexington Ave. (ligne 6, *local*). *Ouv. de 10 h à 17 h, lun. jusqu'à 19 h 30, dim. de 12 h à 17 h.* Spécialiste des arts décoratifs (peintures, mobilier, bibelots). Troisième salle des ventes du monde par sa taille.

Sotheby Parke Bernet, 1334 York Ave. et 72nd St., IV, D1, tél. : 606-7000. Métro : 68th St./Lexington Ave. (ligne 6, *local*). *Ouv. t.l.j. de 10 h à 17 h, dim. inclus.* La plus grande et la plus importante salle des ventes du monde. Elle atteint tous les records de prix dans les ventes de tableaux de maîtres, de bijoux, de mobilier ou de sculptures.

PROMENADES A MANHATTAN ET AUTOUR

LA STATUE DE LA LIBERTÉ*** : « THE LADY »

Pl. I, A2. — Par Battery Park, départ régulier des *ferries* (Circle Line, ☎ 563-3200) à partir de 9 h.
Le bac qui relie, au départ de Battery Park, Manhattan à Staten Island passe au pied de la statue à chacune de ses courses, dans un sens comme dans l'autre. Le voyage coûte 25 cents seulement. C'est le moins cher et le plus beau spectacle que l'on puisse voir à New York.

Les Américains sont si attachés à cette statue, au symbole qu'elle représente et à tous les mythes qu'elle a évoqués, à tous ceux qu'elle évoque encore, qu'ils en ont fait une femme. Ils disent en parlant d'elle : « The Lady » (La Dame) témoignant en cela du grand respect qu'ils lui portent.

On a probablement déjà tout dit sur la Statue de la Liberté. Il convient cependant de la célébrer encore. Des millions de touristes, chaque année, de tous les coins du globe viennent la voir. Ils repartiront, mais elle ne les quittera plus. Symbole de la liberté éclairant le monde de sa torche, elle fut et elle reste, érigée au beau milieu du port de New York, l'expression du « Nouveau Monde ».

Un peu d'histoire

C'est au sculpteur français F. A. Bartholdi (1834-1904) que l'on doit cette œuvre gigantesque — 42 m de haut. Montée sur son piédestal, les flammes de sa torche, restaurée à l'occasion du centenaire et désormais recouverte de feuilles d'or, s'élèvent à presque cent mètres au-dessus des eaux (92,26 m très exactement).

Bartholdi, qui avait rêvé d'édifier une statue-phare à l'entrée du canal de Suez, se voit confier, en 1870, la réalisation d'une gigantesque statue pour la ville de New York. C'est un cadeau de la France à l'Amérique. Pour Bartholdi, c'est aussi l'hommage qu'il veut rendre à la liberté américaine. Il s'embarque pour l'Amérique en 1871. Plus enthousiaste que jamais, de retour à

« The Lady », centenaire et... française ! Ses géniteurs sont Bartholdi et Eiffel. Comme beaucoup d'immigrants, elle est arrivée par bateau en 1886.

Paris, il se met au travail en 1874. Sa mère lui servira de modèle. Bartholdi fait appel au génie de Gustave Eiffel pour concevoir la structure métallique qui soutiendra les 80 tonnes de la statue. L'inauguration de la statue aura lieu le 28 octobre 1886.

VISITE

Ouv. t.l.j. de 9 h à 17 h. ☎ 269-5755 ou 363-3200.

De Battery Park, à la pointe sud de Manhattan, partent des bateaux en direction de Liberty Island où s'élève la statue. La traversée dure 15 minutes environ et permet d'admirer l'une des plus somptueuses visions de Manhattan — toute la pointe sud de l'île avec ses gratte-ciel. Après avoir débarqué, on traverse le glacis de l'ancien fort (1808) sur l'emplacement duquel fut aménagé le piédestal, puis la statue.

En entrant dans la statue, on peut choisir de visiter tout d'abord le **musée de l'Immigration** ou encore celui de l'Histoire de la Statue **(Statue Story Room)**. Un ascenseur permet de s'épargner la fatigue résultant des premières 167 marches. Une fois le premier niveau atteint, le plus dur reste à faire. 168 marches vous attendent à présent si vous voulez vous hisser jusqu'au sommet de la statue et pénétrer dans la couronne. Le spectacle de la baie de New York que l'on découvre de cette plate-forme, et, pour ainsi dire, avec les yeux de la « Lady », vous fera oublier sur le champ tous vos efforts.

OÙ S'ARRÊTER?

Sur le chemin qui retourne au quai d'embarquement, on trouvera plusieurs **cafétérias.** Les prix pratiqués sont plus élevés qu'en ville mais, dans l'ensemble, cela reste abordable.

PARK AVENUE*** : UNE ADRESSE PRESTIGIEUSE

Pl. IV, C1-2-3 ; V, C2-3. — De la 96ᵉ rue jusqu'à la 42ᵉ rue, toute circulation commerciale est interdite sur Park Avenue. C'est-à-dire qu'on ne trouvera ni autobus, ni métro. Toutefois, on peut y accéder par les avenues parallèles. Lexington Avenue (direction Downtown) et Madison Avenue (direction Uptown).

Park Avenue est une sorte de jardin privé et cossu qui s'étend de la 96ᵉ à la 42ᵉ rue. Là, de part et d'autre d'un terre-plein accommodé de fleurs selon la saison — à Noël on y plante des sapins illuminés — on ne verra qu'immeubles austères et opulents où la seule présence humaine est assurée par des portiers à l'uniforme pompeusement chamarré de galons et de boutons de cuivre. Ni boutiques, ni commerces d'aucune sorte. Aux immeubles d'habitation succèdent, à partir de la 60ᵉ rue jusqu'à la 46ᵉ (le Helmsley Building), les buildings des plus grandes entreprises américaines.

Un peu d'histoire

Park Avenue n'était à la fin du siècle dernier qu'un terrain vague traversé par une ligne de chemin de fer. Lorsqu'en 1907 l'électrification et la couverture du réseau furent réalisées — le train débouche sous Park Avenue à la 96ᵉ rue —, on utilisa ce nouvel espace laissé libre pour l'édification d'immeubles destinés à la haute bourgeoisie new-yorkaise des années 20.

VISITE

Le **Helmsley Building** se dresse sur Park Avenue à l'angle de la 46ᵉ rue, IV, C3. Construit en 1929, cet immeuble reste l'une des images les plus connues de New York. Le Pan Am Building qui se tient juste en retrait écrasant de sa masse le toit en pyramide du Helmsley, ne lui en fournit pas moins une sorte d'écrin ou de cadre gigantesque.

Au nº 270 Park Avenue (entre les 47ᵉ et 48ᵉ rues), l'immeuble qui abrite la multinationale des produits chimiques **Union Carbide** fut construit en 1960. On appréciera l'audace de cette architecture, toute faite de baies vitrées et de structures métalliques noires et blanches. Faisant face à cet immeuble, celui de la **Chemical Bank** dresse vers le ciel ses cinquante étages d'un seul trait de crayon gris argent. Tout le rez-de-chaussée du Chemical jusqu'au 3ᵉ étage n'est qu'un jardin intérieur agrémenté de fontaines.

Le **Waldorf Astoria,** hôtel où le gigantisme le dispute au luxe — 1 800 chambres, 47 étages et 190 m de haut —, a vu défiler entre ses murs tout ce que la terre a connu de célébrités depuis plus de soixante ans. Des suites d'honneur sont réservées aux chefs d'État et aux grands de ce monde. C'est également un haut-lieu, un passage obligé et prestigieux de la représentation politique pour tout candidat à la Maison Blanche faisant campagne. Hoover, Nixon, Reagan, et tous les autres y ont fait des allocutions destinées à séduire et à convaincre le Tout-New York, public dont la réputation est d'être le plus coriace des États-Unis et dont l'aval, cependant, est décisif pour un candidat à la présidence. On admirera le style art-déco de l'entrée de l'hôtel (Lobby) ainsi que, dans le Silver Corridor, la voûte en berceau provenant de l'ancien hôtel Astor qui se trouvait autrefois sur la Cinquième Avenue. Les peintures murales de l'Américain E. Emmerson Simmons (1890) représentant les 12 mois de l'année sont également dignes d'intérêt.

OÙ S'ARRÊTER

Comme nous l'avons dit au tout début de cette promenade, il faut renoncer absolument à s'arrêter quelque part sur Park Avenue pour se désaltérer ou se reposer. Rien n'est prévu pour l'agrément du promeneur.

Le night-club **Régine's** qui se trouve 500 Park Avenue, juste à côté des salons de ventes de Christie's, célèbre marchand d'art depuis 1776, n'ouvre ses portes que fort tard dans la soirée.

Certes, on peut s'arrêter au **Réginette,** restaurant ouvert tout récemment par Régine à l'angle de la 59ᵉ rue et exclusivement réservé au déjeuner des hommes d'affaires de Park Avenue.

Mais le mieux est encore d'emprunter les rues transversales. On y trouvera des **coffee shops** en assez grand nombre où tous ceux qui travaillent dans les bureaux de Park Avenue viennent prendre leur repas à l'heure de midi.

MADISON SQUARE PARK*** : UN ÎLOT DE VERDURE

Pl. III, C2. — ***Métro*** : 23rd St./Park Ave. South (ligne 6, *local*).

Quadrillé par la ville et une circulation délirante, Madison Square Park, blotti entre la 23ᵉ et la 26ᵉ rue, demeure, imperturbablement, un de ces coins qui évoquent le vieux New York. Si l'on ne parvient pas à se figurer qu'à cet endroit s'étendait, dans la première moitié du siècle dernier, un véritable terrain de chasse, on se contentera du poste d'observation que le parc fournit pour admirer, tout autour de soi, quelques-uns des plus intéressants

Le Flatiron, l'un des plus anciens gratte-ciel de New York, demeure inimitable.

bâtiments de la ville et, notamment, le Flatiron Building — « Fer à repasser », comme l'indique son surnom — dont le style Renaissance ne manquera pas de surprendre le promeneur.

Un peu d'histoire

C'est en 1847 qu'à la place du terrain de chasse qui s'étendait là fut créé un parc : le Madison Square Park. On y paradait les jours de fêtes, on y jouait aussi au base-ball. En 1853, un hippodrome y fut construit pouvant accueillir jusqu'à 10 000 spectateurs. Au milieu du siècle dernier, le quartier eut une vocation résidentielle. C'est sur l'emplacement même de ce parc que furent exposés, de 1877 à 1884, le bras et la torche de la Statue de la Liberté.

VISITE

Le théâtre qui se trouvait à l'angle nord-est du square à la fin du XIXe siècle a disparu aujourd'hui au profit d'une gigantesque salle — d'une capacité d'accueil de 20 000 spectateurs — nommée cependant **Madison Square Garden,** qui se trouve sur la Huitième avenue, ☎ 465-6000.

L'un des premiers gratte-ciel new-yorkais fut le **Flatiron Building** que l'on aperçoit à la pointe sud du parc et qui étonne autant par son style Renaissance que par la forme de proue de sa façade. Une vingtaine d'étages grimpent sur une hauteur de 87 mètres. On doit cette réalisation à l'architecte D. H. Burnham (1902). Le surnom de « Fer à repasser » est devenu le nom officiel de cet immeuble.

Poursuivant notre promenade, nous découvrons à l'angle de la 25e rue l'impressionnant bâtiment de la **Cour d'appel de l'État de New York** (New York State, Supreme Court). Édifié en 1900, ce bâtiment fut augmenté d'une partie nouvelle en 1954. Le résultat concilie une certaine majesté tout en respectant une dimension humaine. On appréciera particulièrement la statuaire quelque peu extravagante qui orne ces lieux : une allégorie de la *Sagesse* et de la *Force,* due au sculpteur Frederick Ruckstahl, que l'on trouvera tout de suite à l'entrée, tandis qu'au centre du bâtiment trône une *Paix* due à Karl Bitter. Une *Justice,* enfin, occupe l'angle de la 25e rue et de Madison Avenue. Elle est l'œuvre du sculpteur Daniel Chester French.

A titre de curiosité, on pourra également lever les yeux vers le bâtiment de la **New York Life Insurance** qui se trouve entre la 26e et la 27e rue, III, C1. L'immeuble fut construit en 1928 sur les plans de l'architecte Cass Gilbert. Le style, autant qu'on puisse en juger, se rapproche du Louis XII, et les gargouilles que l'on aperçoit au sommet de l'édifice ajoutent quelque chose de tout à fait artificiel au caractère médiéval de l'ensemble.

OÙ S'ARRÊTER ?

Comme tous les immeubles qui entourent Madison Square Park n'abritent que des bureaux, on ne trouvera, alentour, que des **coffee shops.** On dit même que ce quartier est un véritable paradis pour tous ceux qui aiment cette ambiance de *coffee shops,* avec leurs tabourets vissés le long d'interminables comptoirs. Ils sont toujours à des prix très abordables. C'est, à défaut de luxe, l'authentique et le quotidien du laborieux New-Yorkais qui vous est ici offert.

GRAMERCY PARK***, STUYVESANT SQUARE** : UN CHARME FIN DE SIÈCLE

Pl. III, C2. — ***Métro** :* 23rd St./Park Ave. South (ligne 6, *local*).

On s'étonnera peut-être du caractère propret de Gramercy Park (entre les 20e et 21e rues, sur Lexington Avenue). La raison en est fort simple. Gramercy park est un parc privé. C'est d'ailleurs le *seul* parc privé de New York et, en cela, sans doute aussi l'un des derniers vestiges du XIXe s.

Quant à Stuyvesant Square (entre les 15e et 17e rues, sur la Deuxième Avenue), le terrain fut offert à la ville de New York en 1837 par Peter Stuyvesant. Un beau geste n'était pas dépourvu d'intention. En s'assurant que cet emplacement deviendrait un *landmark,* c'est-à-dire un site classé, parce qu'appartenant maintenant à la ville, Peter Stuyvesant pouvait désormais spéculer sur la valeur de tous les terrains qu'il possédait alentour.

GRAMERCY PARK***

Construit sur des marécages par Samuel Ruggles en 1831, Gramercy est la réplique exacte des parcs londoniens que l'on édifiait au siècle dernier. Avec ses demeures bourgeoises entourant tout le périmètre du parc, ce lieu paisible et distingué attira les intellectuels, les artistes, et quelques personnalités du monde politique. Le maire de New York en 1844, James Harper, fut le fondateur de ce qui allait devenir l'une des plus grandes maisons d'édition américaines : Harper & Row. On peut voir encore, au nº 4, les réverbères qui signalaient la résidence du premier magistrat de la ville.

Gramercy Park est, nous l'avons dit, un parc privé. C'est-à-dire qu'il n'est pas visitable. Il faut habiter l'une des maisons alentour pour avoir une clef du parc et donc y entrer. Ce détail, par ailleurs, est un test cruel auquel certains New-Yorkais soumettent tous ceux qui prétendent vivre à Gramercy... Autre détail qui a son importance, c'est qu'à toute règle, il faut une exception. La voici : Gramercy Park est fermé au commun des mortels tous les jours de l'année... sauf un, celui qui précède la nuit de Noël. On peut donc le visiter ce jour-là.

STUYVESANT SQUARE**

Comme ce fut le cas de Gramercy Park, **Stuyvesant Square** fut dessiné sur le modèle des parcs londoniens du XIXe s. Toutefois, coupé littéralement en deux par le passage de la Deuxième Avenue, Stuyvesant Square a perdu progressivement son caractère résidentiel et protégé. Entouré d'hôpitaux, d'écoles et d'églises, de cet endroit privilégié ne subsiste plus aujourd'hui qu'une maigre portion. On la trouvera Rutherford Place, entre la 15e et la 17e rue et entre la Première et la Troisième Avenue.

La place est ornée d'une **statue de Peter Stuyvesant,** le gouverneur à la jambe de bois. Sur la 16e rue, entre la Troisième et la Seconde Avenue, on s'arrêtera un instant, tout de suite à la sortie du square, en face de la maison dite « Société religieuse des Amis » — **Friends Meeting House,** lieu de culte des Quakers. A la base de ce bâtiment, un **marbre blanc** signale le passage emprunté par les esclaves noirs fuyant le Sud pour se réfugier au Canada.

OÙ S'ARRÊTER ?

Là encore, tout le secteur de la 20e rue est dépourvu de restaurants et de bars, à l'exception des **coffee shops** comme nous l'avons déjà signalé.

Toutefois, on peut faire l'expérience d'un repas « 100 % naturel » en se rendant chez **Brownie's** (21 E 16th St.). A Manhattan et parmi les New-Yorkais, cet endroit fait figure de véritable institution, c'est même une sorte de chapelle ardente et colorée à la gloire des fruits et légumes, exclusivement naturels. Sans oublier le pain au son, etc.

LES CLOISTERS** : LE VIEUX MONDE EN KIT !

Pl. I, B1-2. — ***Métro :*** 190th St./Fort Washington Ave. (ligne A). ***Bus :*** prendre la ligne nº 4 sur Madison Avenue.

Ouvert du mar. au dim. de 10 h à 16 h 45 ; jusqu'à 17 h 15 de mars à octobre.

On peut revenir autant de fois que l'on voudra visiter les Cloisters, à chaque nouvelle visite, on sera toujours surpris par la vision insolite d'un imposant monastère perché comme une place-forte sur le sommet d'une colline de Fort Tryon Park, à mi-hauteur entre le ciel et les eaux bleues de l'Hudson River.

LES CLOISTERS**

La famille Rockefeller a acquis une réputation légendaire, et mondialement établie aujourd'hui, grâce à son immense fortune, bien sûr, mais aussi grâce à tous les projets artistiques et culturels de grande envergure auxquels elle attacha son nom et son soutien financier. Les Cloîtres en seraient une preuve de plus s'il en était besoin.

John D. Rockefeller Junior fut le véritable maître d'œuvre de cette étonnante réalisation que sont « les Cloîtres ». En 1930, il décida d'offrir à la ville de New York les vastes terrains entourant Fort Tryon et en 1935, il confia à l'architecte Charles Collens le soin d'ériger les bâtiments que nous voyons aujourd'hui.

En cela, John D. Rockefeller Junior menait à son terme l'œuvre entreprise par son père quelques années auparavant : en 1925, Rockefeller père avait offert d'importantes sommes d'argent afin que la collection de sculptures médiévales rassemblée par le sculpteur George Grey Barnard soit augmentée et exposée dans un lieu digne des chefs-d'œuvre qu'il abriterait. Le bâtiment de brique édifié sur Fort Washington Avenue comprenait déjà des éléments provenant des cloîtres des monastères français de Saint-Guilhem-le-Désert, Saint-Michel-de-Cuxa, Bonnefont et Trie (tous situés dans le midi de la France).

L'aide financière apportée par Rockefeller permit en 1926 de faire de ce musée — désormais baptisé **Barnard Cloisters** — une annexe du Metropolitan Museum (voir p. **176**). La dernière touche à cette réalisation fut donc apportée par John D. Rockefeller Junior en 1930. Depuis, le musée ne cesse de s'enrichir de legs importants et d'acquisitions nouvelles, toujours sous l'égide du Metropolitan Museum.

Visite

Niveau supérieur

Le **hall roman** (*Torse du Christ** en bois peint) et la chapelle de Fuentidueña, provenant du nord de Madrid, donnent accès au merveilleux petit **cloître de Saint-Guilhem,** abbaye bénédictine fondée en 804 par Guillaume Le Grand, duc d'Aquitaine. La **chapelle romane*** contient entre autres une *Vierge à l'Enfant** bourguignonne et d'étonnants chapiteaux du XIIe s.

Le **cloître de St-Michel-de-Cuxa**,** monastère bénédictin fondé en 878, a été reconstitué selon des notes attribuées à Viollet-le-Duc et complété avec du marbre du Languedoc. Les **chapiteaux**** (1125-1150), simples et vigoureux, favorisent les jeux d'ombre et de lumière. Après le **hall du début de la période gothique** (*Vierge** provenant du jubé de la cathédrale de Strasbourg, peintures florentines et siennoises), on parvient à la salle des **tapisseries des Neuf Preux**.** On remarquera en particulier, sur le mur nord, deux héros hébreux vêtus à la mode du Moyen Age : Josuah est couronné tandis que David porte une harpe d'or. Sur le mur opposé, Alexandre affiche un lion sur ses armes, Jules César un aigle bicéphale.

Sous-sol

De là, on descend les escaliers menant à la **chapelle gothique** (gisants, tombeaux et dalles funéraires), puis à la **galerie des vitraux,** qui présente 75 médaillons à sujets religieux exécutés en Allemagne autour de 1500 et une collection de statues de style bourguignon.

Deux cloîtres ont été reconstitués côte à côte : celui de **Bonnefont,** dont le jardin rassemble des plantes mentionnées dans les textes de l'époque, et celui de **Trie*,** dont les superbes chapiteaux* datent de la fin du XVe s. Les plus belles pièces du **Trésor** sont sans doute le retable* de Ségovie (vers 1445), les 37 panneaux de chêne finement sculptés provenant de l'abbaye de Jumièges, en Normandie, le calice d'Antioche* (VIe s.) et le calice de Bertin (1222), les reliquaires et les Belles Heures du duc de Berry*, exécutées par les fameux frères de Limbourg (début XVe s.).

Niveau supérieur

En reprenant l'escalier dans la galerie des vitraux, on arrive dans le

The Cloisters

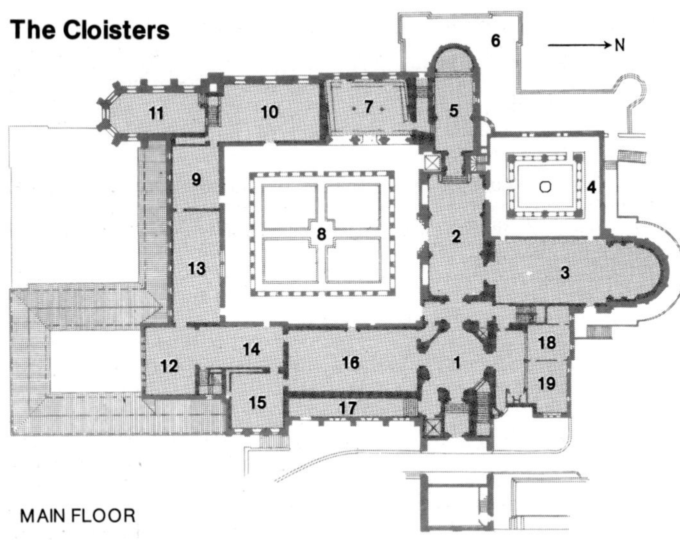

1 Entrance Hall
2 Romanesque Hall
3 Fuentidueña Chapel
4 Saint-Guilhem Cloister
5 Langon Chapel
6 West Terrace
7 Pontaut Chapter House
8 Saint-Michel de Cuxa Cloister
9 Heroes Tapestry Room
10 Early Gothic Hall
11 Gothic Chapel
12 Boppard Room
13 Unicorn Tapestries Hall
14 Burgos Tapestry Hall
15 Spanish Room
16 Late Gothic Hall
17 Froville Arcade
18 Garderobe
19 Information

Kart. Inst. G. Schiffner, Lahr/Schwarzwald

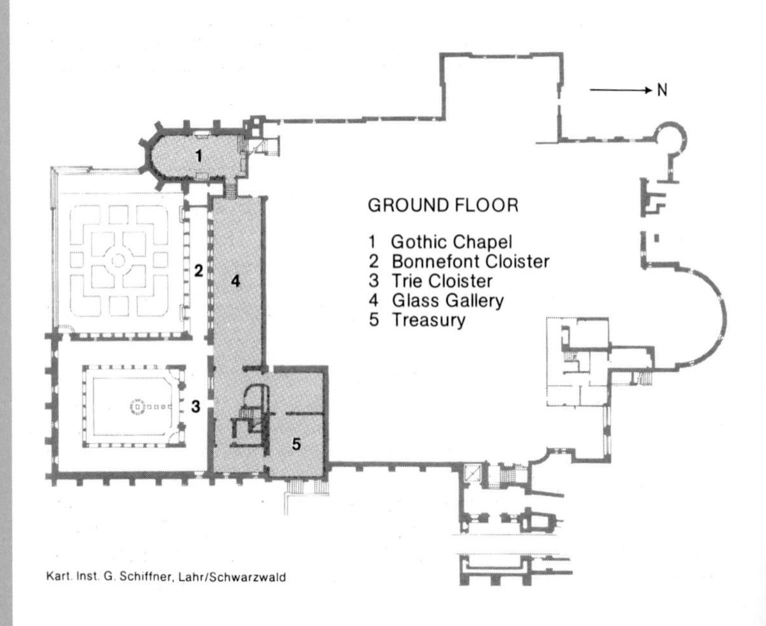

hall des tapisseries de la licorne***, exécutées par Anne de Bretagne à l'occasion de son mariage avec Louis XII en 1499. On terminera la visite par la **salle Boppard** (vitraux, retable d'albâtre espagnol), le **hall de la tapisserie de Burgos***, la **salle Campin** (retable de Mérode**, peint vers 1425 par Robert Campin) et la **salle de la fin de la période gothique.**

Fort Tryon Park

Entourant les «Cloisters» d'un parc verdoyant d'environ 25 ha, cet endroit est avant tout — ce qu'il fut d'ailleurs depuis toujours — un formidable poste d'observation sur l'Hudson. Les Indiens y avaient installé leurs repaires. La colonisation les en délogea.

Fort Tryon tient son nom du dernier gouverneur anglais de New York. Juché à 76 mètres au-dessus de l'Hudson, Fort Tryon constituait le poste d'observation le plus élevé de Manhattan en même temps que l'avant-poste nord du Fort Washington. On aime à répéter qu'il y avait eu tant de batailles sur ces collines de Fort Tryon qu'il n'était pas rare de trouver encore, pêle-mêle, boulets de canon, boutons d'uniforme et boucles de ceinturon.

Aujourd'hui, ce poste militaire rendu à la vie civile offre les plus belles perspectives qu'on puisse trouver sur l'Hudson. On appréciera également le gigantisme du **Washington Bridge***, I, B2, enjambant l'Hudson pour gagner les immenses falaises du New Jersey. On pourra enfin achever la visite par un petit tour au jardin botanique qui se trouve à mi-chemin entre les Cloisters et South Plaza où débouche le métro.

Une **cafétéria** est ouverte non loin du jardin botanique et à proximité du parking. Des **concerts de musique religieuse** sont proposés tous les dimanches après-midi dans l'enceinte des Cloisters , exactement comme cela se fait à Notre-Dame de Paris.

Inwood Hill Park

Situé à l'extrémité nord-ouest de Manhattan, Inwood Hill Park est généralement compris dans la visite de Fort Tryon Park. Quelques immeubles résidentiels séparent ces deux étendues boisées et vallonnées. Ce territoire, appelé par les Indiens «Shora-Kapkok», fournissait, à cause des nombreuses cavernes qui s'y trouvaient, un refuge très appréciable. Ce même emplacement où les troupes anglaises furent cantonnées durant la guerre d'Indépendance fut rebaptisé Cox Hill.

Signalons toutefois qu'à l'exception des dimanches où les familles se pressent dans Inwood Hill Park pour y pique-niquer, l'endroit, très isolé, n'est pas sans présenter quelque danger. On évitera donc de s'y promener les jours de semaine.

CHELSEA** : L'ANCIEN, LE MODERNE ET L'AVANT-GARDE

Pl. III, AB1-2. — *Métro :* 23rd St./8th Ave. (lignes C, E) ; 14th St./8th Ave. (lignes A, C, E, L) ; 18th St./7th Ave. (ligne 1) ; 23rd St./7th Ave. (ligne 1).

Chelsea est un quartier bigarré, changeant, multiple, imprévisible et, de ce fait, pratiquement indéfinissable. Aujourd'hui cependant, Chelsea renaît. Hier, ce même quartier était laissé pour mort. Cette renaissance, Chelsea la doit aux antiquaires venus s'installer sur la Neuvième Avenue, aux fleuristes qui mettent arbres, arbustes et toutes sortes de plantes exotiques sur les trottoirs, aux boutiques de vêtements où l'on vous offre le champagne et, enfin, aux théâtres d'avant-garde qui connaissent au gré des saisons des fortunes diverses. Mais surtout, par-delà ce mélange excessif des genres, c'est une certaine idée de New York qui se dégage de l'ensemble, celle d'une perpétuelle évolution de la ville.

Un peu d'histoire

Chelsea tient son nom d'une propriété du capitaine Thomas Clarke (1750), qui s'étendait à l'époque à l'ouest de la ville, entre l'Hudson River et la Huitième Avenue, depuis la 14e rue jusqu'à la 25e rue. Lorsqu'en 1851 on fit passer une voie de chemin de fer (The Hudson River Railroad) le long de la Onzième Avenue, toute une population ouvrière s'installa dans les environs. Après une courte période d'effervescence théâtrale, vers 1870, les comédiens quittèrent Chelsea pour Broadway. En 1905, les théâtres abandonnés furent utilisés par l'industrie cinématographique comme plateaux de tournage. Mary Pickford et John Barrymore y produisirent plusieurs films. Puis les nouveaux studios Astoria, plus modernes, construits dans le Queens, attirèrent les producteurs. Enfin, ce fut le grand départ du cinéma américain pour Hollywood.

En 1930, après la fermeture de la voie de chemin de fer de la Onzième Avenue, le quartier de Chelsea tomba en léthargie. Cette cessation d'activité ne fut cependant qu'apparente. Quelques-uns des plus grands artistes et écrivains de ce siècle hantèrent le quartier — Mark Twain, O. Henry, Tennessee Williams, Sarah Bernhardt, Jackson Pollock, Henry Miller, Thomas Wolfe, Dylan Thomas et Vladimir Nabokov.

VISITE

Venant de Greenwich Village, en remontant vers le nord par l'Avenue of the Americas, on ne manquera d'explorer la **14e rue,** III, AB2, véritable frontière sud de Chelsea. On y trouvera les boutiques les plus diverses, proposant toute sorte d'articles bon marché. On découvrira aussi, toujours sur cette 14e rue, le nouveau « temple des nuits branchées », le **Palladium** (126 E 14th St.), gigantesque discothèque installée dans un de ces fameux théâtres du siècle dernier et dont les nouveaux aménagements dus à des architectes et décorateurs célèbres ne manqueront de surprendre et de ravir l'amateur de lieux insolites. A titre d'exemple, les toilettes du Palladium, décorées par Kenny Scharf, se visitent aujourd'hui comme un véritable monument d'art contemporain.

Par curiosité et parce que le fait mérite d'être signalé, sur la 15e rue, entre la Septième et la Huitième Avenue, on s'arrêtera un instant devant la seule librairie marxiste-léniniste de New York, le **Marxist-Leninist Bookstore,** III, B2. Poursuivant notre chemin vers la 21e rue, entre la Septième et la Dizième Avenue, on découvrira le quartier résidentiel de Chelsea et quelques-uns des plus beaux *brownstones* de New York. Au no 222 de la 23e rue W se dresse l'**hôtel Chelsea,** III, B2, bâtiment légendaire, de couleur rose avec de superbes balcons en fer forgé disséminés sur toute la façade. Après avoir inspiré nombre de grands écrivains, l'hôtel Chelsea attira, plus récemment, des musiciens punk-rock, et passa presque aussitôt dans la catégorie des lieux mal famés. C'est dans une chambre de l'hôtel Chelsea où il demeurait que Sid Vicious, membre du groupe punk « Sex Pistols », assassina de plusieurs coups de couteau la jeune femme qui vivait avec lui.

On ne manquera pas de faire un tour par le **Joyce Theater,** situé sur la Huitième Avenue entre la 18e et la 19e rue. Autrefois nommée « The Elgin Theater » cette salle était le rendez-vous de tous les amoureux du septième art. Les fauteuils de coiffeurs que l'on découvrait en entrant dans le hall marquèrent des générations entières de cinéphiles. Ce fut aussi la première salle de cinéma de New York à faire des séances de projection à minuit. Aujourd'hui, cette salle a été transformée pour accueillir des compagnies de danse. Les spectacles qui y sont présentés sont résolument d'avant-garde.

Enfin, on achèvera cette promenade en se rendant sur la Sixième Avenue, entre la 26e et la 29e rue, pour y découvrir le coin aux fleurs. C'est là que tous les fleuristes de Manhattan s'approvisionnent. Une odeur de fleurs fraîchement coupées règne partout et le spectacle de ces trottoirs envahis par cette luxuriante végétation vaut le coup d'œil.

OÙ S'ARRÊTER

C'est au restaurant **West Boondock,** 114 10th Ave., à l'angle de la 17e rue, que l'on aura l'occasion de goûter la *soul food,* c'est-à-dire l'authentique cuisine noire américaine. On pourra aussi y écouter du jazz interprété par d'excellents musiciens.

Il faut également faire l'expérience des cuisines chinoise et cubaine. C'est surprenant et délicieux tout à la fois. **Chinita Spanish-Chinese Restaurant** (19th St. et 8th Ave.). La cuisine portoricaine, quant à elle, défend bien ses couleurs à **La Taza de Oro** (8th Ave., entre 14th et 15th St.).

N'hésitez pas non plus à vous rendre au **Beaubern Cafe** (42, W 28th St.). L'endroit est typique et il n'est fréquenté que par les gens du coin.

LA MARKETA* : LE GOÛT DES TROPIQUES

Pl. V, C1. — ***Métro :*** 110th St./Lexington Ave. (ligne 6, *local*).

Sous le métro aérien, à la hauteur de la 110e rue et de Park Avenue, se trouve le marché le plus exotique de tout Manhattan. La Marketa, qui signifie «marché» en «spanglish» (espagnol à l'anglaise), est le lieu de rendez-vous de toutes les communautés hispanophones, portoricaines, en grande majorité, mais aussi sud-américaines, installées à New York. On trouvera dans ce marché grouillant d'une foule toujours dense et bruyante, latine en un mot, tous les fruits et tous les légumes en provenance des tropiques. Mais surtout, ce qui frappe dès le premier abord, c'est le formidable effet de contraste que l'on ressent à la vue de ce débordement luxuriant de choses, de couleurs, de sons et d'odeurs. Une surprenante antithèse à l'austérité rigide et morne du supermarché typiquement américain.

VISITE

Après avoir probablement acheté au moins un de ces fruits tropicaux, ne serait-ce que par curiosité, on se dirigera vers l'est en longeant la 110e rue. C'est **El Barrio,** qui signifie en espagnol «le quartier». On dit aussi «Spanish Harlem» pour distinguer cette enclave portoricaine qui s'étend depuis la Cinquième Avenue jusqu'à l'East River et de la 125e rue au nord jusqu'à la 96e au sud, VI, CD3 ; V, CD1-2.

Après la Première Guerre mondiale, les Portoricains se sont installés dans ce quartier qui fut autrefois une zone d'immigration pour les Italiens, les Juifs, les Scandinaves, etc. L'immigration sud-américaine, quant à elle, ne s'est faite que beaucoup plus tard, dans le courant des années 60.

Cette «latinisation» d'une partie du quartier noir de Harlem ne manque pas d'attrait et de pittoresque. Sur la 110e rue, entre Lexington Avenue et la Troisième Avenue, on apercevra l'**Aguilar Branch,** III, C1, immédiatement identifiable à son entrée monumentale. Ce bâtiment est une annexe de la New York Public Library, spécialisée dans les ouvrages en langue espagnole.

On pourra également s'arrêter un instant pour se désaltérer ou manger un sandwich dans une de ces fameuses **bodegas**, qui sont des petites épiceries où l'on trouve absolument de tout et, en prime, une certaine ambiance avec des tables dressées au milieu d'une boutique toujours étroite et passablement encombrée, tables autour desquelles se disputent d'interminables parties de cartes, de dominos et de jeu de dames.

Plus particulier encore, mais cette fois pour amateurs seulement, nous signalerons l'existence à peu près partout dans El Barrio de ce qu'on appelle des **botanicas**. Il s'agit de boutiques où l'on trouve tout ce qu'il faut pour pratiquer la sorcellerie ! Vraiment tout, c'est-à-dire depuis l'onguent miraculeux jusqu'à la poupée de cire à transpercer d'aiguilles. Les objets de culte figurent en bonne place cependant sur les présentoirs. On trouvera, par exemple, des reproductions de la Madone, de toutes les tailles, certaines pouvant atteindre plus d'un mètre de hauteur, et toute sorte de figurines en matière plastique, les unes peintes, les autres, lumineuses, d'autres encore, fluorescentes, etc.

Le pittoresque d'El Barrio ne dissimule en rien cependant la misère réelle et profonde qui règne presque partout dans ce quartier. Il est conseillé par conséquent de faire très attention lorsqu'on se promène aux alentours de la 110e rue et de ne pas exhiber une insolente richesse.

OÙ S'ARRÊTER

Le passage obligé de tout promeneur dans El Barrio est le **Museo del Barrio**, 1230 5th Ave., seul musée aux États-Unis consacré exclusivement aux cultures portoricaine et latino-américaine (voir ch. « Musées », p. **189**).

Quant à l'étape obligée pour goûter la saveur des Tropiques, c'est le **San Juan**, 167 E 117th St., tél. : 860-2382, dont la cuisine portoricaine y attire une clientèle d'habitués.

LOWER EAST SIDE* : LE QUARTIER DES BONNES AFFAIRES

Pl. II, BCD1. — ***Métro** :* Canal St./Broadway (lignes D, N, R) ; Canal St./Centre St. (ligne J) ; Delancey St./Essex St. (ligne F) ; Essex St./Delancey St. (ligne J). ***Bus** :* lignes 14, 21.

Si le Financial District est le quartier des affaires, le Lower East Side est, sans conteste, celui des bonnes affaires. Limité à l'est par le Bowery et au sud par Canal Street, on y trouve de tout et à des prix défiant toute concurrence, d'où l'animation qui règne dans ce quartier, principalement le week-end. Ce qui fait du Lower East Side une sorte de vaste marché découvert plutôt brouillon où se pressent les amateurs de brocantes, d'articles électroménagers, et tous ceux qui ne sont qu'à l'affût d'une bonne affaire.

Un peu d'histoire

Le Lower East Side, depuis Broadway jusqu'aux berges de l'East River, fut à l'origine la propriété de Peter Stuyvesant (1592-1672), dernier gouverneur hollandais de la Nouvelle-Amsterdam. Par la suite, le quartier fut celui des immigrants venus d'Europe par millions. Cette vocation d'accueil ne se dément pas aujourd'hui puisque ce sont les Hispanos-Américains et les Grecs qui ont remplacé les Juifs d'Europe centrale. Misérable et délabré, tout comme autrefois, ce quartier a vu récemment la venue d'artistes fuyant les loyers désormais trop élevés de SoHo.

VISITE

S'il n'est pas rare de retrouver ce décor dans la littérature juive new-yorkaise contemporaine (de Groucho Marx jusqu'à Norman Mailer), on peut encore marcher sur les traces des bandes de gangsters des années 30 — le Bowery était alors appelé : « Boulevard du Crime ». Aujourd'hui investie par quelques vagabonds revêtus de trois ou quatre pardessus enfilés les uns sur les autres, cette artère reste une très bonne adresse pour y acheter du matériel électronique.

Orchard Street et **Canal Street,** II, BC1, dans le prolongement de Bowery, constituent une sorte de paradis pour les fouineurs. A même les trottoirs parfois, ou dans quelques boutiques sombres et encombrées, on trouvera de tout et à des prix absolument imbattables. Orchard Street pour la fripe (début de siècle, années 50 et 60 et surplus militaires). Canal Street pour l'accoutrement « hyper-branché » et tout le matériel électronique en pièces détachées. Sur Canal Street, on remarquera à mi-parcours, enjambant l'East River, le **Manhattan Bridge,** II, D1, construit en 1903, qui rejoint Brooklyn.

En longeant Canal Street, mais cette fois en poursuivant la promenade vers le nord, on trouvera **Mulberry Street,** II, BC1, souvent rebaptisée par les Américains d'origine italienne « via San Gennaro » (du nom du célèbre patron de Naples). C'est déjà la frontière du Lower East Side et de ce que l'on appelle « la Petite Italie » (Little Italy). C'est à cet endroit que l'on peut faire une halte, les restaurants et les bars étant nombreux. On goûtera tout ce que l'Italie compte de spécialités culinaires, café expresso compris.

OÙ S'ARRÊTER

Caffe Roma, 385 Broome St., à l'angle de Bowery, II, C1, tél. : 226-8413. *Ouv. t.l.j. jusqu'à minuit.* Demandez Buddy Zeccardi et faites-lui réciter tous les noms des plats italiens. C'est la coutume.

Italian Food Center, 186 Grand St., à l'angle de Mulberry St., II, C1, tél. : 925-2954. *Ouv. t.l.j.* Leur slogan : « si c'est italien, alors nous l'avons en boutique ! »

Ferrara Pastries, 195 Grand St., à l'angle de Mulberry St. et de Mott St., II, C1, tél. : 226-6150. *Ouv. t.l.j. jusqu'à minuit.* 21 sortes de pâtisseries, autant de glaces, presque autant de cafés.

LES AUTRES BOROUGHS

BRONX : « FORT APACHE ! »

Pl. I, B1-2. — *Métro :* lignes C, D, 1, 2, 4, 5, 6, N, R, 9.
Indicatif téléphonique : 212 (comme Manhattan).

Dans un film américain récent, *Fort Apache : le Bronx,* Paul Newman incarnait le rôle d'un policier désabusé, autant par la misère régnant autour de lui que par la corruption sévissant parmi ses collègues du commissariat. Si certains aspects de ce film sont pour le moins caricaturaux, il n'en demeure pas moins vrai qu'aujourd'hui le Bronx passe, dans l'opinion des New-Yorkais, pour être devenu le pire des cinq *boroughs* de New York.

D'une population de près de 1 400 000 habitants, le Bronx, seul borough de New York à être situé sur le continent, est une région à forte densité ouvrière, presque exclusivement composée de Noirs et de Portoricains. On y trouve toutefois le plus grand parc de New York, **Pelham Bay Park** — au nord-est, et donnant sur Long Island Sound — et probablement l'un des plus grands et des plus impressionnants zoos du monde, le **Bronx Zoo.**

Un peu d'histoire

Le Bronx doit son nom à l'ancien propriétaire de toute cette région, **Johannes Bronck,** un émigré danois installé, dès 1639, au-delà des limites de l'Harlem River, qui sépare Manhattan au nord, depuis l'East River jusqu'à l'Hudson. Le Bronx demeura, jusqu'au début du XXe s., une région aux trois-quarts désertée, ne comptant que quelques fermes isolées et de vastes terres laissées en friche.

Ce n'est qu'avec la construction de la voie de chemin de fer — Harlem Railroad —, en 1840, que le Bronx, mais seulement dans sa partie sud — South Bronx — connut un certain développement industriel. Toutefois le véritable essor de ce district date du début du siècle.

La construction, en 1909, d'une gigantesque voie de passage appelée Grand Concourse (imparfaitement traduit par « Grand Carrefour »), traversait toute la partie ouest du Bronx. Le Bronx, dont l'ambition avouée était d'imiter le modèle parisien des Champs-Élysées, se dotait, non seulement d'un axe prestigieux, mais surtout d'un vaste programme d'urbanisme que le boom des années 30 n'allait pas démentir.

Aujourd'hui, le Bronx est relié à Manhattan par un important réseau de communication : 12 ponts dont deux ferroviaires et 6 tunnels de métro.

VISITE

Van Cortland House, I, B1-2

Métro : 242nd St./Van Cortland Pk./Manhattan College (ligne 1).
Ouv. t.l.j. sf lun. et sam. de 11 h à 15 h; dim. de 13 h à 17 h, ☎ 543-3344.

Cette maison en pierre de style georgien est située dans la partie sud de **Van Cortland Park.** Datant de 1748, elle est actuellement la propriété des Dames of America, qui en ont restauré le mobilier et la font visiter en costume d'époque.

Edgar Allan Poe Cottage*, I, B2

Métro : Kingsbridge Road/Jerome Ave. (ligne 4).
Ouv. t.l.j. sf lun. et mar. de 9 h à 17 h; sam. de 10 h à 16 h; dim. de 13 à 17 h.
Située à l'angle de Jerome Ave. et Fordham Rd, cette maison en bois datant de 1812 abrita Edgar Allan Poe (1809-1849) les trois dernières années de sa vie. Transformée en musée, elle renferme des souvenirs de l'écrivain.

Bronx Zoo**, I, B1-2

Métro : E Tremont Ave./W Farm Sq./Boston Rd (lignes 2, 5, *local*).
Ouv. t.l.j. de 10 h à 17 h; dim. et j. fériés jusqu'à 17 h 30. Entrée gratuite les mar., mer. et jeu.

Situé dans la partie sud de **Bronx Park,** le zoo du Bronx, aménagé à la fin du XIXe s., est une preuve de plus du gigantisme américain. Pas moins d'une centaine d'ha de superficie (252 acres) et 3 600 animaux appartenant à plus de 700 espèces différentes. Le Bronx Zoo passe pour être non seulement le plus grand mais aussi le plus intéressant des cinq zoos que compte la ville de New York.

Des visites guidées, mais à pied, sont proposées gratuitement. On empruntera donc, pour ne pas se fatiguer trop vite à parcourir les distances d'un point à un autre, les différents moyens de transport qui sont mis à la disposition des visiteurs dans l'enceinte du zoo : le petit train routier, le train monorail — *Bengali express* — qui traverse une région appelée **Wild Asia** (l'Asie sauvage) ou encore le téléphérique — *Skyfari* — qui offre une vue saisissante des **Plaines africaines** et du remarquable **Domaine des Grands Singes.**

On ne manquera pas de visiter le **World of Darkness** (« Le Monde des Ténèbres »). Le visiteur entre dans un lieu où la nuit artificielle est créée afin que les animaux nocturnes puissent être perçus en pleine activité. C'est quelquefois effrayant et toujours très spectaculaire.

Pour ceux qui visiteraient le zoo avec des enfants, il ne faut pas manquer l'expérience proposée par le **Children's zoo.** Vous y perdrez peut-être votre journée parce qu'il est impossible, une fois sur place, de décoller les enfants de là. On leur propose d'explorer des tunnels creusés par les taupes, de suivre des lapins à la trace, etc.

A peu près partout dans l'enceinte du zoo, des cafétérias permettent de se restaurer et de se désaltérer à des prix raisonnables.

New York Botanical Garden - Le Jardin Botanique**, I, B1

Métro : Bedford Park Blvd./Grand Concourse (ligne D).

Toutes sortes de plantes sur une étendue comparable à celle du Bronx Zoo, c'est-à-dire une centaine d'hectares. Réalisé en 1891, le Botanical Garden, avec plusieurs milliers de variétés de plantes et de fleurs, offre de quoi rassasier l'amateur le plus exigeant. Disons-le, les herboristes fanatiques se croieront au paradis, les autres feront une très agréable promenade. Le **Museum Building** présente plusieurs expositions sur l'écologie, la botanique, l'horticulture. La **bibliothèque,** ouverte au public, présente un herbier rassemblant trois millions d'espèces !

Yankee Stadium, I, B2

Métro : 161st St./Yankee Stadium (ligne 4).

Le Yankee Stadium est le stade de l'équipe de baseball de New York, les *New York Yankees*. Autant dire que pour le New-Yorkais fanatique de baseball — et il est rare d'en trouver un qui ne le soit pas — ce stade de 54 000 places, d'une conception ultra-moderne, est devenu un temple. Surtout depuis octobre 86 où l'équipe de New York fut consacrée Championne du Monde.

Il faut encore préciser que la popularité de ce jeu est telle qu'il est toujours très difficile d'obtenir des tickets pour assister aux matches. Le spectacle est grandiose et délirant, sur le terrain comme dans les gradins. Si, par relation seulement, on vous propose quelques tickets, acceptez-les. C'est de l'or qu'on vous offre !

BROOKLYN : UN MONDE A PART

Pl. I, AB2-3. — *Métro :* toutes les lignes sauf les J, B, F, D, Q, N, R, C, E, 1, 2, 3, 6 et 7.
Indicatif téléphonique : 718.

Avec trois siècles d'histoire et 200 km^2 de superficie, la ville de Brooklyn a toujours défendu son identité propre même si, pour l'essentiel, cette ville immense n'est qu'une collection de villes moyennes et de petits villages, de coins tranquilles où l'élite new-yorkaise venait se réfugier.

« *Paisible* est un mot qui eût convenu à Brooklyn, New York, surtout au cours de l'été de 1912. *Maussade* convenait peut-être mieux encore ; mais *maussade* n'eût pas pu convenir au quartier de Brooklyn appelé Williamsburg. *Prairie,* voilà un joli mot ! » Telles sont les premières lignes du très célèbre roman *L'arbre de Brooklyn,* de Betty Smith. Tout est dit ou presque sur le charme diffus de cette ville.

Plus peuplé que Manhattan, Brooklyn compte 2 400 000 habitants, si bien qu'à Manhattan, parmi les gens que l'on rencontre, tout le monde, ou presque, est ou vient de Brooklyn.

Un peu d'histoire

Fondé en 1636 par les colons hollandais, *Breukelen,* qui signifie « terre coupée », se trouvait situé au nord, à Wallabout Bay, où les eaux de l'East River achèvent leur course pour se confondre dans celles de la baie de New York. Très vite, les hauteurs de Brooklyn, Brooklyn Heights, sur le bord ouest en allant vers le sud, furent occupées. Un bac reliait Manhattan à Brooklyn. Les riches New-Yorkais firent aussitôt de ce district leur résidence de campagne.

VISITE

Le **pont de Brooklyn*****, II, CD2, rattacha directement les deux rives en 1883, puis ce fut le **pont de Williamsburg,** II, D1, en 1903, et enfin **celui de Manhattan,** II, CD2 — tout peint de bleu — en 1909. Le premier métro date de 1905. C'est dans les années 50 que le **Brooklyn Battery Tunnel,** II, B3, fut achevé.

Le jardin botanique du Bronx est unique au monde : il possède depuis peu une jungle artificielle !

Enfin, le **pont Verrazano-Narrows,** I, A3, conçu par Othmar Ammann, fut construit en 1964. C'est le pont le plus long du monde, plus long que le Golden Gate de San Francisco. Il se dessine dans le ciel comme un gigantesque porche placé à l'entrée du port de New York. Reliant à une altitude de 226 m au-dessus des eaux les 4,5 km qui séparent Staten Island de Brooklyn, le Verrazano-Narrows Bridge est devenu le point de départ du très célèbre Marathon de New York.

Brooklyn Heights**, II, D3

Métro : Clark St./Brooklyn Heights (ligne 2).

Depuis ces fameuses collines de Brooklyn vous est offerte l'une des vues les plus saisissantes sur Manhattan. Pour le reste, l'ensemble a les allures d'une petite ville de province. Les rues, bordées d'arbres, portent des noms de fruit. Tout est propre et bien ordonné. **Montague Street** est la rue commerçante de Brooklyn Heights. Elle est dans le ton de l'ensemble, c'est-à-dire « maussade ». On peut cependant s'arrêter au **Long Island Historical Society,** à l'angle de Clinton Street et de Pierrepont Street. Ce musée propose quelques films et des documents retraçant l'histoire de Brooklyn et de toute la région de Long Island.

Prospect Park*, I, B3

Métro : Grand Army Plaza/Prospect Park (ligne 2).

Grand parc naturel de 213 ha, il offre le charme de ses vieux arbres entourant de vastes étendues gazonnées, et renferme, à l'angle nord-est, dans le triangle formé par Eastern Parkway, Flatbush Ave. et Washington

Ave., le jardin botanique, le musée et la bibliothèque publique de Brooklyn.

Brooklyn Botanic Garden★, I, B3

Métro : Botanic Garden/Eastern Pkwy (ligne S, *shuttle*).

Le jardin botanique, qui s'étend sur 20 ha, abrite une roseraie, des jardins de plantes médicinales et odorantes, des serres, des cerisiers japonais, une très belle collection de bonsaïs, un jardin paysager japonais et une réplique du célèbre jardin sec de Ryoan-ji à Kyoto *(ouv. t.l.j. sauf lun. de 8 h à 18 h ; sam. et dim. de 10 h à 18 h ; d'oct. à mars fermeture à 16 h 30* ☎ (718) 622-4433).

Brooklyn Museum★★, I, B3

200 Eastern Parkway, ☎ 638-5000. *Métro :* Eastern Parkway/Brooklyn Museum (ligne 2).
Ouv. t.l.j. sauf lun. et mar. de 10 h à 17 h.

Gigantesque bâtiment abritant des collections remarquables, ce musée ne semble cependant pas connaître la faveur du public.

Peintures hollandaise, anglaise, mais aussi américaine — il faut découvrir les œuvres du peintre Winslow Homer — une grande place faite à l'art contemporain et de superbes galeries d'antiquités égyptiennes, tout cela constitue une raison suffisante pour visiter ce grand musée bien méconnu.

Coney Island★, I, AB3

Métro : lignes B, D, F, N, direction Coney Island.

Disons-le tout de suite, de Coney Island, il ne reste aujourd'hui plus rien, sinon quelques vestiges délabrés et pitoyables. Coney Island ressemble désormais à ces villes fantômes qui, dans les westerns, ont été brusquement abandonnées par les chercheurs d'or.

Coney Island, traduit du hollandais, signifie « l'île des lapins », et se trouve située à l'extrême pointe sud de Brooklyn. C'est une presqu'île baignée par l'océan Atlantique. Coney Island connut son heure de gloire dans les années 1830. La haute bourgeoisie en avait fait un lieu de rencontres et de distractions ; des casinos, des hôtels et des hippodromes★ furent édifiés.

Cinquante ans plus tard, au goût du luxe succéda celui de la sensation. Des attractions foraines vinrent s'établir à Coney Island — les premières montagnes russes datent de 1884. Le public changea. Il devint populaire et chaque fois plus nombreux, transformant tout l'endroit en un vaste et unique parc d'attractions.

A la fin des années 40, Coney Island devint un lieu si mal fréquenté qu'à son tour le public populaire le déserta. Depuis, ce qui ne fut pas vendu à la ferraille rouille sur place. Restent néanmoins les foules considérables de baigneurs qui envahissent, l'été seulement, la longue plage de sept kilomètres donnant sur l'Atlantique.

New York Aquarium★, I, B3

Métro : W 8th St. /N.Y. Aquarium (lignes D, F).

Situé à l'angle de la 8e rue et de Boardwalk, il présente, entre autres, des spectacles de dauphins.

OÙ S'ARRÊTER ?

A Coney Island, il faut, pour sacrifier au rite local, déguster le meilleur hot-dog du monde. C'est chez **Nathan's Famous** qu'il se trouve, à l'angle de Surf Ave. et de Stillwell Ave.

Et aussi, quoique beaucoup plus cher, à Brooklyn Heights au pied du Brooklyn Bridge, avec vue imprenable sur Manhattan, le très célèbre **River Cafe** (1 Water St.).

Voir aussi le « Carnet d'adresses » p. 243.

QUEENS : UNE BANLIEUE HÉTÉROCLITE

Pl. I, B2-3. — ***Métro :*** lignes A, C, E, F, G, N, R, 7.
Indicatif téléphonique : 718.

Des cinq *boroughs* que compte New York, le Queens est le plus étendu : 290 km^2, c'est-à-dire à peu près deux fois la superficie d'une ville comme Paris. Au nord-est de Brooklyn, sur cette large bande de terre qu'est Long Island, le Queens semble s'étendre sans cesse, multipliant la diversité des populations, de leur classe sociale, de leur ethnie d'origine. Si, par exemple, Long Island City est une section populaire, plus proche de Manhattan par la distance, Forest Hill, par contre, qui se trouve situé pratiquement au centre du Queens, est une zone hautement résidentielle, et ainsi de suite. Pour mieux se rendre compte encore de cette diversité régnante, qu'il nous suffise d'énumérer quelques-unes des facettes de cette région.

VISITE

Les deux principaux aéroports desservant la région de New York se trouvent dans le Queens : **John F. Kennedy International Airport,** I, B3 (métro : Howard Beach/JFK Airport/159th St., ligne C ; JFK Passenger Terminals, ligne JFK), plus communément désigné par ses simples initiales (trafic aérien international) et **La Guardia Airport** (vols intérieurs) I, B2 (bus Q33 à partir de la station 74th St./Broadway, ligne 7). JFK, avec l'aéroport international de Los Angeles, connaît probablement le plus gros trafic aérien mondial.

C'est à **Flushing Meadow,** au nord de Forest Hill, que se déroule chaque année le très célèbre Tournoi international de Tennis **(US Open Tennis Championship)** ainsi que de nombreuses compétitions nationales. Ce stade a une capacité d'accueil de 20 000 places, plus 6 500 strapontins ; il compte 23 courts de tennis découverts et 9 courts couverts. Ces courts sont à la disposition du public. Il suffit d'appeler le 592-8000.

Au nord de Flushing Meadow, on découvrira le **Shea Stadium.** Ce stade peut recevoir 60 000 spectateurs. C'est le fief des *New York Jets,* l'équipe de football de New York.

Il y a encore de la place dans le Queens pour une réserve naturelle, **Jamaica Bay Wildlife** (métro : Broad Channel, ligne C). Située dans la baie de Jamaica, cette réserve naturelle abonde en variétés d'oiseaux aquatiques. Il faut la visiter de préférence à la mi-août, pendant la saison des migrations. Quoi qu'il en soit, si vous vous y rendez à n'importe quel autre moment de l'année, sachez seulement qu'il convient d'être vêtu de manière appropriée — une réserve n'est pas un zoo — et que des *rangers* seront toujours là pour vous aider et vous guider dans tous vos déplacements.

A voir aussi, le légendaire **QP's Market Place,** I, B2 (métro : Queens Plaza/Queens Blvd., lignes E, G, R). Ces anciens entrepôts se trouvent à Queens Plaza (à l'angle de Queens Boulevard et de Northern Boulevard), Long Island City. Immense marché aux puces — où 500 brocanteurs vous proposent à peu près tout et n'importe quoi — il a de surcroît cette particularité de brader des objets gigantesques : pompes à essence des années 20, porte à deux battants d'un ancien hôtel, réverbères municipaux, et même des feux de signalisation ! Pour plus d'informations, appeler le 786-4500.

OÙ S'ARRÊTER ?

Le Queens n'a pas la réputation d'être un haut lieu de l'art culinaire. Toutefois, on trouvera de bons et nombreux restaurants italiens.

Villa Bianca, 251-17 Northern Blvd., ☎ 631-5666. Typique, raisonnable et tout à fait acceptable. Cuisine italienne.

Pour les amateurs d'authenticité, **Patrick's Pub,** 252-12 Northern Blvd., tél. : 423-7600. Pub, tout ce qu'il y a de plus irlandais. Le patron est une vraie vedette. C'est lui qui organise le fameux marathon des garçons de café, le jour de la fête des Irlandais, St Patrick's Day.

Aussi authentique, mais dans un autre genre, **Seymour Kaye's** est un restaurant yiddish (112-01 Queens Blvd., à l'angle de la 75e rue, Forest Hill, ☎ 261-7720. On chante, on danse, on boit, et on mange de l'excellente cuisine de l'Europe de l'Est. Le pianiste interprète un répertoire yiddish. Dans un coin de la salle de restaurant, on vend au détail quelques vêtements.

Voir aussi le « Carnet d'adresses » p. 243.

STATEN ISLAND : LE PARENT PAUVRE DE NEW YORK

Pl. I, A3. — *Ferry* qui part de Battery Park, à la pointe sud de Manhattan pour le port St George de Staten Island. C'est là le seul moyen de transport en commun pour se rendre sur l'île. Staten Island est accessible par le Verrazano-Narrows Bridge, mais il faut une voiture.

Indicatif téléphonique : 718.

Jusqu'en 1964, date à laquelle fut mis en service le pont du Verrazano, il n'existait pas d'autre moyen pour se rendre à Staten Island que celui du ferry. Toutefois, comme nous l'avons déjà signalé, cette traversée en ferry (elle dure un quart d'heure environ et passe au pied de la Statue de la Liberté) est l'une des plus jolies et des moins chères qu'on peut faire à New York (voir promenade « La Statue de la Liberté », p. 200).

Cette absence de voies de communication avec les autres *boroughs* de New York explique en grande partie l'espèce de léthargie dans laquelle se trouve encore plongée cette petite île de 22 km de long sur 12 de large. Les New-Yorkais disent avec un peu de cruauté — surtout lorsqu'on sait le mépris dans lequel ils tiennent l'État du New Jersey et tout ce qui s'y rapporte — que Staten Island est plus proche spirituellement du New Jersey que de New York. Outre cela, Staten Island a la réputation de n'être qu'une décharge publique. Il est vrai qu'on y traite les ordures ménagères en provenance de Manhattan.

Fondé au XVIIe siècle par les Hollandais, Staten Island n'a jamais retenu, tout au long de ces trois derniers siècles, l'intérêt, ni des hommes politiques, ni même celui des promoteurs. L'île ne fut même jamais vendue, elle fut cédée à la ville de New York à titre de trophée pour une course de bateaux organisée par le duc d'York en 1687. Telle est, peut-être, la raison pour laquelle l'île s'est résolument tournée vers le New Jersey.

Le **Bayonne Bridge** relie Bayonne (New Jersey) au Port Richmond (Staten Island) tandis que le **Goethals Bridge** fait la liaison entre Elizabeth (New Jersey) et Howland Hook (Staten Island) et, enfin, le **Outerbridge Crossing,** entre Perth Amboy (New Jersey) et Tottenville (Staten Island).

VISITE

On se rendra d'abord à **Richmondtown Restoration**★, **441 Clark Ave.,** ☎ (711)351-1611 *(ouv. t.l.j. sauf lun. et mar. de 10 h à 17 h),* musée en plein air où sont regroupés une trentaine d'édifices de l'ancien centre administratif de Staten Island, aujourd'hui restaurés.

A 1 km au nord-est du centre de Richmondtown, au 338 Lighthouse Ave., le musée **Jacques Marchais Center of Tibetan Art** (*ouv. du mer. au dim. de 13 h à 17 h, d'avr. à oct. ;* ☎ 987-3478) expose une belle collection d'art sacré bouddhique et des sculptures disposées dans des jardins en terrasses. On prétend qu'il s'agit là de la plus importante collection d'art tibétain qui soit au monde.

Le **zoo** de Staten Island (*ouv. t.l.j. de 10 h à 16 h 45,* ☎ 442-3101), situé dans **Barrett Park,** vaut également la visite pour sa célèbre collection de reptiles.

OÙ S'ARRÊTER?

On s'arrêtera au **Marina Cafe,** 154 Mansion Ave., Great Kills, ☎ 967-3077. L'endroit est plaisant et offre une très jolie vue de Manhattan. La cuisine y est acceptable. Principalement du poisson.

LES ENVIRONS DE NEW-YORK

LONG ISLAND : UNE PLAGE DE 190 KM

Des services réguliers de ***cars*** desservent la région de Long Island (*renseignements* : **Bus Terminal,** 39th St. et 8th Ave.).
De nombreuses lignes de ***chemins de fer,*** au départ de Penn Station, assurent également la desserte de cette région.

Long Island, bande de terre d'une longueur de 190 km sur une largeur de 40 km, est séparée du continent par le Long Island Sound. C'est la grande résidence d'été des New-Yorkais. Au nord, la Golden Coast — la «côte dorée» — est jalonnée de somptueuses demeures et de plages privées.

Le sud de l'île, en revanche, est un peu moins «réservé», surtout dans la région de Jones Beach.

LA CÔTE NORD

Stony Brook* est un de ces villages où le XIXe s. est encore présent par ses petites maisons au caractère campagnard. Le **musée** de Stony Brook — Stony Brook Museum — présente des objets d'art traditionnel.

Sunken Meadow State Park est une vaste plage préservée de toute habitation. Toutefois, des aménagements récréatifs sont prévus pour les visiteurs.

Sands Point Park, réserve naturelle d'une superficie de 83 ha, se trouve à Port Washington. On y verra le manoir que se fit construire l'aviateur H. F. Guggenheim en 1923. On pourra y admirer, à l'intérieur, une très belle collection de mobilier français et espagnol des XVIe et XVIIe s.

Cold Spring Harbor était autrefois un grand port de pêche à la baleine. Il ne reste de cette époque des baleiniers que le souvenir et quelques maisons de pêcheurs soigneusement entretenues. Tout ce qui se rapporte à cette activité se trouve exposé au **Whaling Museum** : harpons, instruments de navigation, etc.

LA CÔTE SUD

Jones Beach Park est une plage qui s'étend sur 11 km et qui voit des foules considérables l'envahir dès que les beaux jours de l'été reviennent. Très populaire, avec des radios poussées à fond de volume.

Les **Hamptons** sont une suite de villages qui s'étendent sur environ 50 kilomètres. Westhampton, Southampton et East Hampton constituent les trois principales bourgades. Tout ce qui se fait de chic à Manhattan se doit de passer le week-end et les vacances d'été dans les Hamptons — ou au moins de le prétendre !

Fire Island — cette île interdite à la circulation et qui court sur une cinquantaine de kilomètres — est devenue depuis quelques années un lieu de rassemblement des gays new-yorkais. La fête nationale du 4 juillet y est particulièrement respectée. On peut également visiter la **réserve naturelle,** National Seashore (tél. : [516] 289-4810).

Enfin, si l'on est amateur de pêche en haute mer, on ne manquera de se rendre à **Montauk,** ancien petit village de pêcheurs à la baleine, aujourd'hui véritable paradis institué de pêche sportive.

PRINCETON UNIVERSITY : L'UNIVERSITÉ NOBLE

On peut se rendre à Princeton par la route. Le **Port Authority Bus Terminal** (39th St. et 8th Ave.) assure un service de ***cars*** régulier (compter au minimum 2 h de trajet).

Mais le mieux et le plus rapide, c'est encore de prendre le ***train*** à Pennsylvania Railroad Station — «Penn Station» (31e rue et Huitième Avenue, au sous-sol de Madison Square Garden). *Renseignements* : (609) 452-3603.

Située à une centaine de kilomètres de Manhattan, à l'ouest de l'État de New Jersey, la ville de Princeton accueille depuis le XVIIIe s. l'un des centres universitaires les plus prestigieux des États-Unis. On «est» de Princeton comme on vient d'une grande famille. Avec l'université de Yale, Harvard, ou encore celle de Columbia, pour ne citer que les plus prestigieuses, Princeton fait partie de ce que l'on appelle la *Ivy League,* c'est-à-dire la «famille» des dix meilleures universités du pays.

Un peu d'histoire

Créé en 1746, à l'initiative d'un groupe d'ecclésiastiques presbytériens, le College of New Jersey fut d'abord établi à Elizabeth, puis transposé à Newark avant de s'installer définitivement en 1756 dans la ville de Princeton. Washington, à la tête de l'armée révolutionnaire, remporta la bataille dite de Princeton le 3 janvier 1777 contre les Anglais. En 1783, le gouvernement fédéral siégea à Princeton et le traité de paix avec les Anglais y fut signé, mettant ainsi fin à la guerre d'Indépendance. C'est en 1896, à l'occasion du 150e anniversaire de sa fondation, que le College of New Jersey fut érigé en université et prit le nom de Princeton University.

Pour un étudiant, entrer à l'université de Princeton est un exploit. En sortir avec un diplôme fait figure d'un titre de noblesse ! Désormais, toutes les portes lui seront ouvertes, celles de la politique et de l'État en particulier, mais aussi celles de la recherche scientifique. Avec environ 6000 étudiants et 700 professeurs — dont quelques-uns sont prix Nobel ou nobelisables en puissance —, Princeton University est une pépinière de «Grands Hommes».

VISITE

La visite du campus, d'une superficie de 1 040 ha, est assurée par les étudiants eux-mêmes.

On découvrira le superbe bâtiment de **Nassau Hall,** à partir duquel s'ordonne tout le campus. Les services administratifs de l'université y sont installés. D'une architecture classique, cet édifice fut ainsi nommé en hommage à la dynastie d'Orange Nassau, dynastie régnante en Angleterre au moment de la fondation du collège.

La **bibliothèque** de l'université — Harvey S. Firestone Library — abrite 3 millions de volumes et une dizaine de salles de conférences. En visitant la **chapelle,** qui peut recevoir 2 000 fidèles, on remarquera la chaire en bois sculpté datant du XVIe s. et provenant du nord de la France. Le **musée des Beaux-Arts** — Art Museum — présente une très belle collection de peintures du Moyen Âge et de la Renaissance.

Le bâtiment **Woodrow Wilson School,** qui tient son nom du président de l'université de Princeton de 1902 à 1910, est un centre de formation consacré aux affaires publiques et internationales. Diplomates et hauts fonctionnaires de l'État y reçoivent les principes de leur future et prestigieuse carrière. Enfin, le **Centre de Recherches James Forrestal** — James Forrestal Research Center — fut inauguré en 1951. La recherche en matière d'aéronautique, de chimie et de physique nucléaire y est à l'honneur.

LA VALLÉE DE L'HUDSON : UN PAYSAGE INDIEN

On peut remonter la vallée de l'Hudson par ***bateau*** depuis Memorial Day, c'est-à-dire du dernier lundi du mois de mai jusqu'à la mi-septembre.

On peut également visiter la vallée de l'Hudson en empruntant la ***route.*** Celle-ci porte le numéro US 9. Il suffit de quitter Manhattan par le grand axe routier situé au nord de la ville, le Henry Hudson Parkway.

Enfin par le ***chemin de fer,*** à partir de Penn Station, à condition, bien entendu, de choisir une destination précise.

L'Hudson traverse du nord au sud l'État de New York, depuis la région des Grands Lacs, c'est-à-dire la frontière des États-Unis avec le Canada, jusqu'à la baie de New York, soit sur une distance d'environ 500 km. Ce fut une des grandes voies de pénétration du continent américain.

Dans la vallée, la nature est superbe, surtout durant la période dite de «l'été indien» qui va de la fin septembre jusqu'à la fin octobre. La forêt, végétation reine, prend alors des teintes d'un rouge vif tout à fait éblouissant.

Après le quadrillage systématique de Manhattan, du Queens, de Brooklyn ou du New Jersey, on pénètre en plein territoire indien, avec des routes qui serpentent autour des reliefs accidentés du paysage et traversent des villes aux noms étranges : Tuckahoe Road, Oscawana, Peeksill, Mohansic, Roe Park, Mohegan Lake, Poughkeepsie, etc.

VISITE

Le Van Cortland Manor *(autoroute US 9 jusqu'au pont de Croton)* avait appartenu au premier lieutenant-gouverneur de l'État de New York, Pierre Van Cortland. On y découvrira un mobilier de style américain typique du XIXe s. Benjamin Franklin, le général Lafayette et Rochambeau séjournèrent en ces lieux.

Vassar College *(route US 9 jusqu'à Poughkeepsie, municipalité dont dépend le College).* Autrefois strictement réservé aux jeunes filles de bonnes familles, le college est devenu mixte en 1968. C'est, dit-on, l'établissement le plus distingué d'Amérique.

Hyde Park

(6 miles/10 km au nord de Poughkeepsie, sur la route 19.)

Le président **Franklin Delano Roosevelt** naquit en ces lieux en 1882. La maison demeura la propriété de la famille pour être aujourd'hui transformée en monument historique national — Home of Franklin Delano Roosevelt. De nombreux documents relatant la carrière de F. D. Roosevelt y sont présentés.

Vanderbilt Mansion est une somptueuse demeure à voir essentiellement pour le très beau mobilier des XVIe et XIXe s. qu'elle abrite.

West Point

(Traverser l'Hudson à Poughkeepsie, prendre la route 9W, puis la route 218 vers le sud.)

L'académie militaire de West Point est un objet de légende et d'admiration pour les Américains. Équivalent américain de Saint-Cyr, cette institution fut créée en 1794 par le général Knox qui était alors ministre de la Guerre. Il fallut cependant attendre 1802 pour que le Congrès en fit officiellement l'académie militaire des États-Unis. West Point a fourni à l'Amérique quelques-uns de ses hommes les plus célèbres : le général Mac Arthur, promotion de 1903, le général Patton (1909), Eisenhower (1915), ainsi que les astronautes Borman (1950), Aldrin (1951), Collins et White (1952) et Scott (1954).

Les études durent quatre ans pour ces cadets. Ils sont aujourd'hui plus de 4400 garçons et filles.

Des visites sont organisées à l'intérieur de l'académie, avec projection de films documentaires (Visitors Information Center, ☎ (914) 938-2638). Le **musée** de l'académie recèle de surprenants objets — une épée ayant appartenue à Napoléon, le bâton de maréchal du général Goering — ainsi qu'une impressionnante collection d'armes à feu.

La fameuse parade des cadets de West Point a lieu en automne et en mai. La télévision retransmet toujours cette manifestation, mais nombreux sont les Américains qui se rendent sur place à West Point pour assister à ce défilé.

Storm King Art Center (à 10 miles de West Point) présente, sur 29 ha, des sculptures contemporaines. Par les œuvres d'art qui y sont exposées autant que par la situation de ce vaste musée à ciel ouvert, le Storm King Art Center mérite une visite ☎ (914) 534-3115.

ATLANTIC CITY

New-Jersey — 170 km de Manhattan — ***Cars*** plusieurs fois par jour au départ de **Port Authority Bus Terminal** (Lignes Greyhound, Trailways ou New Jersey Transit).
Renseignements : **Atlantic City Convention and Visitors Bureau**, ☎ (609) 345-7536.

Cette station balnéaire du New Jersey, avec son célèbre *boardwalk* (promenade en planches de 8 km de long), fut fondée en 1854. Connue pour être le Las Vegas de la côte Est, elle reçoit chaque année des millions de visiteurs qui se pressent dans ses innombrables établissements de jeux où dominent machines à sous, roulette et cartes. C'est du reste là qu'est né le fameux jeu de société «Monopoly». Dans ce paradis des joueurs a lieu tous les ans, en septembre, l'élection de Miss America.

NEW YORK
CARNET D'ADRESSES

Vous trouverez dans ce chapitre les **hôtels** et **restaurants** classés par quartier, une sélection de **bars** et de **jazz clubs,** ainsi qu'une liste des meilleurs **magasins** ou **boutiques,** amusantes ou insolites, classées par rubriques (voir sommaire ci-dessous).

SYMBOLES UTILISÉS

Hôtels

Aux États-Unis, les chambres sont, en général, toutes dotées d'air conditionné, de téléphone et de salle de bains.

▲▲▲▲	Hôtel de très grand luxe ; plus de 200 $	① restaurant
▲▲▲	Hôtel de grande classe offrant un confort maximum ; de 150 $ à 200 $	② parking
		③ tennis
▲▲	Hôtel de bon confort ; de 80 $ à 150 $	④ piscine
▲	Hôtel simple et confortable ; moins de 80 $	⑤ parc

★ : prix spéciaux week-ends, selon la disponibilité des chambres ; se renseigner auprès des hôtels ou consulter le *New York Times* du dimanche.

Restaurants

Faites attention, à New York, les endroits à la mode ne sont pas toujours synonymes de bonne cuisine...

La plupart des restaurants ouvrent dès 11 h 30 pour le déjeuner et à partir de 18 h pour le dîner.

A la fin de chaque itinéraire, nous indiquons d'autres restaurants, bars ou salons de thé, en général plus décontractés que ceux du carnet d'adresses.

Prix par repas et par personne :

$$$$	: plus de 60 $;	AE	: American Express ;
$$$	: de 45 $ à 60 $;	CB	: Carte blanche ;
$$	: de 30 $ à 45 $;	DC	: Diner's Club ;
$	: de 15 $ à 30 $;	MC	: Master Card ;
		VISA	: Visa (carte bleue).

Nous essayons, dans la mesure du possible, d'indiquer les cartes de crédit acceptées par les établissements.

SOMMAIRE

DOWNTOWN

Hôtels

▲▲▲▲ **Vista International,** 3 World Trade Center, II, B2, ☎ 938-9100. 829 ch. ① ④ ③ ② AE, CB, DC, MC, Visa. L'hôtel du « Financial District », situé entre les deux tours du World Trade Center. Piste de jogging et sauna. Excellent restaurant : *an american place.*

▲▲▲▲ **Marriott, Financial District,** 85 W St., II, B2, ☎ 227-8136, 504 ch.

Restaurants

Financial District, World Trade Center, Tribeca, Chinatown, Little Italy

American Harvest, 3 World Trade Center, II, B2, ☎ 432-9334. Américain. *Fermé le dim.* AE, CB, DC, MC, Visa. Situé dans le **Vista International Hotel.** Très bonne table. $$$$

Montrachet, 239 W Broadway, près de White St. II. B 1, ☎ 219-2777. *Ouv. du lun. au sam. de 18 h à 22 h 45, fermé le dim.* AE. Réserver. Français. Un décor, très « douce France » avec lumière tamisée et bouteilles de Montrachet alignées comme des trophées dans le grand bar en bois foncé. La couleur locale, c'est la clientèle ; du businessman à l'artiste en passant par le jeune couple s'offrant un peu de luxe pour leur anniversaire de mariage. Un plat à essayer : le *foie gras de canard* du nord de l'État de New York, 3 étoiles récemment au *New York Times* : une des meilleures tables de la ville. $$$$

Windows on the World, 1 World Trade Center, II, B2, ☎ 938-1111. Franco-américain. AE, CB, DC, MC, Visa. Comprend 3 restaurants (**Cellar in the Sky, The Hors-d'Œuvrerie, The Restaurant**) tous situés au 107ᵉ étage. Vue imprenable sur New York. Brunch sam.-dim. $$$$

Barocco, 301 Church St. et Walker St., II, B1, ☎ 431-1445. *Ouv. jusqu'à minuit les ven. et sam., fermé le dim.* AE, CB, DC, MC, Visa. Trattoria au décor élégant fréquentée par le monde des arts et du spectacle. Tenue correcte. $$$

Ecco, 124 Chambers St., entre Church St. & Broadway, II, B2, ☎ 227-7074. Italie du Nord. AE. Réserver pour le lunch dans ce vieux bar restauré, plein à midi d'une clientèle très « Wall Street ». Un peu bruyant... $$$

Flutie's, Pier 17 South Street Seaport, II, C2-3, ☎ 693-1968. Poissons et steaks. *Ouv. du lun. au dim. de 11 h à 23 h.* AE, DC, MC, Visa. Réserver. Très touristique, mais les poissons, les crustacés ou les traditionnels steaks valent le déplacement. $$$

Morgan Williams, 55 Broadway, au sud de Wall St., II, B3, ☎ 809-3150. Cuisine européenne américanisée. *Fermé le week-end.* AE, CB, DC, MC, Visa. Un endroit calme et spacieux qui mériterait d'être fréquenté davantage. $$$

Odeon, 145 W Broadway et Thomas St., II, B2, ☎ 233-0507. *Ouv. jusqu'à 3 h du matin les ven. et sam., fermé le lun.* AE, MC, Visa. Brasserie française Art déco et « nouvelle » cuisine. Restaurant préféré de Bruce Springsteen et Rauschenberg. $$$

Sweets, 2 Fulton St, South Street Seaport, II, C2-3, ☎ 825-9786. *Ouv. du lun. au ven. de 11 h 30 à 20 h 30, fermé le week-end.* AE, DC, MC, Visa. Clientèle de quartier. Un des plus anciens restaurants de poisson de la ville. $$$

Le Zinc, 139 Duane St., II, B2, ☎ 732-1226. *Ouv. du lun. au ven. de 12 h à 15 h et du lun. au sam. de 19 h à minuit.* Dans Tribeca, une très bonne brasserie française, « in » et sympa. $$$

Angelo's, 146 Mulberry St., II, BC2, ☎ 966-1277. *Ouv. du mar. au jeu. de 12 h à 23 h 30, ven. et sam. jusqu'à 1 h du matin, fermé le lun.* AE, DC, MC, Visa. Italie du Sud. Nombreux sont les habitués qui apprécient ici la qualité des plats, cuisinés « comme à la maison ». $$

Bon temps Rouler, 59 Reade St., entre Broadway et Church St., II, B2, ☎ 513-1333. Cuisine *Cajun.* Venez après 21 h pour la faune. Essayez les grillades sur *mesquite*. $$

Bridge Cafe, 279 Water St. et Dover St., II, C2, ☎ 227-3344. Ancienne taverne de marins fréquentée par les personnalités politiques. Un menu différent chaque jour. Brunch célèbre le dimanche. $$

Costa Azzurra, 134 Mulberry St., II, BC2, ☎ 966-5634. *Ouv. de 12 h à 23 h, à minuit sam. et dim., fermé le mar.* AE, DC, MC, Visa. Réserver. Italie du Nord. Cadre simple et ambiance chaleureuse. $$

Fraunces Tavern Restaurant, 54 Pearl St. et Broad St., II, B3, ☎ 269-0144. Américain. Lieu historique s'il en est : Washington y prit son dernier repas avec ses officiers. $$

Gianni's, 15 Fulton St., et South Street Seaport. II, C2-3, ☎ 608-7300. AE, CB, DC, MC, Visa. Réserver. Italie du Nord. Terrasse agréable ; pâtes excellentes. $$

Harry's at Hanover Square, 1 Hanover Square, entre Pearl St. et Stone St., II, B3, ☎ 425-3412. Steaks et *chops*. L'exemple-type d'un *pick-up place* : on s'y retrouve après le travail autour d'une bière. Si vous êtes célibataire, c'est l'endroit idéal pour pratiquer votre anglais ! Atmosphère très détendue et bien bruyante. $$

Phoenix Garden, 46 Bowery, sous l'arcade, II, C2, ☎ 962-8934. *Ouv. du lun. au dim. de 12 h à 22 h.* Cantonnais. Décor insignifiant mais cuisine excellente. Les Chinois y viennent nombreux, ce qui est bon signe. $$

Say Eng Look, 5 E Broadway, à Chatham Square, II, C2, ☎ 732-0796. AE, MC, Visa. Cuisine de Shanghai. Un choix de plus de 150 plats ! $$

Siu Lam Kung, 18 Elizabeth St., au sud de Canal St., II, C1, ☎ tél. : 732-0974. Réserver. Cantonnais. Très apprécié des Chinois eux-mêmes. Service rapide et cadre agréable. $$

Vincents Clam Bar, 119 Mott St., II, C1-2, ☎ 226-8133. Spécialités de crustacés et fruits de mer. Une institution du quartier. $$

Dai Sai Kai Restaurant, 155 Grand St., II, BC1, ☎ 925-3865 ; 226-8783. *Coffee-shop*, sino-cubain. Soupes délicieuses et bon marché (en-dessous d'un dollar). $

Cafe Iguana, 235 Park Avenue South at 19th St. III, C2, ☎ 529-4770. $

H.S.F., 46 Bowery, au sud de Canal St., II, C2, ☎ 374-1319. Chinois. Très convivial, spécialités à la vapeur. $

Thailand Restaurant, 106 Bayard St. et Baxter St., II, BC1-2, ☎ 349-3132. *Ouv. du lun. au dim. de 11 h 30 à 23 h 30.* Thaïlandais. Cadre sans prétention et cuisine excellente. Service attentionné. $

SoHo, Greenwich Village, East Village, Lower East Side

Bernstein on Essex Street, 135 Essex St., II, C1, ☎ 473-3900. *Ouv. du dim. au jeu. jusqu'à 1 h du matin, sam. jusqu'à 3 h.* Cuisine kasher. Une des meilleures adresses de New York pour les amateurs de *pastrami*. $$

Chanterelle, 2, Harrison Street, II, B1, ☎ 966-6960. *Fermé les dim. et lun.* AE, MC. Visa. Français. Excellente « nouvelle cuisine », un des restaurants les plus sélects de New York. $$$$

Coach House, 110 Waverly Pl., III, B3, ☎ 777-0303. *Fermé le lun. et en août.* Cuisine américaine dans une remise. Longtemps considérée comme une institution de Greenwich Village. $$$$

Gotham Bar & Grill, 12 E 12th St., entre 5th Ave. et University Pl., III, C2-3, ☎ 620-4020. AE, CB, DC, MC, Visa. Réserver. Américain/français. Ancien entrepôt transformé en élégant restaurant. Clientèle de cadres. Le décor est un peu pompeux, mais la cuisine est délicieuse. Vous pouvez essayer le *lunch*, un peu moins cher. $$$$

John Clancy's, 181 W 10th St. et 7th Ave., III, B3, ☎ 242-7350. *Ouv. du lun. au dim. de 18 h à 23 h 30.* AE, CB, DC, MC, Visa. Réserver. Américain. Poissons et crustacés. Le patron, un ancien pêcheur, tient à la qualité de ses produits : le poisson est aussi frais que si vous le mangiez à Cape Cod ou Montauk. $$$$

La Tulipe, 104 W 13th St. et 6th Ave., III, B2, ☎ 691-8860. *Fermé le lun., dîner de 18 h à 22 h* (menu à 57 $). AE, CB, DC, MC, Visa. Réserver. Français. Un lieu très discret, avec un charmant petit jardin. La carte est alléchante, dommage que les proportions soient un peu justes... $$$$

Baton's, 62 W 11th St., III, B3, ☎ 473-9510. *Ouv. t.l.j. de 18 h à 24 h.* AE, MC, Visa. Décor avant-garde dû à Sam Lopata avec néons entrecroisés aux murs. Nouvelle cuisine californienne. Très « branché ». $$$

The Black Sheep, 344 W 11th St. et Washington St., III, B3, ☎ 242-1010. *Ouv. t.l.j. de 18 h à 24 h.* AE, CB, DC, MC, Visa. Réserver. Français. Un restaurant très couru par les « yuppies ». $$$

Cent'Anni, 50 Carmine St., entre Bleecker St. et Bedford St., III, B3, ☎ 989-9494. *Ouv. t.l. soirs jusqu'à 23 h 30, 22 h 30 le dim.* AE. Italie du Nord. Pâtes et côtes de veau sont à essayer absolument. Laisser une place pour les desserts. Tout y est très copieux. $$$

Da Silvano, 260 6th Ave., entre Bleecker St. et Houston St., III, B3, ☎ 982-2343. Italie du Nord. Un régal pour les amateurs de cuisine toscane. Les plats, inventifs, et le service, impeccable, en font une des meilleures adresses de New York. Plus de 10 plats du jour ! Terrasse. $$$

Indochine, 430 Lafayette St., III, C3, ☎ 505-5111. Vietnamien. Décor de bambous et plantes vertes. Excellente cuisine. $$$

Pierre's Restaurant, 170 Waverly Place, ☎ 929-7194. $$$

La Ripaille, 605 Hudson St., entre W 12th St. et Bethune St., III, B3, ☎ 255-4406. *Ouv. du lun. au sam. de 17 h 30 à 23 h 30.* AE, MC, Visa. Réserver. Français. Atmosphère détendue et parfois... « gauloise ». $$$

Sammy's Rumanian, Jewish Restaurant, 157 Chrystie St., près de Delancey St., II, C1, ☎ 673-0330 ; 673-5526 ; 475-9131. Juif. Ambiance populaire. On vous servira de grosses portions de plats roumains et des Balkans. $$$

Minetta Tavern, 113 Minetta Lane et McDougal St., III, B3, ☎ 475-3850. AE, CB, DC, MC, Visa. Italien. L'un des plus anciens pubs du Village. Fréquenté par le peintre J. Pollock dans les années 40-50. $$$

Old Homestead, 56 9th Ave., III, B2, ☎ 242-9040. AE, CB, DC, MC, Visa. Américain. La plus ancienne *steackhouse* de New York. Les steacks y sont servis au poids ! $$$

Quatorze, 240 14th St., entre 7th Ave. et 8th Ave., III, B2, ☎ 206-7006. *Ouv. du lun. au ven. de 12 h à 14 h 30 et de 18 h à 23 h 30, les sam. et dim. slt le soir.* Réserver. Brasserie française. Agréable à l'heure du *lunch*. Si vous y dînez, passez prendre un dernier verre chez **Nell's,** juste à côté. $$$

Raoul's, 180 Prince St., entre Sullivan St. et Thompson St., II, B1, ☎ 966-3518. AE, MC, Visa. Réserver. Français. Ambiance chaleureuse et bonne cuisine. $$$

Acme Bar & Grill, 9 Great Jones St., III, B3, ☎ 420-1934. *Cajun.* Décor très « Amérique profonde », bons poissons grillés. En prime, un des meilleurs juke-box de la ville. $$

Amazonas, 492 Broome St., entre Broadway et Wooster St., II, B1, ☎ 966-3371. *Ouv. du dim. au jeu. de 17 h à 23 h 30, jusqu'à 1 h 30 du mat. les ven. et sam.* AE, CB, DC, MC, Visa. Réserver. Brésilien. Décor des Tropiques, musique, coktails... tout pour oublier que vous êtes loin du soleil de Rio. $$

Amsterdam's Bar & Rotisserie, 454 Broadway, entre Grand St. et Howard St., II, B1, ☎ 925-6166 ; 428 Amsterdam Ave. et 80th St., V, AB3, ☎ 874-1377. *Ouv. jusqu'à 2 h du mat. les ven. et sam.* AE, CB, DC, MC, Visa. Rôtisserie (poulets, canards, poissons). Joli décor, grande baie vitrée et bar agréable. $$

Bayamo, 704 Broadway, entre 4th St. et Washington Pl., III, C3, ☎ 475-5151. Sino-cubain. Très belle fresque colorée, à contempler en sirotant une margarita bien fraîche. $$

Broome Street Bar, 363 W Broadway et Broome St., II, B1, ☎ 925-2086. Hamburgers. Restaurant de quartier, sympathique. $$

Café Loup, 105 W 13th St., III, B2. ☎ 255-4746. *Ouv. t.l.j.* AE, CB, DC, MC, Visa. Bistro français. Calme et charmant. Clientèle dans le même ton. $$

Central Falls, 478 W Broadway, entre Houston St. et Prince St., II, B1, ☎ 475-3333. Mi-piano bar, mi-galerie. Pour une petite halte. $$

Chez Brigitte, 77 Greenwich Ave. et 7th Ave., III, B3, ☎ 929-6736. Français. Réserver. Petite *coffee-shop* n'accueillant pas plus de 12 couverts. Plats italiens et français. Très familial, presque une cantine. $$

Cinco de Mayo, 349 W Broadway, entre Broome et Grand St., II, B1, ☎ 226-5255 ; 45 Tudor City Pl., IV, C3, ☎ 661-5070. *Ouv. t.l.j. de 12 h à 24 h.* AE, CB, DC, MC, Visa. Réserver. Mexicain. Très agréable. $$

Cornelia Street Cafe, 29 Cornelia St., entre Bleecker St. et W 4th St., III, B3, ☎ 989-9319. Salades et sandwiches. Un bistro où il fait bon s'arrêter pour un *lunch* ou un *brunch.* $$

Cottonwood Cafe, 415 Bleecker St., entre Bank St. et W 11th St., III, B3, ☎ 924-6271. Tex-mex. Clientèle jeune, cadre agréable, bonne cuisine. $$

Cuisine de Saigon, 154 W 13th St., entre 6th Ave. et 7th Ave., III, B2, ☎ 255-6003. Vietnamien. Dans un cadre sans prétention, de la bonne cuisine vietnamienne. $$

El Faro, 823 Greenwich St. et Horatio St., III, B3, ☎ 929-8210. AE, MC, Visa. Espagnol. De bonnes paellas dans un cadre un peu morne, apparemment très apprécié des New-Yorkais. $$

5 & 10 No Exaggeration, 77 Greene St., II, B1, ☎ (800) 464-4440. Français, américain. *Fermé le lun.* AE, MC, Visa. Ambiance « années 40 », Art déco. Piano et musique tous les soirs. Pour prendre un verre entre amis. $$

Florent, 69 Gansevoort St., III, A3, ☎ 989-5779. *Ouv. t.l.j. de 18 h 30 à 2 h du mat.* Cash. Français. Situé dans le quartier des halles à viande de West Village. Fréquenté par des artistes (Christo) et journalistes. Cuisine et ambiance agréables. $$

Garvin's, 19 Waverly Place, III, BC3, ☎ 473-5261. Menu « pré-théâtre » de 17 h à 19 h. AE, CB, DC, MC, Visa. Réserver. Américain. Musique. Cuisine très simple. $$

Gulf Coast, 489 West St., entre 12th St. et West Side Highway, III, A3, ☎ 206-8790. *Ouv. t.l.j. de 18 h à*

24 h. Poissons et cuisine cajun. Un vieux bar de marins devenu très à la mode de ce côté-ci du Village. Attente au bar. Essayez alors leurs drôles de cocktails bleus. La carte propose de... l'alligator ! $$

Khyber Pass, 34 St. Mark's Place, entre 2nd Ave. et 3rd Ave., III, C3, ☎ 473-0989. Afghan. Le meilleur rapport qualité-prix parmi les restaurants afghans de la ville. Situé dans un quartier très animé. $$

La Bohème, 24 Minetta Lane, entre McDougal St. et 1st Ave., III, C3, ☎ 473-6447. Français et pizzas. Décoré par Sam Lopata, c'est un bistro chaleureux et décontracté. $$

Mie, 196 2nd Ave. et 12th St., III, C2-3, ☎ 674-7060. *Ouv. jusqu'à minuit.* AE, CB, DC. Japonais. Un restaurant sympathique et sans prétention, où les enfants sont servis comme des rois. $$

New Deal Restaurant, 152 Spring St., entre Wooster St. et W Broadway, II, B1, ☎ 431-3663. *Ouv. t.l.j. jusqu'à 2 h du mat.* Français et californien. Style Art déco, verrière. Bar et jazz. $$

Princess Pamela, 78 E 1st Ave., III, C3, ☎ 477-4460. *Soul food,* cuisine du sud des États-Unis. Réserver, surtout le week-end. Un bon orchestre de jazz se produit ici. Vous n'êtes pas tenu de dîner si vous voulez simplement écouter la musique. Pas de droit d'entrée, consommations seulement. $$

Prince Street Bar & Restaurant, 125 Prince St., II, B1, ☎ 228-8130. Indonésien. Carte extrêmement variée. Lieu très animé. $$

Provence, 38, McDougal St. et Prince St., II, B1, ☎ 475-7500. Provençal. Réserver longtemps à l'avance. Jardin, personnel diligent, excellente cuisine, tout pour convaincre ! $$

Ratner's, 138 Delancey St., II, C1, ☎ 677-5588. *Deli,* pâtisserie. *Kasha blintzes, gefilte fish, pickled lox* (poissons marinés dans des aromates)... à découvrir absolument. $$

Sabor, 20 Cornelia St., entre Bleecker St. et W 4th St., III, B3, ☎ 243-9579. *Ouv. du lun. au dim. de 18 h à 23 h, ven. et sam. jusqu'à minuit.* AE, MC, Visa. Réserver. Cubain. Très petit : on se bouscule forcément de la cuisine à votre table. Personnel pas toujours gracieux, ce qui est dommage car on y fait la meilleure cuisine cubaine de New York. $$

Second Avenue Deli, 156 2nd Ave. et 10th St., III, C2-3, ☎ 677-0606. Demander le *Lou Singer Special :* c'est une variété de plats d'Europe centrale. D'aucuns assurent que leur *cole slaw* (chou blanc en salade) est le meilleur de New York. $$

Spring Street, 152 Spring St. et Broadway (Soho), II, B1, ☎ 214-0157. Chinese Chicken salade. $$

Sugar Reef, 93 2nd Ave., III, C2-3, ☎ 477-8427. Créole et *cajun.* Très « branché ». Les meilleurs punchs de New York. $$

Trattoria da Alfredo, 13 8th Ave., III, B3, ☎ 929-4400. *Fermé le mar.* AE. Réserver. Les meilleures pâtes de New York à des prix défiant toute concurrence, dans une ambiance très chaleureuse. $$

Abyssinia, 35 Grand St. et Thompson St., II, B1, ☎ 226-5959. *Ouv. t.l.j. de 18 h à 22 h 30.* Réserver. Éthiopien. Le confort est pour le moins incommode. Mais un verre de vin au miel, façon hydromel, justifie déjà l'attente. La carte est savoureuse, l'arrivée de la commande... à couper le souffle et non l'appétit. Attention aux épices ! $

Arturo's, 106 Houston St. et Thompson St., II, B1, ☎ 677-3820. Réserver. Pizzas au feu de bois. Vieux restaurant de quartier à l'ambiance très familiale. Jazz « live ». $

Caribe, 117 Perry St. et Greenwich St., III, B3, ☎ 255-9191. Créole. Service un peu lent, mais que demander de plus pour un prix si bas ! $

Chumley's, 86 Bedford St. ou 58 Barrow St., III, B3, ☎ 675-4449. Hamburgers. En plein West Village, un des vieux bars de la Prohibition avec double entrée. Ce *speakeasy* a des Martinis *on the rocks* et des hamburgers à vous mettre l'eau à la bouche ! $

De Robertis, 176 1st Ave., entre 10th St. et 11th St., III, C3, ☎ 674-7137. Pâtisserie italienne, salon de thé. Fondé en 1904. Dans la salle du fond, vous pouvez siroter un express en observant la clientèle jeune et composite de l'East Village. $

Dojo, 24 St. Mark's Place, 8th St., entre 2nd Ave. et 3rd Ave., III, C3, ☎ 674-9821. Japonais-américain. Bon rapport qualité-prix pour ce nouveau type de restaurant, qui mijote des plats japonais à la façon américaine. En plein centre d'un quartier très branché, il est fréquenté par de jeunes habitués. $

El Castillo de Jagua, 113 Rivington St., entre Essex St. et Ludlow St., II, C1, ☎ 982-6412. Latino-américain. Au cœur du Lower East Side, dans la partie dominicaine. Ambiance originale et conviviale à la fois. $

Elephant & Castle, 183 Prince St., II, BC1, ☎ 260-3600. Omelettes et salades, sandwiches. Pour un léger *lunch* ou un *brunch.* S'armer de patience... liste d'attente ! Un des meilleurs choix dans cette catégorie de prix. $

Fanelli's Cafe, 94 Prince St. et Mercer St., II, B1, ☎ 226-9412. Italien, hamburgers. Un des plus vieux cafés de New York. Belle façade noire, avec porte en verre gravé. Agréable pour un hamburger ou une pâtisserie. $

Food, 67 Prince St. et Wooster St., II, B1. Sandwiches. Si vous êtes fatigué de faire les galeries de SoHo, voilà où reprendre des forces sans vider sa bourse. Portions généreuses. Prévoyez la queue, c'est le rendez-vous de tous les visiteurs de galeries! $

Great Jones Street Cafe, 54 Great Jones St. et Bowery, III, C3, ☎ 674-9304. *Cajun,* cuisine du Sud. Coloré, bruyant et petit, ce restaurant est très à la mode. Sa cuisine *cajun* et son *brunch* attirent beaucoup de jeunes. N'oubliez pas de goûter au délicieux *cornbread* (pain de maïs). $

Greene Street Cafe, 101 Greene St., entre Prince St. et Spring St., II, B1, ☎ 925-2415. Américain. Réserver. Musique difficilement supportable pendant tout un repas. Bon restaurant pour les *brunchs* cependant. $

John's Pizzeria, 278 Bleecker St., III, BC3, ☎ 243-1680. Pizzeria. D'aucuns parlent de la meilleure pizzeria de New York. Innombrables variétés. Succursale au 408 E 64th St., **IV, CD2.** $

Katz's Restaurant, Deli, 205 Houston St. et Ludlow St., II, C1, ☎ 254-2246. Kasher. Établissement bondé à l'heure du déjeuner. Le système de ticket est un peu déroutant. Essayez absolument le sandwich au *pastrami.* $

Kiev Restaurant, 117 2nd Ave. et 7th St., III, C3, ☎ 674-4040. *Ouv. 24 h/24.* Ukrainien. Fréquenté par la faune noctambule de Downtown. $

Indian Pavilion Restaurant, 33 W 13th St., III, B2, ☎ 248-8175. $

Odessa Coffee Shop, 117 Ave. A, entre 7th St. et 8th St., III, D3, ☎ 473-8916. Ukrainien. Ancienne *coffee-shop* où les gens du quartier viennent prendre leur repas en mangeant de délicieux *blintzes.* Un endroit vivant et un peu en dehors du temps. $

Olive Tree Cafe, 117 McDougal St., III, BC3, ☎ 254-3630. *Falafel.* Restaurant israélien fréquenté par les étudiants de New York University. $

Omen, 113 Thompson St. et Prince St., II, B1, ☎ 925-8923. *Fermé le lun.* AE, CB, DC. Japonais. Dans un vieux magasin étroit. Bois et papier de riz sur les murs de briques rouges. Serveurs habillés à l'occidentale, avec un look «Parachute» ou «Comme des Garçons». Clientèle nippone. Le nom du lieu vient d'un plat (soupe, nouilles, légumes frais avec gingembre et graines de sésame). $

Pâtisserie Lanciani, 177 Prince St., II, BC1, ☎ 447-3401; 271 W 4th St., III, B3, ☎ 929-0739. Pâtisserie et salon de thé. Également *lunch. Ouv. du lun. au dim. de 12 h à 22 h.* AE. Pour les éclairs au chocolat et leur délicieux millefeuille! Très beau décor. $

Polonia, 126 1st Ave., entre 6th St. et 7th St., III, C3, ☎ 674-9113. *Coffee-shop* polonaise. Pas de boissons alcoolisées. $

Tamu, 340 W Broadway et Grand St., II, B1, ☎ 925-2751. *Ouv. jusqu'à minuit les sam. et dim.* AE, CB, DC, MC, Visa. Réserver. Très bon restaurant indonésien installé dans un ancien loft. $

Sazerac House, 533 Hudson Street, at Charles Street, III, B3, ☎ 989-0313. *Ouv. t.l.j. de 11 h 30 jusqu'à 1 h du mat. Sam. et dim., brunch.* Cuisine américo-créole, de vrais plats de la Nouvelle Orléans, mi-*cajun,* mi-créole. $

Tortilla Flats, 767 Washington St. et W 12th St., III, A3, ☎ 243-1053. Tex-mex. *Ouv. tard.* Clientèle de quartier, très jeune, étudiants. Murs décorés de vieilles pochettes de disques des années 50 et 60. Prévoir quelques minutes d'attente au bar. $

Veniero's, 342 E 11st St., entre 1st Ave. et 2nd Ave., III, C3, ☎ 674-4804. Pâtisserie et salon de thé italien. Il faut y aller pour l'ambiance. Quelquefois vous verrez de grosses limousines de maffiosi stationner et leur propriétaire en descendre pour acheter des gâteaux. $

Veselka Coffee-Shop, 144 2nd Ave., entre 9th St. et Astor Place, III, C3, ☎ 228-9682. Polonais-ukrainien. Menu simple et copieux. Pas de boissons alcoolisées. $

Yonah Shimmel, 137 E Houston St., III, C3, ☎ 477-2858. Juif. Pour ses *knishes* et ses *strudels.* Décor très ancien. $

Les restaurants indiens d'East Village

D'immigration assez récente, la communauté indienne se retrouve autour de la 6e rue, dans l'East Village. Vous découvrirez plus d'une douzaine de restaurants sur le *Curry Chasm,* ou «Gouffre du Curry», où vous pourrez déguster de nombreuses spécialités pour pas très cher. La plupart des restaurants acceptent les cartes de crédit mais mieux vaut toutefois se renseigner.

Indian Navrya, 131 Duane St. entre West Broadway et Church St., ☎ 964-8528 et 129E 27th St., ☎ 689-7925. Buffet à volonté. Lunch pour 7,95 $. $$

Mitali, 334 E 6th St., III, CD3, ☎ 533-2508. AE, MC, Visa. Le plus beau des restaurants indiens de la 6e rue. Confortable et calme. Laissez le garçon composer votre menu. $$

Nirvana, 30 Central Park South 59th St. entre 5th et 6th Ave., IV, B2, ☎ 486-5700. Indobengali. Somptueux décor très typique. Vue sur Central Park. $$

MIDTOWN EAST

Hôtels

▲▲▲▲ **Grand Hyatt,** 42nd St. et Park Ave. près de Grand Central Terminal, IV, C3, ☎ 883-1234. 1400 ch. ① ③ ② AE, CB, DC, MC, Visa. Ouvert en 1980. Décoration grandiose : marbre, cascades de plantes. Club de sport (sauna et squash).

▲▲▲▲ **Doral Tuscany,** 120 E 39th St. et Park Ave., III, C1, ☎ 686-1600. 128 ch. ① AE, CB, DC, MC, Visa. Petit hôtel au charme discret et au personnel efficace.

▲▲▲▲ **Helmsley Palace,** 455 Madison Ave. et 56th St., IV, C2, ☎ 888-7000. 1000 ch. et suites. ① ② AE, CB, DC, MC, Visa. Très bien situé près des musées et magasins de 5th Ave. Rénové, il a conservé sa luxueuse décoration.

▲▲▲▲ **Inter-Continental,** 111 E 48th St., IV, C3, ☎ 755-5900. 777 ch. ① AE, CB, DC, MC, Visa. Chambres spacieuses et bien insonorisées ; service d'étage toute la nuit. Dans le même immeuble, la plus ancienne pharmacie de New York, Caswell Massey, célèbre pour ses savons et eaux de toilette.

▲▲▲▲ **Kimberley,** 145 E 50th St., entre Lexington Ave., et 3rd Ave., IV, C3, ☎ 755-0400, télex : 497-2526. Hôtel-suite qui loue au mois plutôt qu'à la nuit. Arrangements possibles pour la semaine. Entièrement neuf et tout confort. Cuisines équipées. Pour les longs séjours d'affaires.

▲▲▲▲ **Omni Berkshire Place,** 21 E 52nd St. et Madison Ave., IV, C2, ☎ 753-5800, télex : 71058152/56. 420 ch. ① ② AE, CB, DC, MC, Visa. A deux pas du musée d'Art moderne.

▲▲▲▲ **St Regis Sheraton,** 2 E 55th St. et 5th Ave., IV, C2, ☎ 753-4500. 520 ch. ① AE, CB, DC, MC, Visa. Construit dans les années 1900 par le financier John Jacob Astor, il reste l'un des plus beaux palaces de New York, fréquenté par l'aristocratie, les stars du cinéma et de la pop-music. Un rendez-vous célèbre : le King Cole Room.

▲▲▲▲ **Sheraton Park Avenue,** 45 Park Ave. et 37th St., III, C1, ☎ 685-7676. 175 ch. ① AE, CB, DC, MC, Visa. Ambiance feutrée. Bar abritant le seul jazz-club de ce côté de Park Ave.

▲▲▲▲ **United Nations Plaza,** 1 United Nations Pl et E 44th St., IV, D3, ☎ 355-3400. 289 ch. ① ④ AE, CB, DC, MC, Visa. Salles de sport et sauna. Tout près du siège des Nations unies. Ambiance des grands hôtels internationaux au service soigné ; un bon restaurant : **The Ambassador Grill.**

▲▲▲▲ **Waldorf Astoria,** 301 Park Ave. et 50th St., IV, C3, ☎ 355-3000. 1500 ch. ① AE, CB, DC, MC, Visa. Colossal et luxueux, cet hôtel, construit en 1931 dans le style Art déco, est orné de fresques de Sert. Rendez-vous du « gotha » international, il vient d'être remeublé et redécoré à grand frais. Boutiques, restaurants, bars dont le fameux café Peacock Alley.

▲▲▲ **Doral Park Avenue,** 70 Park Ave. et 38th St., III, C1, ☎ 687-7050. 200 ch. ① AE, CB, DC, MC, Visa. Près de Grand Central. Très calme.

▲▲▲ **Howard Hotel,** 127 E 55th St., entre Lexington Ave. et Park Ave., IV, C2, ☎ 826-1100, télex : 697385. 105 ch. ① AE, DC, MC, Visa. Hôtel très bien situé et confortable.

▲▲▲ **The Swissotel Drake,** 440 Park Ave. et 56th St., IV, C2, ☎ 421-0900, télex : 147178. 650 ch. ① ② AE, CB, DC, MC, Visa. Récemment rénové et agrandi. Bar agréable.

▲▲▲ **Morgans,** 237 Madison Ave. et 37th St. III, C1, ☎ 686-0300. 111 ch. ① AE, MC, Visa. Chambres de style Design. Personnel jeune et sympathique. Restaurant en terrasse pour le lunch seulement.

▲▲▲ **New York Helmsley,** 212 E 42nd St. et 3rd Ave., IV, C3, ☎ 490-8900, télex : 127724. 790 ch. ① ② ④ ★ AE, CB, DC, MC, Visa. Pour les « businessmen ». Proche de Grand Central.

▲▲ **Bedford,** 118 E 48th St. et 5th Ave., IV, C2, ☎ 697-4800, télex : 141374. 135 ch. ① ★ AE, CD, DC, MC, Visa. Calme et familial.

▲▲ **Beekman Tower,** 3 Mitchell Pl., entre 1st Ave. et 49th St., IV, C3, ☎ 355-7300. 160 ch. ① ② AE, CB, DC, MC, Visa. "Apartment-hotel" (studios ou suites équipées de cuisine). Pour les longs séjours en famille. Piano-bar avec belle vue sur Midtown et l'East River.

▲▲ **Élysée,** 60 E 54th St. et Park Ave., IV, C2, ☎ 753-1066. 110 ch. ① AE, CB, DC, MC, Visa. Petit hôtel ; chambres décorées de styles différents, colonial, oriental...

▲▲ **Gramercy Park,** 2 Lexington, Ave. et 21st St., III, C2, ☎ 475-4320. 500 ch. ① ⑤ AE, CB, DC, MC, Visa. Hôtel calme et confortable, décor un peu vieillot, dans un quartier bien desservi. Le favori des journalistes français !

▲▲ **Helmsley Middletown,** 148 E 48th St. entre Lexington Ave. et 3rd Ave., IV, C3, ☎ 755-3000, télex : 640543. 190 ch. * AE, CB, DC, MC, Visa. Plutôt des suites que des chambres. Pas de restaurant mais chambres équipées de cuisines. Prix négociables selon la durée du séjour.

Le «New York Deli», un des plus beaux cadres Art déco de la ville, est une étape obligée pour qui apprécie les spécialités juives.

▲▲ **Kitano,** 66 Park Ave. et 38th St., III, C1, ☎ 685-0022. 100 ch. ① AE, CB, DC, MC, Visa. Près de Grand Central Terminal, cet hôtel associe l'atmosphère occidentale et japonaise. Pas de service d'étage.

▲▲ **Lexington Hotel,** 511 Lexington Ave. et 48th St., IV, C3, ☎ 755-4400, télex : 426 257. 800 ch. ① ② AE, DC, MC, Visa. Hôtel agréable et bien situé.

▲▲ **Loews Summit,** E 51st St. et Lexington Ave., IV, C2-3, ☎ 752-7000. 760 ch. ① ② AE, CB, DC, MC, Visa. Hôtel d'allure internationale. Chambres très confortables.

▲▲ **Lombardy,** 111 E 56th St., IV, C2, ☎ 753-8600. 160 ch. ① AE, CB, DC, MC, Visa. Près des magasins de Madison et de Bloomingdale's. Bon rapport qualité/prix ; atmosphère chaleureuse.

▲▲ **Lyden House,** 320 E 53rd St., entre 1st Ave. et 2nd Ave., IV, CD2, ☎ 888-6070, télex : 225 666. 133 suites. AE, CB, DC, MC, Visa. Chambres-suites élégantes et assez spacieuses, équipées de cuisines. Quartier très plaisant.

▲▲ **Plaza Fifty,** 155 E 50th St. et 3rd Ave., IV, C3, ☎ 751-5710. 206 ch. AE, DC, MC, Visa. Pas de restaurant dans l'hôtel. Mais le quartier en regorge.

▲▲ **The Roosevelt,** 45th St. et Madison Ave., IV, C3, ☎ 661-9600, télex : 238-944. 1 050 ch. ① AE, CB, DC, MC, Visa. Hôtel où descendent les groupes (Jet'Am). Décor simple et de bon goût.

▲▲ **San Carlos,** 150 E 50th St. et Lexington Ave., IV, C3, ☎ 755-1800, télex : 141 374. 144 ch. AE, CB, DC, MC, Visa. Ni restaurant, ni service à l'étage.

▲▲ **Shelbourne Murray Hill,** 303 Lexington Ave. et 37th St., III, C1, ☎ 689-5200, télex : 225 666. 250 ch. ① ② AE, CB, DC, MC, Visa. Élégant et sans prétention. Personnel attentionné.

▲▲ **Tudor,** 304 E 42nd St. et 1st Ave., IV, D3, ☎ 986-8800, télex : 422 951. 550 ch. AE, CB, DC, MC, Visa. A deux pas des Nations Unies et de Grand Central. Bon hôtel aux prix intéressants. Le restaurant ouvrira bientôt.

▲ **Pickwick Arms,** 230 E 51st St. et Lexington Ave., IV, C3, ☎ 355-0300. 380 ch. AE, DC, MC, Visa. Pour petits budgets. Peu de chambres avec salle de bains.

Restaurants

Aurora, 60 E 49th St., IV, C, D3, ☎ 692-9292. Français. *Fermé le dim.* AE, CB, DC. Deux noms célèbres, Gérard Pangaud pour la cuisine et Milton Glaser pour le décor, en font un restaurant de grande classe. **$$$$**

La Galerie, (dans Omni Berkshire Place), 21 E 52nd Street, IV, D2, ☎ 753-5800. *Ouv. t.l.j. sf dim. de 17 h à 23 h.* Cuisine française. Le port de la veste est demandé aux hommes. **$$$$**

Casual Quilted Giraffe, 15 E 55th St., entre 5th Ave. et Madison Ave. (building AT & T), IV, C2, ☎ 593-1221. *Ouv. de 11 h 30 à 23 h 30, fermé le dim.* AE, MC, Visa. Réserver. Américain. Succursale de « The Quilted Giraffe ». Seulement quelques plats intéressants dont le *confit de canard à la purée de pommes de terre douces*. Et des desserts à savourer après un film ou une promenade. **$$$$**

Christ Cella, 160 E 46th St., IV, CD3, ☎ 697-2479. *Fermé le dim.* AE, CB, DC, MC, Visa. La meilleure *steakhouse* de New York. **$$$$**

The Four Seasons, 99 E 52nd St., IV, CD2, ☎ 754-9494. AE, CB, DC, MC, Visa. Franco-américain. Très célèbre à New York. Une nouveauté : des menus diététiques. Spécialités : coquillages, agneau, gibier. **$$$$**

Harry Cipriani, Sherry Netherland Hotel, 5th Ave. et 59th St., IV, C2, ☎ 753-5566. AE, CB, DC, MC, Visa. Réserver. Italie du Nord. Commencez par le cocktail de la maison, le *Bellini*. Une spécialité, le *carpaccio alla Cipriani*. **$$$$**

La Côte Basque, 5 E 55th St., entre 5th Ave. et Madison Ave., IV, C2, ☎ 688-6525. *Fermé le dim.* AE, CB, DC, MC, Visa. Français. Très à la mode. La cuisine ne suit pas toujours. **$$$$**

Le Cygne, 55 E 54th St., IV, CD2, ☎ 759-5941. *Fermé le dim.* AE, CB, DC, MC, Visa. Français. Décor post-moderne avec abondance de fleurs. Service impeccable. **$$$$**

Lutèce, 249 E 50th St. et 2nd Ave., IV, C3, ☎ 752-2225. *Fermé le dim.* AE, CB, DC. Réserver 2 semaines à l'avance. Récemment rénové, le Lutèce est réputé pour sa cuisine française. Service d'une rare qualité. Grands crus. **$$$$**

Palm, 827 2nd Ave., entre 44th St. et 45th St., IV, C3, ☎ 687-2953. **Palm Too,** 840 2nd Ave., et 45th St., IV, C3, ☎ 697-5198. *Fermés le dim.* AE, CB, DC, MC, Visa. Steaks et viandes grillées. Réserver pour le *lunch* ; pour Palm Too, réserver pour le dîner à partir de 4 personnes. Les steacks comme le poisson sont succulents. **$$$$**

Le Périgord, 405 E 52nd St. et 1st Ave. IV, D3, ☎ 755-6244. Français. mal situé, on l'oublie parfois. Il est cependant de grande qualité. **$$$$**

Nanni's, 146 E 46th St., entre Lexington Ave. et 3rd Ave., IV, C2, ☎ 599-9684. Italie du Nord. Un spécialiste des *fettucini*. **$$$$**

Sparks Steakhouse, 210 E 46th St., entre 2nd Ave. et 3rd Ave., IV, C2, ☎ 687-4855. Réserver. Steacks. Confortable. Carte des vins fournie. Il y a quelques années, un maffioso a été tué devant la porte de Sparks : plus à la mode que jamais... **$$$$**

Akbar, 475 Park Ave., IV, C2-3, ☎ 838-1717. L'un des meilleurs restaurants indiens de New York, fréquenté par les hommes d'affaires. **$$$**

Brazilian Pavilion, 316 E 53rd St., entre 1st Ave. et 2nd Ave., IV, CD2, ☎ 758-8129. *Fermé le dim.* AE, CB, DC, MC, Visa. Réserver. Brésilien. Blanc et vert. Une atmosphère de vacances exotiques. Bonne cuisine, desserts intéressants dont une sorte de caramel. **$$$**

Chez Vong, 220 E 46th St., IV, CD3, ☎ 867-1111. Chinois. Clientèle internationale. **$$$**

Dardanelles East Ararat, 1076 1st Ave. et 58th St., IV, D2, ☎ 752-2828. Réserver. Arménien. Dans un cadre peu sophistiqué, une ambiance qui se démarque de celle des restaurants environnants. Le quartier est triste et un peu désert. **$$$**

Menage-Trois, (dans l'hôtel Lexington), 511 Lexington Ave. at 48th Street, IV, C3, ☎ 755-4400. *Ouv. t.l.j. sf dim. de 7 h à 10 h, 12 h à 14 h 30 et 17 h 30 à 22 h 30.* Il est recommandé de réserver. **$$$**

The Oyster Bar & Restaurant, Grand Central Terminal, 42nd St. et Vanderbit Ave., IV, C3, ☎ 490-6650. *Fermé les sam. et dim.* AE, CB, DC, MC, Visa. Installé dans une cave voûtée. Remarquable pour ses poissons et fruits de mer. Grand choix de vins californiens. **$$$**

Smith & Wollensky, 201 E 49th St. et 3rd Ave., IV, C3, ☎ 753-1530. AE, CB, DC, MC, Visa. *Steakhouse*. Réserver. Les garçons ont du mal à circuler avec leurs plateaux dans ce lieu qui affiche souvent complet. Une odeur délicieuse y règne d'autant plus alléchante que l'on doit patienter ! Terrasse **$$$**

Les Tournebroches, dans le Citicorp Center, 153 E 53rd St. (entre Lexington Ave. et 3rd Ave.), IV, C2. *Ouv. du lun. au sam. de 7 h 30 à 9 h 30, de 11 h 30 à 15 h et de 17 h à 22 h.* **$$**

Tommy Maken's Irish Pavilion, 130 E 57th St. et Lexington Ave., IV, C2, ☎ 759-9040. Pub irlandais. Près de Bloomies, un pub-restaurant confortable et sympathique, souvent pris d'assaut à midi par les habitués du quartier. Impossible d'en franchir la porte lors du St. Patrick's Day. A connaître pour un lunch. **$$**

Union Square Cafe, 21 E 16th St. et Union Square W, III, C2, ☎ 243-4020. *Fermé le dim.* AE, MC, Visa. Réserver. Franco-italien. Grande porte vitrée. Bar à la décoration italienne. Clientèle jeune et variée. Vous pouvez souper au bar. Carte imaginative et plats à la hauteur de leur description. Bonne liste de vins. Excellents desserts dont l'*apple-pie*. Agréable pour prendre un apéritif ou un dernier verre. **$$$**

Woods, 148 W 37th St., entre les 6e et 7e Ave., ☎ 564-7340. Américain. Une mini-chaîne de « nouvelle cuisine » américaine. Des salades, des légumes frais et des desserts légers ! C'est la nouvelle mode à New York... vous risquez de partir sur votre faim. **$$$**

MIDTOWN WEST

Hôtels

▲▲▲▲ **Essex House,** 1700 Broadway, IV, B2, ☎ 247-0300, télex : 125 205. 810 ch. ① ② AE, CB, DC, MC, Visa. Si vous avez la chance d'avoir une chambre aux étages supérieurs, la vue vous étonnera ! A deux pas du Lincoln Center.

▲▲▲▲ **Grand Bay Hotel at Equitable,** 152 W 51st St. et 7th Ave., IV, B2, ☎ 765-1900, télex : 147 156. 178 ch. AE, CB, DC, MC, Visa. A ouvert en été 1987. Restaurant pour le petit déjeuner, le lunch et le *brunch* du week-end. Pour le parking et le club de sports, l'hôtel s'est arrangé avec les établissements voisins.

▲▲▲▲ **Helmsley Park Lane,** 36 Central Park South, ☎ 371-4000, télex : 668 613. 640 ch. ① ② ★ AE, CB, DC, MC, Visa. 35 étages d'élégance. Les chambres ont de grandes fenêtres avec une vue surprenante sur le parc. L'un des palaces appartenant à Harry Helmsley.

▲▲▲▲ **Marriott Marquis,** 1535 Broadway, entre 45th St. et 46th St., IV, B3, ☎ 398-1900. 1 800 ch. ① AE, CB, DC, MC, Visa. Dû à John Portman, qui en a fait un hôtel spectaculaire avec ses bars et restaurants tournants au 50e étage et son ascenseur véritable vaisseau transparent.

▲▲▲▲ **New York Hilton,** 1335 Ave. of the Americas et 53rd St., IV, B2, ☎ 586-7000. 2 130 ch. ① AE, CB, DC, MC, Visa. Formidable ruche : boutiques, bars, restaurants. Possibilité de location à la 1/2 j. L'hôtel préféré des groupes avec guide !

▲▲▲▲ **Parker Méridien,** 118 W 57th St. et Ave. of the Americas, IV, B2, ☎ 245-5000. 700 ch. dont 100 suites. ① ④ ③ AE, CB, DC, MC, Visa. Près du Rockefeller Center, cet hôtel allie le confort français à l'efficacité américaine. Équipements sportifs (sauna, squash, jogging) ; excellent restaurant **Maurice**.

▲▲▲▲ **Plaza,** 5th Ave. et W 59th St., IV, C2, ☎ 759-3000. 900 ch. ① AE, CB, DC, MC, Visa. Récemment réaménagé, c'est l'un des grands palaces de New York au luxe désuet. Salon de danse. Beaucoup de chambres avec vue sur Central Park.

▲▲▲▲ **Ritz-Carlton,** 112 Central Park S et Ave. of the Americas, IV, B2, ☎ 757-1900. 300 ch. ① AE, CB, DC, MC, Visa. Rénové récemment et fréquenté par les vedettes du show-business. Situation calme. Des étages supérieurs, belle vue sur Central Park.

▲▲▲▲ **Dorset,** 30 W 54th et Ave. of the Americas, IV, B2, ☎ 247-7300. 400 ch. ① AE, CB, DC. Calme et accueillant, atmosphère familiale. Près du musée d'Art moderne et de Central Park. Certaines chambres sont équipées de cuisine.

▲▲▲▲ **St Moritz,** 50 Central Park S et Ave. of the Americas, IV, B2, ☎ 755-5800. 800 ch. ① ② AE, CB, DC, MC, Visa. Un des hôtels les plus agréables de New York par sa situation. Surtout célèbre pour son restaurant « Rumpelmayer » et son café-terrasse.

▲▲▲ **Sheraton Center,** 811 7th Ave. et 52nd St. IV, B2, ☎ 581-1000. 1 842 ch. ① ★ AE, CB, DC, MC, Visa. Un peu banal et bruyant.

▲▲▲ **Warwick,** 65 W 54th St. et Ave. of the Americas, IV, B2, ☎ 247-2700. 500 ch. ① ② AE, CB, DC, MC, Visa. Salle de sports, films vidéo. Près du musée d'Art moderne et du CBS Bldg. Son confort (grandes chambres avec kitchenette) et son excellent service attirent de nombreux professionnels et vedettes de la télévision.

▲▲▲ **Wyndham,** 42 W 58th St. et 5th Ave., ① IV, C2, ☎ 753-3500. Réserv. longtemps à l'avance. Bien situé à l'angle de Central Park. Atmosphère chaleureuse, salons décorés de toiles impressionnistes. Henry Fonda y logeait souvent. *Attention : restaurant f. sam., dim.* Pas de service dans les chambres.

▲▲ **Algonquin,** 59 W 44th St., IV, B3, ☎ 840-6800. 200 ch. ① AE, CB, DC, MC, Visa. L'un des meilleurs de sa catégorie, au charme désuet.

▲▲ **Days Inn,** 440 W 57th St., entre 9th Ave. et 10th Ave., IV, AB2, ☎ 581-8100, télex : 960 473. 600 ch. ① ② AE, CB, DC, MC, Visa. Surtout pour les groupes.

▲▲ **Diplomat,** 108 W 43rd St., entre 6th Ave. et 7th Ave., IV, B3, ☎ 921-5666. 220 ch. AE, MC, Visa.

Tout près de Times Square, quartier vivant.

▲▲ **Holiday Inn Coliseum,** 440 W 57th St. et 9th Ave., IV, B2, ☎ 581-8100. 600 ch. ① ② ④ AE, CB, DC, MC, Visa. Motel sans surprise, pratique pour son parking. Proche de Central Park et des principaux théâtres.

▲▲ **Milford Plaza,** 270 W 45th St. et 8th Ave., IV, B3, ☎ 869-3600, télex : 147 183. 1 310 ch. ① ② AE, CB, DC, MC, Visa. A proximité du quartier des théâtres. Attention ! Le soir, ce quartier est assez mal fréquenté.

▲▲ **Ramada Inn of New York,** 790 8th Ave. et 48th St., IV, B3, ☎ 581-7000, télex : 147 182. 365 ch. ① AE, DC, MC, Visa. Hôtel agréable pour une famille. Mais attention au quartier !

▲ **Best Western Skyline Motor Inn,** 725 10th Ave. et 49th St., IV, A3, ☎ 586-3400, télex : 262 559. 231 ch. ① ② ④ AE, CB, DC, MC, Visa. Un peu en retrait, dans un quartier mal desservi par le métro et les bus. Chambres plutôt agréables, même si le service laisse à désirer. Club de sports au dernier étage.

▲ **Edison,** 228 W 47th St., entre Broadway et 8th Ave., IV, B3, ☎ 840-5000, télex : 238 887. 1 000 ch. ① ② AE, DC, MC, Visa. Décor anodin. Service simplifié.

▲ **Gorham,** 136 W 55th St., IV, BC2, ☎ 245-1800. 160 ch. AE, CB, DC, MC, Visa. Bon hôtel dans sa catégorie.

▲ **Howard Johnson,** 851 8th Ave. et W 51st St., IV, B2-3, ☎ 581-4100, télex : 147 183. 300 ch. ① ②. Confort standardisé, typique de cette chaîne de motels aux prix modérés.

▲ **Rio,** 132 W 47th St., entre 6th et 7th Ave., IV, B3, ☎ 382-0600. Pas de carte de crédit. L'entrée ne paye pas de mine, mais l'hôtel est accueillant.

▲ **Salisbury,** 123 W 57th St. et Ave. of the Americas, IV, B2, ☎ 246-1300. 320 ch. AE, CB, DC, MC, Visa. Proche de Carnegie Hall. Prix modérés pour une famille ou plusieurs personnes.

▲ **Shoreham,** 33 W 55th St., entre 5th Ave. et 6th Ave., IV, BC2, ☎ 247-6700, télex : 376 516. 68 ch. ① AE, CB, DC, MC, Visa. Pas de service à l'étage. Un très bon restaurant : **La Caravelle.**

▲ **Westpark,** 308 W 58th St., IV, BC2, ☎ 246-6440. 30 ch. AE, MC, Visa. Proche du Coliseum, dans un quartier en pleine rénovation, petits appartements.

Restaurants

Albuquerque Eats, 375 3rd Ave. et 27th St., III, C1, ☎ 683-6500. Cuisine du Texas, musique country. Un décor anodin, mais une ambiance terriblement samedi soir. A voir. Les *burgers* sont assez épais et servis avec des *onions rings*. Ce genre de « restaurant-orchestre » ne se trouve pas facilement dans le quartier. $$$

Cedars of Lebanon, 39 E 30th St., entre Park Ave. et Madison Ave., III, C1, ☎ 679-6755. AE, CB, DC, MC, Visa. Cuisine du Moyen-Orient. Réserver. Danse du ventre à partir de 22 h. Nourriture « terrestre » riche et abondante. Les desserts au miel et aux noisettes font vite oublier les danseuses. $$

Sal Anthony's, 55 Irving Place, entre E 17th St. et E 18th St., III, C2, ☎ 982-9030. AE, CB, DC, MC, Visa. Réserver. Italie du Nord. Chaleureux et agréable. Baies vitrées et cave. La cuisine italo-américaine des années 30, dont une *Caesar salad* pour 2 personnes. Demander le poisson du jour, le plat spécial ou le plat du jour. $$

Xenia, 871 1st Ave., entre 48th et 49th St., IV, D3, ☎ 838-1191. AE, CB, DC, MC, Visa. Grec. Réserver. Pour son jardin, ce restaurant est très prisé les soirs d'été. Une clientèle de quartier lui donne une atmosphère chaleureuse. Les plats sont simples, frais, de qualité. Sans prétention, ils sont exactement ce dont on a besoin après une dure journée de marche et de visite, à travers la ville. $$

Burger Heaven, 9 E 53nd St., entre 5th Ave. et Madison, IV, C2, ☎ 752-0340. Les meilleurs hamburgers et milkshakes de New York — et très bon marché ! $

Chelsea

▲▲ **New York Penta Hotel,** 401 7th Ave. et W 33rd St., III, B1, ☎ 736-5000, télex : 220 932. Plus de 1 700 ch. ① AE, CB, DC, MC, Visa. Face à Madison Square Garden et Penn Station, un hôtel pour les groupes ou les congrès. Le grand hall est une ruche : des cordons rouges régulent la file des clients attendant à la caisse et au guichet de réservation. Chambres standard.

▲▲ **Southgate Tower,** 371 7th Ave. et 31st St., III, B1, ☎ 563-1800, télex : 220 939. 500 ch. AE, CB, DC, MC, Visa. Autre hôtel situé dans ce quartier animé de jour comme de nuit. Mais d'aspect triste.

▲ **Chelsea Hotel,** 222 W 23rd St. et 8th Ave., III, B2, ☎ 243-3700. 200 ch. AE, CB, MC, Visa. Le « fief » de la bohême new-yorkaise et des artistes. Ne pas trop compter sur le service !

Restaurants

Jean Lafitte, 68 W 58th St. et 6th Ave., IV, B2, ☎ 751-2323. AE, CB, DC, MC, Visa. Réserver. Français. Souvent complet à l'heure du déjeuner, plus facile d'y dîner. $$$$

Le Bernardin, 155 W 51st St., IV, AB2, ☎ 489-1515. Français. *Fermé le dim.* L'homologue du restaurant parisien ouvert par G. et M. Le Coze. Spécialités : poisson cru et coquillages préparés par le chef Eberhardt Mueller. **$$$$**

Maurice, hôtel Parker Meridien, 118 W 57th St., entre 6th Ave. et 7th Ave., IV, B2, ☎ 708-7443. Français. Réserver. Belles portions de nouvelle cuisine française. Aux fourneaux, Alain Senderens. Succulent. Décor très réussi. **$$$$**

Palio's, 151 W 51st St., entre 6th Ave. et 7th Ave., IV, B2-3, ☎ 245-4850. *Fermé le dim.* AE, CB, DC, MC, Visa. Italie du Nord. Réserver. Formule intéressante : menu au bar, de 17 h à minuit. On y mange des *sfiziosi* (snacks copieux). Décoration murale de Sandro Chia. **$$$$**

Petrossian, 182 W 58th St., IV, AB2, ☎ 245-2214. Russe. AE, CB, DC, MC, Visa. Annexe du célèbre magasin parisien, ouverte en 1985. Dégustation de saumon, foie gras, caviar dans un cadre extrêmement raffiné : assiettes de Lalique, argenterie de Christofle. **$$$$**

Russian Tea Room, 150 W 57th St., IV, AB2, ☎ 265-0947. AE, CB, DC, MC, Visa. L'un des plus anciens restaurants russes de New York, près de Carnegie Hall. Favori de Woody Allen, Noureev, Liza Minnelli, entre autres. **$$$$**

Café Un Deux Trois, 123 W 44th St., entre 6th Ave. et 7th Ave., IV, B3, ☎ 354-4148. *Ouv. tard le soir.* AE, CB, DC, MC, Visa. Brasserie française. Réserver pour le week-end. La grande salle de ce restaurant, situé près de Broadway, se remplit avant et après les spectacles. Menus légers et bons. Beau bar et excellent barman. **$$$**

Club « 21 », 21 W 52nd St., IV, AB2, ☎ 582-7200. *Fermé le dim.* AE, CB, DC, MC, Visa. Américain. Très célèbre dans les années 50 (Hemingway, Bogart, Dali y ont dîné). **$$$**

Orso, 322 W 46th St., entre 8th et 9th Ave., IV, B3, ☎ 489-7212. Pizzas et pâtes. Réserver. Situé dans le Theater District. L'atmosphère se détend après 20 h. Cuisine italienne régionale. **$$$**

Sardi's, 234 W 44th St. entre Broadway et 8th Ave., IV, B3, ☎ 221-8440. AE, CB, DC, MC, Visa. Américain-italien. Réserver. Menu avant ou après spectacle. Les murs sont tapissés de caricatures de stars. Les spécialités sont le veau et le poisson. **$$$**

Trader Vic's, The Plaza Hotel, 5th Ave. et 59th St., IV, C2, ☎ 546-5361. Polynésien. AE, MC, Visa. Des fleurs (vraies) à profusion, un accueil chaleureux, une carte combinant plats indonésiens, chinois, malaisiens... pour un dépaysement total. **$$$**

Cabana Carioca, 123 W 45th St., entre 6th Ave. et 7th Ave., IV, B3, ☎ 730-8375. 12 h à 23 h. Brésilien. Des portions si généreuses que vous les partagerez aisément. **$$**

Chez Joséphine, 414 W 42nd St., entre 9th Ave. et 10th Ave., IV, AB3, ☎ 594-1925. Bistro français. Le propriétaire est le fils de la chanteuse Joséphine Baker. Le restaurant porte d'ailleurs son empreinte. La cuisine y est plutôt éclectique : grills californiens, pâtes à l'italienne et plats de bistro français. Très récent, il s'est déjà fait une clientèle d'habitués prix modérés. **$$**

Chez Napoléon, 365 W 50th St., entre 8th Ave. et 9th Ave., IV, B3, ☎ 265-6980. AE, CB, DC, MC, Visa. Réserver. Français. Style Bistro. Salle petite et amicale. Un des meilleurs canards à l'orange de la ville. Cuisine provençale également. **$$**

Darbar, 44 W 56th St., entre 5th Ave. et 6th Ave., IV, BC2, ☎ 432-7227. AE, CB, DC, MC, Visa. Réserver. Français. 2 étoiles au *New York Times*. Offre un menu pour le *lunch* à 15 $ env. Spécialités de *tandoori*. Menu « pré- ou post-spectacle. » **$$**

Hard Rock Cafe, 221 W 57th St., entre 7th Ave. et Broadway, IV, B2, ☎ 459-9320. Hamburgers et rock'n roll. Parfait pour un coca-cola, pris dans la bousculade ! **$$**

Jezebel, 630 9th Ave. et 45th St., IV, B3, ☎ 582-1045. *Soul food.* Réserver. Un cadre pour Tennessee Williams. Poulet frit, patates douces, *ribs*. Menu pré-théâtre mais peut être lent. **$$**

Joe Allen, 326 W 46th St., entre 8th Ave. et 9th Ave., IV, B3, ☎ 581-6464.
Hamburgers et salades. Situé dans le quartier des théâtres. Grand et amical, tables couvertes de vichy rouge et blanc. Cuisine simple et portions copieuses. **$$**

Lou G. Siegel, 209 W 38th St., entre 7th Ave. et 8th Ave., IV, B3, ☎ 921-4433. Kasher. Dans le quartier de la mode, Garment District. **$$**

Bierstube, 401 7th Ave. (entre 32nd St. et 33rd St.), III, B1, ☎ 736-5000. Spécialités allemandes. **$$**

Rumpelmayer's, 50 Central Park South et 6th Ave., IV, B2, ☎ 775-5800. Salon de thé et pâtisserie. Des *sundaes,* des gâteaux et des chocolats. Halte importante en hiver. Vos enfants vont sûrement adorer. **$$**

Russian Samovar, 256 W 52nd St., entre Broadway et 8th Ave., IV, B2, ☎ 757-0168. *Ouv. jusqu'à minuit du mar. au dim., fermé le lun.* AE, MC, Visa. Russe. Réserver. Menu « pré-théâtre » de 17 h à 19 h, 20 $. Un restaurant aux prix plus modestes que le célèbre « Russian Tea Room ». Pour se contenter de plats simples (comme l'*agneau grillé*) et de vodka, « Russian Samovar » est tout choisi. $$

Angan Indian Restaurant, 330 W 46th St., IV, B3, ☎ 581-1032. *Ouv. t.l.j. de 11 h 30 à 15 h, de 17 h à 23 h; le dim. jusqu'à 22 h.* Cuisine de l'Inde du Nord dans un cadre très accueillant, au cœur du Theater District. Spécialités : plats végétariens. **$$**

Afghan Kebab House, 764 9th Ave., entre 51st St. et 52nd St., IV, B2, ☎ 307-1612. Afghan. Les *kebab* sont parmi les moins chers de la ville. Un endroit à connaître dans ce quartier délaissé. $

Carnegie Deli, 854 7th Ave., entre 54th St. et 55th St., IV, B2, ☎ 757-2245. Cuisine juive. Un des grands *delicatessen* new yorkais. Énormes sandwiches. *Blintzes, cheesecakes* et autres spécialités juives. Vous pouvez également acheter des produits typiques. $

Christine's, 344 Lexington Ave., IV, C2-3, ☎ 953-1920. *Coffee-shop* polonaise. Pour un repas rapide *(bortch, pirogie)* et bon marché. Pas de boisson alcoolisée. $

New York Delicatessen, 104 W 57th St., entre 6th Ave. et 7th Ave., IV, B2, ☎ 541-8320. *Ouv. t.l.j., 24 h sur 24.* AE, DC, MC, Visa. Un très joli cadre, avec des rampes d'escaliers en volute. Près de Carnegie Hall. Une halte colorée après le spectacle. Vous pourrez aussi y acheter des saucissons kasher ou des *pickles.* $

Health Food Pub, 365 2nd Ave., ☎ 529-9200. Végétarien. Délicieuse cuisine diététique. $

Wolf's Restaurant & Deli, 101 W 57th St., entre 5th Ave. et 6th Ave., IV, BC2, ☎ 586-1110. *Deli.* Un *deli* très honnête. Le dimanche, c'est un rendez-vous familial. $

Woo Lee Oak of Seoul, 77 W 46th St., entre 5th Ave. et 6th Ave., IV, BC3, ☎ 869-9958. Coréen. Petit barbecue pour faire cuire soi-même viandes et légumes. Le seul inconvénient : la fumée qui pique les yeux, inhérente à ce genre de cuisson. $

Chelsea

The Ballroom, 253, W 28th St., entre 7th Ave. et 8th Ave., III, B1, ☎ 244-3005. *Fermé les lun. et dim.* AE, MC, Visa. *Tapas.* Réserver pour le dîner. Blossom Dearie chante au Ballroom 2 fois par semaine, l'après-midi. Réserver à l'avance. C'est un restaurant clair et chaleureux. Une salle principale avec un buffet pour le *lunch,* et une autre surélevée près du bar et du piano. Le bar est très fourni en *tapas.* Des piments séchés et des gibiers pendent du plafond. Le Ballroom, c'est vraiment une atmosphère originale. $$$

Lola, 30 W 22nd St., entre 5th Ave. et 6th Ave., III, BC2, ☎ 675-6700. Créole. Lola transforme un dîner en événement, ce qui fait oublier la préparation un peu « légère » des plats. **$$$**

Symphony Cafe, 950 8th Ave. (at 56th St.), IV, B2. *Ouv. t.l.j. de 12 h à minuit, les ven. et sam. jusqu'à 1 h du mat.* Bistro américain. **$$.**

Sophia-Ann, 5th Ave. et 15th St., III, C2, ☎ 683-9022. Franco-italien. Ouvert en avr. 1987. Cuisine méditerranéenne. Son chef a travaillé avec A. Senderens, une référence ! **$$$**

Café Seiyoken, 18 W 18th St., III, AB2, ☎ 620-9010. Japonais. Décor design, excellente cuisine pour ce restaurant à la mode. **$$**

Cajun, 129 8th Ave. et 16th St., III, B2, ☎ 691-6174. *Cajun.* Un des premiers miers restaurants cajuns de New York. Musique Dixieland. Bon rapport qualité-prix. Essayez l'entrée aux écrevisses. **$$**

Claire, 156 7th Ave., entre 19th St. et 20th St., III, B2, ☎ 255-1955. Crustacés. Réserver. Fruits de mer dans un décor tropical, réalisé par un décorateur de comédies musicales « made in Broadway », Robin Wagner. Goûtez au *Blackened redfish* et au gâteau au citron vert. **$$**

Meriken, 7th Ave. et 21st St., III, B2, ☎ 620-9684. Japonais. Réserver pour le week-end. Décor venu directement du Japon (ni futuriste, ni post-moderne). Essayez l'assiette de *sushi.* Bon rapport qualité-prix. **$$**

Cafe N. Y., 1335 Ave. of Americas, entre 53rd St. et 54th St., IV, B2 ☎ 315-1374. *Ouv. de 6 h à midi.* Cuisine régionale américaine. $

UPPER EAST SIDE

Pour les amateurs de musées, l'Upper East Side est, avec le « Museum Mile », l'endroit idéal. Vous pourrez ainsi parcourir la Cinquième Avenue et longer Central Park, tout en découvrant la Frick Collection, le Metropolitan, le Guggenheim, le Cooper-Hewitt, ICP, le Jewish Museum...

Les hôtels, qu'ils soient sur la Cinquième Avenue, sur Madison Park ou Lexington Avenue, sont tous luxueux !

Hôtels

▲▲▲▲ **Stanhope,** 995 5th Ave. et 81st St., V, C3, ☎ 288-5800. 600 ch. ① AE, CB, DC, MC, Visa. Le plus cossu des « petits » grands hôtels de New York. Meubles et peintures américaines. Chambres de grand standing. Bar en terrasse face au Metropolitan Museum.

▲▲▲▲ **Carlyle,** 35 E 76th St. et Madison Ave., IV, C1, ☎ 44-1600. 500 ch. dont 60 suites ① AE, CB, DC, MC, Visa. Un grand classique. Très calme. Chambres vastes avec mini-bar. Service d'étage 24 h/24. Café Carlyle où joue le pianiste de jazz Bobby Short. Clientèle surtout européenne.

▲▲▲▲ **Lowell,** 28 E 63rd St., IV, C2, ☎ 838-1400. 60 appart. ① AE, CB, DC, MC, Visa. Ce petit hôtel au centre des quartiers chics fut le refuge de S. Fitzgerald, Cocteau et Dustin Hoffman. Très calme. Appart. (studio ou 2 ch.) équipés de cuisine. Service 24 h/24. Location la nuit, semaine, mois ou même année.

▲▲▲▲ **Mayfair Regent,** 610 Park Ave. et 65th St., IV, C1-2, ☎ 288-0800. 80 ch. et 119 suites ① AE, CB, DC, MC, Visa. Atmosphère britannique, service impeccable. En grande partie loué à l'année. Une des meilleures tables de New York : **Le Cirque.**

▲▲▲▲ **Plaza Athénée,** 37 E 64th St., IV, C2, ☎ 734-9100. 160 ch. dont 34 suites ① AE, CB, DC, MC, Visa. Ouvert en 1984, c'est le summum du raffinement à l'européenne avec son mobilier de style Directoire, ses marbres d'Italie. Une suite en duplex à faire rêver pour 1 900 dollars la nuit! Restaurant français **«Le Régence»,** spécialisé dans les fruits de mer.

▲▲▲▲ **Pierre Hotel,** 61st St. et 5th Ave., IV, C2, ☎ 838-8000. 235 ch. dont 67 appartements réservés à l'année ① AE, CB, DC, MC, Visa. L'hôtel favori des célébrités. Mobilier de style Chippendale. Chambres très luxueuses (baignoires en marbre). Réserver longtemps à l'avance.

▲▲▲▲ **Regency,** 540 Park Ave. et 61st St., IV, C2, ☎ 759-4100, télex : 147180 ① AE, CB, DC, MC, Visa. Hôtel très bien situé. Service de grande qualité. Une des meilleures adresses pour un séjour décontracté de luxe.

▲▲▲▲ **Sherry-Netherlands,** 781 5th Ave. et 59th St., IV, C2, ☎ 355-2800, télex : 0995404 ① AE, CB, DC, MC, Visa. Entre le restaurant Harry Cipriani et la boutique de la styliste Diane von Furstenberg, l'hôtel semble être un endroit protégé et inaccessible. L'efficacité d'un service quasi-invisible et d'un personnel stylé en font un des hôtels préférés d'une clientèle très sélect.

▲▲▲▲ **Westbury,** 69th St. et Madison Ave., IV, C1, ☎ 535-2000, télex 125388. 300 ch, 40 suites ① AE, CB, DC, MC, Visa. L'hôtel peut accueillir des groupes de 10 à 15 personnes pour de petits séminaires (*art show,* réunion d'entreprise, etc.). Chambres claires et spacieuses. **Le Polo** offre une carte de choix.

▲▲▲ **Golden Tulip Barbizon,** 140 E 63rd St. et Lexington Ave., IV, C2, ☎ 838-5700. 360 ch. ① AE, CB, DC, MC, Visa. Cet hôtel au décor très «british» pourrait facilement concurrencer ceux de Madison par le sérieux du service et son confort. Bar agréable.

▲▲▲ **Lyden Garden,** 215 E 64th St., entre 2nd Ave. et 3rd Ave., IV, C2, ☎ 355-1230. 133 suites. AE, CB, DC, MC, Visa. Les chambres, confortables, sont équipées de cuisines. Proche de Bloomingdale's et des divers restaurants de First Avenue.

▲▲▲ **Surrey,** 20 E 76th St. et Madison Ave., IV, C1, ☎ 288-3700. 115 appart. AE, CB, DC, MC, Visa. Calme et confortable. Café en terrasse l'été. Excellent restaurant : **Les Pléiades.**

▲▲ **The Mark,** 25 E 77th St., IV, C1, ☎ 744-4300. 150 ch. et suites. AE, CB, MC, Visa. Nouvel hôtel proche du Whitney Museum of American Art. Bon rapport qualité-prix. Chambres claires avec kitchenettes.

Restaurants

An American Place, 2 Park Ave. 32nd St., III, C1, ☎ 684-2122. *Fermé le dim.* AE, CB, DC, MC, Visa. Réserver. Américain. Un restaurant très, très en vogue. **$$$$**

Arcadia, 2 E 62nd St., entre 5th Ave. et Madison Ave., IV, C2, ☎ 223-2900. *Fermé le dim.* AE, CB, DC. Américain. Réserver longtemps à l'avance. Façade à la française. Terrasse en été. Très petit restaurant qui propose une savoureuse gastronomie. Les *american blinis* sont à essayer. **$$$$**

Cafe Pierre, 5th Ave. at 61st St., IV, C2, ☎ 940-8185. Grande cuisine. Salon de thé l'après-midi et musique le soir. *Ouv. de 7 h à 1 h du matin.* **$$$$**

Le Cirque, 58 E 65th St., IV, CD2, ☎ 794-9292. Français. *Fermé le dim.* Réserver. Le «Bocuse» de New York, favori de Nancy et Ronald Reagan. **$$$$**

Les Pléiades, 20 E 76th St., entre 5th Ave. et Madison Ave., à l'hôtel **Surrey,** IV, C1, ☎ 535-7230. Français. Réserver. Décor sombre et triste. Le chef est basque, le menu ne l'est pas. **$$$$**

L'Omnibus, 608 Madison Ave. et 61st St., IV, C2, ☎ 980-6988. Brasserie française. Réserver. Un «Maxim's» à l'américaine. **$$$$**

Trastevere I & II, 309 E 83rd St., entre 1st Ave. et 2nd Ave., V, D3, ☎ 734-6343 ; et 155 E 84th St., entre Lexington Ave. et 3rd Ave., V, C3, ☎ 744-0210. Italie du Sud. Soleil, huile d'olive et ail... Prix un peu élevés pour une cuisine copieuse et alléchante. **$$$$**

Arizona 206, 206 E 60th St., entre 2nd Ave. et 3rd Ave, IV, C2, ☎ 838-0440. «Nouvelle cuisine» américaine. Réserver. Crépi blanc sur les murs, petites tables en bois, bref un décor de ranch. Souvent complet à midi, proche des grands magasins Bloomies et Alexander's. La cuisine y est imaginative. A découvrir. **$$$**

Auntie Yuan, 1191 1st Ave., entre 64th St. et 65th St., IV, D1-2, ☎ 744-4040. AE. Réserver. Chinois. Très chic. Un restaurant décoré d'or et de laque noire, agrémentée de « z-ailés ». Belles compositions florales. Les portions sont petites, malheureusement, mais bien appréciables. **$$$**

Bistro Bamboche, 1582 York Ave., entre 83rd St. et 84th St., V, D3, ☎ 249-4002. Bistro français. Réserver. Menus à prix fixes seulement. Choix et qualité assurés. Desserts particulièrement recommandés : les soufflés. **$$$**

Demarchelier, 808 Lexington Ave., entre 62nd St. et 63rd St., IV, C2, ☎ 223-0047. Bistro français. La *tarte Tatin* fait courir tout New York. **$$$**

Erminia, 250 E 83rd St., entre 2nd Ave. et 3rd Ave., V, D3, ☎ 879-4284. AE. Trattoria toscane. Agréable, aspect campagnard. Si la saison s'y prête, demander des *vongole alla Erminia*. Les entrées sont grillées au feu de bois. Spécialités de pasta ! **$$$**

Fu's, 1395 2nd Ave., IV, D2, ☎ 517-9670. L'un des meilleurs « chinois ». **$$$**

Hulot's, 1007 Lexington Ave., entre 72nd St. et 73rd St., IV, C1, ☎ 794-9800. Bistro français, sous les auspices de Mr. Hulot et de Jacques Tati... Sa réputation s'est faite de bouche à oreille. Sympathique pour un lunch « nostalgie ». **$$$**

Il Vagabondo, 351 E 62nd St., entre 1st Ave. et 2nd Ave., IV, D2, ☎ 832-9221. Italie du Sud. Cuisine nourrissante. Attention, le service laisse parfois à désirer. Toutefois, « Il Vagabondo » affiche souvent complet. **$$$**

Piccolo Mondo, 1269 1st Ave., entre 68th St. et 69th St., IV, D1, ☎ 249-3141. *Ouv. du lun. au jeu. de 11 h 30 à 23 h 30, les ven. et sam. jusqu'à minuit.* Italie du Nord. Atmosphère intime. **$$**

Maxwell's Plum, 1181 1st Ave. et 64th St., IV, D2, ☎ 628-2100. AE, CB, DC, MC, Visa. Au choix : baroque, rococco ou de mauvais goût... Il n'empêche que ce restaurant a toujours du succès, malgré ses lampes Tiffany et ses meubles « coquillages ». **$$$**

Sam's Cafe, 1406 3rd Ave. et 80th St., V, C3, ☎ 988-5300. Café américain. Réserver pour les soirées et week-end. Ouvert par Mariel Hemingway : la foule s'y presse espérant voir la star. Décontracté, avec parfois orchestre de jazz. **$$$**

Succès La Côte Basque, 5 E 55th St., IV, D2, ☎ 688-6525. Pâtisserie et salon de thé, agréable pour le lunch. Au-dessus se trouve une patinoire... qui ne vous empêchera pas de déguster les délicieuses tartes au citron. Clientèle de dames chic de Upper East Side. Élégant, luxe. $$$

Bangkok House, 1485 1st Ave. et 78th St., V, D3, ☎ 249-5700. *Ouv. t.l.j. de 17 h à 23 h.* AE, CB, DC, MC, Visa. Thaïlandais. Réserver pour plus de 4 pers. seulement. Peu connu. Vous serez séduit par les plats et par l'ambiance plutôt familiale. **$$**

The Boathouse Cafe, 74th St. et East Central Park Drive, IV, C1, ☎ 517-2233. Café et sandwiches. Une belle vue sur le parc. **$$**

Délices Guy Pascal, 1231 Madison Ave. et 89th St., V, C3, ☎ 289-5300. Pâtisserie et salon de thé. Également une autre adresse dans le Upper West Side. **$$**

Friday's, 1st Ave. et 63rd St., IV, D3, ☎ 832-8512. Bières et hamburgers. Une grande façade peinte en bleu ; on ne peut pas rater « Friday's ». Le *Single's bar* le plus fréquenté et le plus animé de New York. Nous recommandons les *potatoes skins with sour cream,* des pommes de terre à la crème fraîche et au fromage fondu. S'abstenir en cas de régime ! **$$**

Cafe Greco, 1390 2nd Ave., entre 71st St. et 72nd St., IV, D1, ☎ 737-4300. *Ouv. de 11 h à 1 h du mat.* Cuisine méditerranéenne. **$$**

≠ 1 Kitchen, 1464, 2nd Ave., entre 76th St. et 77th St., IV, CD1, ☎ 570-6700 ; 570-6701. Chaîne de « fast-foods » chinois. Ils font également des formules « à emporter » ainsi que des livraisons à domicile. **$$**

Pamir Afghan Restaurant, 1437 2nd Ave., entre 74th St. et 75th St., IV, CD1, ☎ 734-3791. Afghan. Cuisine aromatisée et moins épicée que la cuisine italienne. **$$**

Red Tulip, 439 E 75th St., entre York Ave. et 1st Ave., IV, D1, ☎ 734-4893. Hongrois. Réserver. De la vraie musique tzigane à New York. La nourriture, quant à elle, ne fait pas rêver. **$$**

Sala Thai, 1718 2nd Ave. et 89th St., V, D3, ☎ 410-5557. AE, CB, DC. Thaïlandais. Les plats sont dignes d'un restaurant de Bangkok. Il faut goûter au poisson frit ou au *mi-grob,* une salade de nouilles fines, de crevettes et d'herbes parfumées. **$$**

Serendipity, 225 E 60th St., entre 2nd Ave. et 3rd Ave., IV, C2, ☎ 838-3531. Salades et sandwiches, glaces et desserts. Après le cinéma ou une journée de shopping « Bloomingdale's », vous pourrez ici reprendre des forces devant un *snack* ou un *sundae*. Clientèle amusante à regarder. **$$**

Vašata, 339 E 75th St., IV, CD1, ☎ 650-1686. *Fermé le lun.* AE, CB, DC, MC, Visa. Cuisine praguoise authentique dans un climat convivial où abonde une clientèle d'immigrés tchèques, en particulier le dim. **$$**

Rusty's, 1271 3rd Ave. at 73rd St., IV, C1, ☎ 861-4518. *Ouv. de 12 h à 2 h du mat.* Cuisine américaine. Atmosphère amicale. **$$**

Istambul Cuisine, 303 E 80th St., entre 1st Ave. et 2nd Ave., V, D3, ☎ 744-6903. Turc. Cuisine peu représentée à New York. $

Jackson Hole Wyoming, 1633 2nd Ave. et 85th St., V, D3, ☎ 737-8788 ; et 521 3rd Ave. et 35th St., III, C1, ☎ 679-3264. Hamburgers copieux et frites. Le restaurant saura satisfaire votre appétit. $

J. G. Melon, 1291 3rd Ave. et 74th St., IV, C1, ☎ 650-1310. Salades et hamburgers. En sortant du Whitney Museum, arrêtez-vous dans ce pub décoré de melons entiers ou en tranches. Son propriétaire est un « fan » de ce fruit. Très sympathique pour un hamburger et un dessert comme le *carrot cake*. $

Harlem

La Famille Restaurant, 125th St. et 5th Ave., VI, C3, ☎ 534-9909. *Soul food,* cuisine du Sud. Le restaurant est à l'étage. Jazz ou salsa au bar situé au-dessous. Une atmosphère de fête en permanence. Prenez les *ribs* ou le jambon avec de la compote de pommes. $$

Sylvia's, 328 Lenox Ave., entre 126th St. et 127th St., VI, C3, ☎ 996-0660. *Soul food.* Poulet à l'étouffée et excellents desserts. $$

UPPER WEST SIDE

Un quartier très vivant : familles de jeunes cadres dynamiques, boutiques chics et restaurants. Le Upper West Side est en vogue. Les loyers grimpent, les immeubles neufs aussi.

Hôtels

▲▲ **Ansonia,** 2109 Broadway et W 3rd St., IV, A1, ☎ 724-2600. Pas de restaurant. Pas de carte de crédit. L'Ansonia a beaucoup de charme. C'est un très bon choix pour un séjour sur cette partie de Manhattan.

▲▲ **Empire Hotel,** 44 W 63rd St. et Broadway, IV, B2, ☎ 265-7400. 600 ch. AE, CB, DC, MC, Visa. Face au Lincoln Center, parfait pour les amateurs d'opéras ou de ballets et pour loger en famille.

▲▲ **Mayflower,** 15 Central Park W et 61st St., IV, B2, ☎ 265-0060. 400 ch. ① AE, CB, DC, MC, Visa. Hôtel très simple récemment rénové. Certaines chambres donnent sur le parc. Restaurant : **The Conservatory,** agréable pour les *brunchs*.

▲ **Esplanade,** 305 West End Ave. et W 74th St., IV, A1, ☎ 874-5000. AE, DC, Visa. Proche du Lincoln Center. Le prix des chambres y est unique. Il faut réserver à l'avance car une clientèle permanente habite l'hôtel. Chambres équipées de cuisine.

▲ **Excelsior,** 45 W 81st St. et Central Park W, V, B3, ☎ 362-9200. 300 ch. ① Situé face au musée d'Histoire naturelle. Très bien desservi.

▲ **Milburn,** 242 W 76th St., entre Broadway et West End Ave., IV, A1, ☎ 362-1006. Pas de restaurant dans l'hôtel mais le quartier remédie à cette lacune.

Restaurants

Café des Artistes, 1 W 67th St. et Central Park W, IV, AB1, ☎ 877-3500. AE, CB, DC, MC, Visa. Français. L'un des restaurants les plus animés du West Side. Décoration 1900. *Brunch.* $$$

Café Luxembourg, 200 W 70th St. et Amsterdam Ave., IV, B1, ☎ 873-7411. *Brunch sam. et dim. de 11 h à 15 h.* AE, MC, Visa. Français et branché. Installé dans une ancienne piscine au décor 1920. Poissons. $$$

Memphis, 320 Columbus Ave., entre 75th St. et 76th St., IV, B1, ☎ 496-1840. *Cajun,* bar. Une apparence insignifiante. Mais une fois la porte poussée, une foule de gens se presse devant le bar. Le restaurant moins encombré est sur deux étages. Décor assez neutre. En revanche la carte offre un choix appétissant. Ce *cajun* est à essayer pour son poisson grillé sur *mesquite*. $$$

Tavern on the Green, Central Park et W 67th St., IV, B1, ☎ 873-3200. *Ouv. jusqu'à 1 h du matin.* Américain. Six restaurants. Spécialités de poissons et de fruits de mer. Décor baroque, voire kitsch. $$$

Conservatory, 15 Central Park West et 61st St., IV, B2, ☎ 581-1293. AE, CB, DC, MC, Visa. Américain. Réserver pour le *brunch*. Situé dans l'hôtel Mayflower, près du Lincoln Center. Cuisine légère : côtes d'agneau, salades exotiques. Intéressant pour le *brunch*. $$

Délices Guy Pascal, 2245 Broadway et 80th St., V, A3, ☎ 874-5400. Pâtisserie et salon de thé. Situé dans le magasin Zabar's, « tout pour la cuisine ». C'est une halte agréable. *Lunchs* légers. Mais le petit déjeuner est peut-être la spécialité. $$

Ernie's, 2150 Broadway, entre 75th St. et 76th St., IV, A1, ☎ 496-1588. Américain. Pâtes et pizzas. Grand et bruyant. Clientèle jeune préférant l'ambiance à la cuisine. $$

The Gingerman, 51 W 64th St. et Broadway, IV, AB2, ☎ 399-2358. *Cajun* et américain. Le plus ancien restaurant autour du Lincoln Center. Jazz sam. et dim. $$

Sarabeth's Kitchen, 423 Amsterdam Ave. et 79th St. V, AB3, ☎ 496-6280. Salon de thé, *lunch*. Sarabeth prépare ses confitures, ses pâtisseries et ses *scones*. Cadre claire et intime. A ne pas manquer : le petit déjeuner ou le goûter, après une promenade dans le parc voisin ou un shopping sur Columbus Avenue. Bien également pour les *brunchs*. On peut acheter ces confitures « de grand-mère ». $$

Siam Cuisine, 410 Amsterdam Ave. et 80th St., V, AB3, ☎ 874-0105. AE, CB, DC, MC, Visa. Thaïlandais. Très petit, réservez absolument... C'est tellement bon que vous aurez, vous aussi, votre thaï préféré à New York. $$

Sidewalker's, 12 W 72nd St., entre Central Park West et Columbus Ave., IV, B1, ☎ 799-6070. Spécialités de poissons et crustacés, dont le *crabe du Maryland*. $$

Museum Cafe, 366 Columbus Ave. et 77th St., V, B3, ☎ 799-0150. Café-pub. Hamburgers et salades. Après une visite au musée d'Histoire naturelle, une bonne halte si l'on s'en tient au plus simple. *Brunch* à essayer. $

Rosita's — El Ideal, 2825 Broadway at 111th St., V, B1, ☎ 866-3244. Cuisine portoricaine. Délicieux milk-shakes aux fruits tropicaux. $

BROOKLYN

Restaurants

Peter Luger, 178 Broadway, ☎ (718) 387-7400. *Steak house. Ouv. t.l.j. de 18 h à 22 h (dernier service à 22 h).* Pas de carte de crédit. Réserver. Le meilleur *steak house* de New York. Les pièces de bœuf sont énormes, ainsi que les côtes de mouton et les tranches de rosbif. $$$

River Cafe, 1 Water St., ☎ (718) 522-5200. Américain. Sous le pont de Brooklyn. Vue incomparable sur Manhattan et la Statue de la Liberté. Dîner en terrasse l'été. Piano. *Brunch sam., dim. de 12 h à 15 h.* $$

Gage and Tollner, 372 Fulton St., ☎ 875-5181. *Fermé le dim.* Cet établissement fondé en 1879 a conservé son charme d'antan. L'un des rares bons restaurants de poissons et crustacés de New York. Pianiste ven. et sam. $$

Junior's, 386 Flatbush Ave., ☎ 852-5257. Cuisine typiquement américaine. *Ouv. ven.-sam. jusqu'à 3 h du matin.* $

QUEENS

Restaurants

The Water's Edge, 44th Drive et East River, ☎ (718) 482-0033. Poissons. Installé sur une péniche, près de Queensboro bridge. Panorama sur le centre de Manhattan, à moindre frais. Bien pour un apéritif. $$$

La Détente, 23-04 94th St., entre 22nd Ave. et 23rd Ave., ☎ (718) 458-2172. Haïtien. Réserver. Près de La Guardia Airport. Cadre, ambiance et cuisine agréables. Beaucoup de Haïtiens sont installés dans ces rues. $$

Taygetos, 30-11 30th Ave., ☎ (718) 726-5195. Grec. Astoria est le quartier grec de New York. Ce restaurant en est l'établissement le plus sympathique et le plus vivant. $$

Cho Sun Ok, 136-73 Roosevelt Ave., entre Main St. et Union St., ☎ (718) 762-8960. Coréen. Faites cuire vous-même votre commande. Plus de 100 plats... $

Yankee Clipper Deli Restaurant, ou **Rocco's,** Marine Air Terminal, La Guardia Airport, ☎ (718) 476-8859. *Ouv. t.l.j. de 6 h à 21 h 30.* Delicatessen. $

SE RESTAURER APRÈS MINUIT

Empire Diner, 210 10th Ave. et 22nd St., III, A2, ☎ 243-2736. Chelsea. *Ouv. toute la nuit.* Hamburgers et sandwiches. Change du tout au tout selon les heures. Le jour, c'est un lieu décontracté et vivant, où on peut amener ses enfants. En été, la foule se presse sur sa terrasse. La nuit, vedettes, chauffeurs de taxis et noctambules partagent le même comptoir. $

Kiev Restaurant, 117 2nd Ave. et 7th St., III, C3, ☎ 674-4040. East Village. *Ouvert 24 h/24.* Ukrainien. Fréquenté par la faune nocturne de Downtown. $

Lox Around The Clock, 6th Ave. et 21st St., III, B2, ☎ 691-3535. Chelsea. *Ouv. 24 h/24. Brunchs* et hamburgers. Décor de Sam Lopata qui a donné à cette ancienne boucherie un *look* étonnant. Juke-Box avec vidéo. Beaucoup de monde. Les *brunchs* y sont très bons. $

Big City Diner, 572 11th Ave. at 43rd

St., IV, A3, ☎ 244-6033. *Ouv. tte la journée ; dîner de 18 h à minuit ; club de danse de 22 h à 4 h du mat.* Menu américain. $

Moondance Diner, 80 6th Ave., entre Grand St. et Canal St., II, B1, ☎ 226-1191. SoHo. *Ouv. toute la nuit, 7 j/7. Dîner.* Hamburgers, salades et sandwiches. Un des meilleurs *diners* « in town ». Ambiance et cadre très agréables. *Brunchs* excellents. $

New York Delicatessen, 104 W 57th St., entre 6th Ave. et 7th Ave., IV, B2, ☎ 541-8320. Midtown West. *Ouv. 24 h /24, 7 j/7.* AE, DC, MC, V. *Deli.* Très jolie salle avec escaliers en volute. Près de Carnegie Hall, après le spectacle, on y goûte la cuisine *deli* (Europe centrale et orientale). On peut aussi y acheter des saucissons kasher ou des *pickles.* $

Ray's Famous Pizza, 8 W 11th St. et Ave. of the Americas, III, B3, ☎ 243-2253. Greenwich Village. Succursale au 72nd St. et Columbus Ave., IV, B1, ☎ 721-0066. Upper West Side. *Ouv. toute la nuit.* Pizzeria. La meilleure pizza de New York.

Sarge's Deli, 548 5th Ave., entre 36th St. et 37th St., III, C1, ☎ 679-0442. Midtown East. *Ouv. 24 h/24.* AE. *Delicatessen.* $

INDEX DES RESTAURANTS PAR TYPE DE CUISINE

Abréviations utilisées pour l'indication des quartiers :

Chinatown = Chin.
East Village = E.Vil.
Financial District = Fin.Dist.
Greenwich Village = G.Vil.
Little Italy = Lit.It.
Lower East Side = Low.E.S.
Tribeca = Trib.
World Trade center = W.T.C.
Midtown East = Mid.E.
Midtown West = Mid.W.
Upper East Side = U.E.S.
Upper West Side = U.W.S.

Afghans

Afghan Kebab House, $, Mid.W.
Khyber Pass, $$, Low.E.S.
Pamir, $$, U.E.S.

Allemands

Bierstube, $$, Mid.W.
Rumpelmayer's (pâtisserie), $$, Mid.W.

Américains

Albuquerque East, $$, Chelsea
America (hamburgers), $$, Mid.E.
American Harvest, $$$$, W.T.C.
An American Place, $$$$, U.E.S.
Arcadia, $$$$, U.E.S.
Arizona 206, $$$, U.E.S.
Baton's, $$$, G.Vil.
Big City Diner, $, Mid.W.
The Boathouse Cafe, $$, U.E.S.
Bridge Cafe, (hamburgers, sandwiches), $$, Chin.
Broome Street Bar (hamburgers), $$, SoHo
Cafe N.Y, $, Mid.W.
Cafe Pierre, $$$$, Mid.E.
Casual Quilted Giraffe, $$$$, Mid.E.
Central Falls, $$, SoHo
Christ Cella (steaks), $$$$, Mid.E.
Chumley's, $, G.Vil.
Club « 21 », $$$, Mid.W
Coach House, $$$$, G.Vil.
Conservatory, $$, U.W.S.
Cornelia Street Cafe, $$, G.Vil.
Elephant & Castle (sandwiches), $, SoHo
Empire Diner *(diner)*, $, Chelsea (« Se restaurer après minuit »)
Ernie's, $$, U.W.S.
5 & 10 N° Exaggeration (franco-américain), $$, SoHo
Flutie's (poissons et steaks), $$$, Fin.Dist.
Food (sandwiches), $, SoHo
The Four Seasons (franco-américain), $$$$, Mid.E.
Fraunces Tavern Restaurant, $$, Fin.Dist.
Friday's (hamburgers), $$, U.E.S.
Garvin's, $$, G.Vil.
Gotham Bar & Grill (franco-américain), $$$$, Chelsea
Greene Street Cafe, $, SoHo
Hanratty's, $$, U.E.S. et U.W.S.
Hard Rock Cafe, $$, Mid.W.
Harry's et Hanover Square (steaks), $$, Fin.Dist.
Jackson Hole Wyoming (hamburgers), $, U.E.S.
J. G. Melon (hamburgers), $, U.E.S.
Joe Allen, $$, Mid.W.
Junior's, $, Brooklyn
Lox Around The Clock (hamburgers), $, Chelsea (« Se restaurer après minuit »)
Moondance Diner *(diner)*, $, SoHo (« Se restaurer après minuit »)

Morgan Williams (franco-américain), $$$, Fin.Dist.
Mortimer's (café), $$, U.E.S.
Museum Cafe (hamburgers), $, U.W.S.
New Deal Restaurant, $$, SoHo
Old Homestead, $$$, G.Vil.
Palm, et **Palm Too** (steaks), $$$$, Mid.E.
Pâtisserie Lanciani (franco-américain), $, SoHo
Peter Luger (steaks), $$$, Brooklyn
River Cafe, $$, Brooklyn
Rusty's, $$, Mid.E.
Sam's Cafe, $$$, U.E.S.
Sarabeth's Kitchen (pâtisserie), $$, U.W.S.
Sardi's (italo-américain), $$$, Mid.W.
Serendipity (café), $$, U.E.S.
Smith & Wollensky (steaks), $$$, Mid.E.
Symphony Cafe, $$, Mid.W.
Sparks Steakhouse (steaks), $$$$, Mid.E.
Tavern on the Green, $$$, U.W.S.
Windows on the World (franco-américain), $$$$, W.T.C.
Woods, $$$, Mid.E.

Cajun

Acme Bar & Grill, $$, G.Vil.
Bon Temps Rouler, $$, Trib.
Cajun, $$, Chelsea
The Gingerman, $$, U.W.S.
Great Jones Street Cafe, $, E.Vil.
Gulf Coast, $$, G.Vil.
Memphis, $$$, U.W.S.
Sazerac House, $, G.Vil.
Sugar Reef, $$, E.Vil.

Chinois

Auntie Yuan, $$$, U.E.S.
Bayamo (sino-cubain), $$, G.Vil.
Chez Vong, $$$, Mid.E.
Dai Sai Kai Restaurant (sino-cubain), $, Lit.It.
Fu's, $$$, U.E.S.
HSF, $, Chin.
≠ 1 Kitchen, $$, U.E.S.
Phoenix Garden (cantonnais), $$, Chin.
Say Eng Look, $$, Chin.
Siu Lam Kung, $$, Chin.
Spring Street, $$, SoHo
Sun Lok Kee Rice Shop Inc., $, Lit.It.

Coréens

Cho Sun Ok, $, Queens
Woo Lee Oak of Seoul, $, Mid.W.

Créoles et antillais

Caribe, $, G.Vil.
El Castillo de Jagua, $, Low.E.S.
Lola, $$$, Chelsea

Delicatessen

Carnegie Deli (juif), $, Mid.W.
Katz's Restaurant Deli (juif), $, Low.E.S.
New York Delicatessen, $, Mid.W. (« Se restaurer après minuit »)
Ratner's, $$, Low.E.S.
Second Avenue Deli, $$, E.Vil.
Sarge's Deli, $, Mid.E. (« Se restaurer après minuit »)
Wolf's Restaurant & Deli, $, Mid.W.
Yankee Clipper Deli Restaurant, $, Queens

Divers

Maxwell's Plum, $$$, U.E.S.

Espagnols

The Ballroom, $$$, Chelsea
El Faro, $$, G.Vil.

Éthiopiens

Abyssinia, $, SoHo

Falafels

Olive Tree Cafe, $, G.Vil.

Français

Aurora, $$$$, Mid.E.
Bistro Bamboche, $$$, U.E.S.
The Black Sheep, $$$, G.Vil.
Café des Artistes, $$$, U.W.S.
Café Loup, $$, G.Vil.
Café Luxembourg, $$$, U.W.S.
Café Un Deux Trois, $$$$, Mid.W.
Chanterelle, $$$$, SoHo
Chez Brigitte, $$, G.Vil.
Chez Joséphine, $$, Mid.W.
Chez Napoléon, $$, Mid.W.
Délices Guy Pascal (pâtisserie), $$, U.E.S. et U.W.S.
Demarchelier, $$$, U.E.S.
Florent, $$, G.Vil.
Hulot's, $$$, U.E.S.
Jean Lafitte, $$$$, Mid.W.
La Bohème (pizzeria), $$, G.Vil.
La Côte Basque, $$$$, Mid.E.
La Galerie, $$$$, Mid.E.
La Ripaille, $$$, G.Vil.
La Tulipe, $$$$, G.Vil.
Le Bernardin, $$$$, Mid.W.
Le Cirque, $$$$, U.E.S.
Le Cygne, $$$$, Mid.E.
Le Périgord, $$$$, Mid.E.

Russian Samovar, $$, Mid.W.
Russian Tea Room, $$$$, Mid.W.

Soul food

Jezebel's, $$, Mid.W.
La Famille Restaurant, $$, Harlem
Princess Pamela, $$, Low.E.S.
Sylvia's, $$, Harlem

Tchèques

Vašata, $$, U.E.S.

Tex-mex, mexicains

Cinco de Mayo, $$, G.Vil.
Cottonwood Cafe, $$, G.Vil.
Cafe Iguana, $, Trib.
Tortilla Flats, $, G.Vil.

Thaïlandais

Bangkok House, $$, U.E.S.
Sala Thaï, $$, U.E.S.
Siam Cuisine, $$, U.W.S.
Thailand Restaurant, $, Chin.

Végétariens

Health Food Pub, $, Mid.E.

Vietnamiens

Cuisine de Saigon, $$, G.Vil.
Indochine, $$$, G.Vil.

NEW YORK LA NUIT

Bars

Généralement ouverts tous les jours jusqu'à 4 h du matin.

Art Cafe, 151 2nd Ave., près de 9th St., III, C3, East Village. Ambiance chaleureuse dans un bistro où les artistes du quartier se donnent rendez-vous.

Café Un Deux Trois, 123 W 44th St., ☎ 354-4141. Voir « Restaurants » dans Midtown West, $$$$.

Cafe Iguana, 235 Park Avenue South at 19th St., III, C2, ☎ 529-4770.

Brownie's, Ave. A, entre 10th St. et 11th St., III, D3. ☎ 420-8392. East Village. A partir de 5 h, faune cosmopolite. De l'East Village et d'ailleurs.

B. Smith's, 771 8th Ave. et 47th St., IV, B3, ☎ 247-2222. Midtown West. B. Smith, qui tient ce bar, est un ancien mannequin !

Chumley's, 86 Bedford St. Voir « Restaurants » dans Greenwich Village, $.

5 & 10 N° Exaggeration, 77 Greene St. Voir « Restaurants » dans SoHo, $$.

Jim McMullen's, 1341 3rd Ave., près de 76th St., IV, C1, ☎ 861-4700. Upper East Side. Clientèle très mode.

Life Café, 343 E 10th St., à l'angle de Ave. B, III, D3, ☎ 477-8791. East Village. Un lieu d'artistes qui, parfois, paient l'addition avec une de leurs œuvres que le propriétaire accroche aux murs.

Magoo's, 21 6th Ave., près de Walker St., II, B1. Tribeca. Les peintres ou les sculpteurs échangent leurs toiles contre des repas.

Manhattan Brewery, 40, 42 Thompson St., II, B1, ☎ 219-9250. SoHo. Brasserie typiquement américaine, décorée d'étonnants alambics de cuivre. La « Manhattan Beer » est la bière « maison », fabriquée sur place. Fait également restaurant.

McSorley's Old Ale House, 15 E 7th St., III, C3, ☎ 473-8800. Greenwich Village. Une institution. Jeune clientèle universitaire.

Memphis, 329 Columbus Ave. Voir « Restaurants » dans Upper West Side, $$$.

Odeon, 145 West Broadway. Voir « Restaurants » dans Tribeca, $$$.

P. J. Clarke's, 915 3rd Ave. et 55th St., IV, C2, ☎ 759-1650. Midtown East. Un *saloon* irlandais. Publicitaires et journalistes s'y côtoient.

Save The Robots, 25 Ave. B, près de 2nd St., III, D3. Lower East Side. *Ouv. le week-end.* A partir de 4 h, club de noctambules.

SoHo Kitchen & Bar, 103 Greene St., II, B1, ☎ 295-1866. SoHo. Pizzas et vins.

Green House, dans le New York Vista Hotel, World Trade Center, II, B2, ☎ 938-9100. Restaurant et bar à vins.

Piano-bars

Beekmans Towers, 3 Mitchell Place. Voir « Hôtels » dans Midtown East, catégorie « M ».

Broadway Baby, 407 Amsterdam Ave., entre 79th St. et 80th St., V, AB3, ☎ 724-6868. Upper West Side. Les serveurs chantent la commande du client !

Café Carlyle, 35 E 76th St., IV, CD1 Voir l'hôtel Carlyle dans Upper East Side, p. 239.

Marty's East, 209 E 56th St., IV, C2, ☎ 935-7676. Midtown East. Endroit chic, convenable et cher.

Mrs. J'S Sacred Cow, 228 W 72th St., IV, AB1, ☎ 873-4067. Upper West Side. Restaurant où se produisent des pianistes de jazz consacrés. Bon marché.

Nickels, 227 E 67th St., IV, C1, ☎ 794-2331. Upper East Side. Bon piano jazz. Prix raisonnable.

One Fifth, 15th Ave. et 8th St., III, BC3, ☎ 260-3434. Greenwich Village. Salle Art déco somptueusement décorée. Chanteurs et pianistes de grande qualité. Prix modéré.

« Life music bars »

Cover charge ou *music charge* : droit de s'asseoir, consommation non comprise.

Angry Squire, 216 7th Ave., près de 23rd St., III, B2, ☎ 242-9066. Chelsea. AE, CB, DC.

Apollo Theatre, 253 W 125th St., VI, B3, ☎ 749-5838. Harlem. On écoute les plus grands interprètes noirs dans ce théâtre légendaire de Harlem, entièrement rénové (voir promenade à Harlem p. **163**). La célèbre « Amateur Night » (soirée des amateurs), qui a lieu tous les mercredis et a fait découvrir Billie Holliday, Aretha Franklin ou The Jackson 5, est passionnante.

The Blue Note, 131 W 3rd St., près de 6th Ave., III, B3, ☎ 475-8592. Greenwich Village. AE. Ce club présente les plus grands noms du jazz. Les autres musiciens de la ville s'y rejoignent après le spectacle : on atteint alors le *hit* dans de fougueuses improvisations.

The Bottom Line, 15 W 4th St. et Mercer St., III, C3, ☎ 228-7880. Greenwich Village. Un des lieux précurseurs, tremplin de Bruce Springsteen et Patti Smith. On fait la queue pour y entrer. Vaste choix chaque semaine, du rythm'n blues au jazz du groupe Lounge Lizards, dirigé par John Lurie.

The Cat Club, 76 E 13th St., entre Broadway et 4th Ave., III, C2, ☎ 505-0090. Greenwich Village. On y trouve des groupes de rock très mode, pas toujours bons.

Carlos I, 432 6th Ave., près de 9th St., III, B3, ☎ 982-3260. Greenwich Village. AE, CB, DC, MC, Visa. Lieu de prédilection de The World Saxophone Quartet (free jazz). On y écoute aussi du jazz traditionnel ou d'avant-garde. Vous pouvez également y déguster des plats jamaïcains. *Music charge* : 10 $; consommation : 7 $ minimum.

CBGB and OMFUG, 315 Bowery et Bleecker St., III, C3, ☎ 982-4052. Greenwich Village. Le temple du rock punk. Le dimanche, vous pouvez voir 4 groupes pour seulement 5 $. Et le spectacle continue sur le trottoir...

Fat Tuesday's, 190 3rd Ave. et 17th St., III, C2, ☎ 533-7902. Midtown East. AE, MC, Visa. Vous pourrez y applaudir les plus grands noms du jazz, tel Dizzy Gillespie.

Greene Street, 101 Greene Street, ☎ 925-2415. Musique de Jazz.

Michael's Pub, 211 E 55th St., entre 2nd Ave. et 3rd Ave., IV, C2, ☎ 758-2274. Midtown East. *Fermé le dim.* AE, DC, MC, Visa. Si vous avez de la chance, vous pourrez y écouter Woody Allen jouer de la clarinette.

Roulette's, 228 West Broadway, près de White St., II, B1. Au cœur de Tribeca, la mecque du *loft jazz*, jazz expérimental, et du rock d'avant-garde.

S.O.B.'s, 204 Varick St. et Houston St., II, B1, ☎ 243-4940. SoHo. AE, CB, CD, MC, Visa. Abréviation de « Sounds Of Brazil » ou « Sons Of a Bitch » ! Cuisine, ambiance et musique brésiliennes. Reggae, blues, jazz ou percussions. Lieu très chaleureux pour 15 $.

Sweet Basil, 88 7th Ave. South et Bleecker St., III, B3, ☎ 242-1785. Greenwich Village. AE, MC, Visa. Sélection variée de jazz de très haute qualité. Petit club toujours plein.

Sweetwater's, 170 Amsterdam Ave., entre 68th St. et 69th St., IV, AB1, ☎ 873-4100. Upper West Side. AE, CB, DC, MC, Visa. Décor élégant, clientèle chic. Très bons jazz, soul et pop. Fait également restaurant.

Tramps, 45 W 21st St., III, B2, ☎ 727-7788. Midtown East. Un lieu sombre et peu connu du grand public. On y écoute les meilleurs interprètes de blues de tout le pays. Entrée : 10 $. Minimum 2 consommations.

Twenty-Twenty, 20 W 20th St., III, BC2t, ☎ 727-8840. Chelsea. Un nouveau *supper club* (lieu où l'on dîne en écoutant de la musique). Décor high-tech et post-moderne, avec des panneaux provenant du *Normandie* accrochés derrière le comptoir. Cuisine *cajun*. Cocktails. On peut écouter Roberta Flack ou Wilson Pickett. *Music charge* : 15 $. Consommation : 20 $.

The Village Gate, 160 Bleecker St., entre Thompson St. et Sullivan St., III, B3, ☎ 475-5120. Greenwich Village. AE, MC, Visa. Deux étages. En haut, un bar où l'on joue du jazz. En bas, une immense salle pour de fabuleux spectacles de salsa (le lundi).

Village Vanguard, 178 7th Ave. South, près de 11th St., III, B3, ☎ 255-4037. Greenwich Village. Ancien *speakeasy*, ouvert depuis 1935. On l'appelle le « Carnegie Hall des boîtes de jazz ». Cadre intime et agréable. *Cover charge* : 10 $ à 10 $. Consommation : minimum 6 $.

The West End, 2911 Broadway et 114th St., V, A1, ☎ 662-6262. Upper West Side. MC, Visa. Voir « Où s'arrêter » de l'itinéraire *Columbia University*, p. **168**.

Discothèques

Club Broadway, 2551 Broadway 96th St., V, A2, ☎ 864-7600. Surtout salsa.

Nell's, 246 W 14th St., entre 7th Ave. et 8th Ave., III, B2, ☎ 675-1567. Chelsea. Dans un décor très bourgeois et très élégant, un club chic et mode, avec tapisseries et serveurs.

Limelight, 47 W 20th St., III, BC2, ☎ 807-7850. Chelsea. Installée dans une ancienne église, une incroyable discothèque où se croisent mannequins, homosexuels et vedettes du showbiz.

Palladium, 123 E 14th St., III, C2, ☎ 473-7171. Midtown East. Immense théâtre-opéra, reconverti en une somptueuse boîte de nuit sur 8 étages. Si le lieu n'est plus aussi « branché », il reste néanmoins un des premiers du genre à New York.

The Ritz, 119 E 11th St., entre 3rd Ave. et 4th Ave., III, C3, ☎ 254-2800. East Village. Située dans une ancienne salle de dancing du XIXe s., cette discothèque accueille les meilleurs groupes rock du moment.

Tunnel, 27th St. et 12th Ave., III, A1, ☎ 695-7292. Midtown West. Anciens docks désaffectés où les rails font partie du décor. Un lieu très « branché », immense, luxueusement rénové et éclairé.

SHOPPING

Le **Visitors Bureau** (2 Columbus Circle, ☎ 397-8222) délivre un *Visitors Shopping Guide*. Vous pouvez également consulter les *Yellow Pages*, ou vous renseigner auprès du service d'aide aux consommateurs ☎ 577-0111. Les magasins sont surtout concentrés à Manhattan Midtown, entre les 34e et 59e rues. Le Upper West Side est le plus « branché » (magasins de designers), le Lower East Side le meilleur marché.

Grands magasins

Alexander's, Lexington Ave. et 59th St., IV, C2, ☎ 593-0880. *Ouv. du lun. au sam. de 10 h à 19 h, le dim. de 12 h à 17 h.* AE, MC, Visa. Très intéressant pendant les soldes.

A & S, 899 Avenue of Americas (A & S Plaza), IV, B2, ☎ 594-8500.

Barney's, 106 7th Ave., près de 17th St., III, B2, ☎ 929-9000. *Ouv. du lun. au ven. de 10 h à 21 h, le sam. de 10 h à 20 h.* Un peu excentré. Élégant magasin, consacré exclusivement aux vêtements (hommes et femmes). Très grand choix de couturiers européens et américains. Le luxe du décor, l'amabilité des vendeurs, les portiers... vous rappelleront constamment qu'ici, le client est roi.

Bergdorf Goodman, 5th Ave. et 57th St., IV, C2, ☎ 753-7300. *Ouv. du lun. au sam. de 10 h à 18 h, le jeu. jusqu'à 20 h.* Tradition et élégance règnent dans ce grand magasin aux superbes vitrines. Exceptionnel rayon « hommes », très beau rayon « lingerie ». Au rez-de-chaussée, le rayon « chapeau pour femmes » présente des créations de Michelle Jaffé et de Patricia Underwood. Le *fifth floor* accueille les mini-boutiques des meilleurs couturiers actuels.

Bloomingdale's, 1000 3rd St. et 59th Ave., IV, C2, ☎ 705-2000. *Ouv. du lun. au sam. de 10 h à 18 h 30, le dim. de 12 h à 18 h. Nocturnes les lun. et jeu.* « Bloomies », le favori des yuppies et des jeunes couples de l'Upper East Side, habille les New-Yorkaises de tous âges et des stars du showbiz. La frénésie qui y règne pendant les soldes n'a pas son égal. Un étage est consacré aux grands couturiers européens et américains. Et son sous-sol (« Saturday's Generation ») propose des articles à bas prix. Grand rayon « enfants ». Bons rayons de cosmétiques et de lingerie.

Fortunoff, 681 5th Avenue, IV, C3, ☎ 758-6660. Magasin de bijoux.

Takashimaya Luxe, 693 5th Ave. entre 54th et 55th St. IV, C2, ☎ 350-0100. *Ouv. du lun. au sam. de 10 h à 18 h.* Grand magasin de luxe japonais.

Lord & Taylor, 5th Ave. et 38th St., IV, C3, ☎ 391-3344. *Ouv. du lun. au sam. de 10 h à 18 h, le jeu. jusqu'à 20 h.* AE. Un peu vieillot. Mais bons rayons « sports » et « maison ». Soldes particulièrement intéressantes en janvier et juillet.

Macy's, Broadway et 34th St., III, B1, ☎ 695-4400. *Ouv. du lun. au sam. de 9 h 45 à 18 h 45, les lun., jeu. et ven. jusqu'à 20 h 30, et le dim. de 11 h à 18 h.* AE. Le plus grand magasin du monde (600 000 m²). Sous-sol intéressant, **The Cellar,** surtout pour la maison et la cuisine. Style américain et varié. Soldes fréquentes.

Saks Fifth Avenue, 5th Ave. et 49th St., IV, C3, ☎ 753-4000. *Ouv. du lun. au sam. de 10 h à 18 h, le jeu. jusqu'à 20 h.* AE, CB, DC. Huit étages où sont présentés des couturiers américains, surtout pour femmes. Très cher.

Centres commerciaux

A l'intérieur d'un immeuble, ils regroupent sur plusieurs étages des boutiques de marques, des restaurants, bars et *coffee shops*. Leur atmosphère est aérée, leur présentation luxueuse.

A et S. Plaza, 6th Ave. 33rd St. III, C1, ☎ 594-8500. 9 étages, 80 boutiques, mode, jouets, etc.

Soho Emporium, 375 W Broadway, entre Spring et Broon St., ☎ 966-6091. Prix très intéressants.

Trump Tower, 725 5th Ave., entre

la 56th St. et la 57th St., IV, C2. ☎ 832-2000. *Ouv. du lun. au dim. à partir de 9 h.*

Alimentation

Aphrodisia, 282 Bleecker St., entre 6th Ave. et 7th Ave., III, B3, ☎ 989-6440. *Ouv. du lun. au sam. de 11 h à 19 h, le dim. de 12 h à 17 h.* Greenwich Village. Herboristerie. Plantes médicinales dont des thés aphrodisiaques (d'où le nom de la boutique).

Balducci's, 424 6th Ave., entre 9th St. et 10th St., III, B3, ☎ 673-2600. *Ouv. du lun. au sam. de 7 h à 20 h 30, le dim. de 7 h à 18 h 30.* Greenwich Village. Poissons fumés, pains et fromages. Très grande épicerie fine.

Casa Moneo, 210 W 14th St., entre 7th Ave. et 8th Ave., III, B2, ☎ 979-1644. *Ouv. du lun. au sam. de 9 h à 19 h, le dim. de 11 h à 17 h.* Midtown West. Tout ici est sud-américain. Grand spécialiste des *chili* (frais, en boîte, séché, etc.). Une bonne sélection de saucissons.

D & G Bakery, 45 Spring St., entre Mulberry St. et Mott St., II, BC1, ☎ 226-6688. *Ouv. t.l.j. de 8 h à 14 h.* Little Italy. Dans un quartier où les personnes âgées discutent sur le pas de la porte, comme en Italie. Petite boulangerie. Il ne faut pas y arriver après 10 h 30... sinon plus de pain!

International Grocery Store, 529 9th Ave., entre 39th St. et 40th St., IV, B3, ☎ 279-5514. *Ouv. du lun. au sam. de 8 h à 18 h.* Midtown East. Tous les condiments pour réussir un *tandoori.* Les familles indiennes, habitant la 28e rue et le quartier, y font leur marché.

Italian Food Center, 186 Grand St. et Mulberry St., II, BC1, ☎ 925-2954. *Ouv. t.l.j. de 8 h à 19 h.* Little Italy. Pâtes de toutes couleurs et formes. Grand choix d'huiles d'olives. Et files d'attente!

Kam Man Food Products, 200 Canal St., entre Mott St. et Mulberry St., II, C1, ☎ 571-0330. *Ouv. t.l.j. de 9 h à 21 h.* Chinatown. Sur la côte est, le plus grand magasin de produits chinois!

Old Denmark, 133 E 65th St., entre Lexington Ave. et Park Ave., IV, C1, ☎ 744-2533. *Ouv. du lun. au sam. de 9 h 30 à 17 h 30.* Upper East Side. Spécialités danoises, dont du saumon fumé.

Orwasher's Bakery, 308 E 70th St., entre 1st Ave. et 2nd Ave., IV, D1, ☎ 288-6569. *Ouv. du lun. au sam. de 7 h à 19 h.* Upper East Side. Petits pains faits « maison » et cuits au four.

Raoul's Butcher Shop, 179 Prince St, II, B1, ☎ 674-0708. *Ouv. le dim.* Cette boucherie est tenue par un couple belge, mais la charcuterie et la découpe de la viande sont « à la française ». On peut y commander des morceaux introuvables à New York, comme l'onglet ou la poire. Bons pâtés et plats cuisinés.

Zabar's, 2245 Broadway, entre 80th St. et 81st St., ☎ 787-2000. V, A3, *Ouv. du lun. au ven. de 8 h à 19 h 30, le sam. de 8 h à 24 h, le dim. de 9 h à 16 h.* Upper West Side. Caviar, poissons fumés, fromages, thés et cafés... « On trouve tout chez Zabar's. » Au 2e étage, ustensiles de cuisine.

Antiquités

Chelsea Antique, 110 W. 25th St., III, B2, ☎ 929-0909. 150 boutiques sur 12 étages. Le Louvre des antiquaires de N. Y.

Fifty-50, 793 Broadway, entre E 10th St. et E 11th St., III, C3, ☎ 777-3208. *Ouv. du lun. au sam. de 10 h à 19 h.* Mobilier des années 30, 40 et 50. Des noms prestigieux comme Ch. Eames, I. Noguchi et Knoll.

Mood Indigo, 181 Prince St., II, B1, ☎ 254-1176. *Ouv. du lun. au sam. de 10 h à 18 h.* Un nom auquel il est difficile de résister. Intéressant pour sa verrerie des années 30 très à la mode aux États-Unis. Des objets comme des radios en bakelite. Mobilier de la même époque.

Chaussures

Promenez-vous d'abord sur la 8e rue dans le *Village,* entre la Cinquième et la Sixième Avenue, ou bien entre Broadway et West Broadway, au sud de Canal Street. Vous y trouverez des magasins qui ne vendent que des chaussures. Les nombreux styles permettent de toujours trouver « chaussure à son pied »!

Adler Shoe Shop, 141 W 42nd St., IV, B3, ☎ 382-0844. *Ouv. du lun. au sam. de 10 h à 18 h.* Chaîne de magasins à New York. Cette boutique fait les invendus à des prix réduits intéressants. Pour hommes.

Mac Creedy et Schreiber, 37 W 46th St., ☎ 719-1552, 213 E 59th St., ☎ 759-9241.

Lynn, Boot et Shoe, 16 W 46th St., entre 5th et 6th Ave., IV, C3, ☎ 819-0092. Toutes les grandes marques américaines, Timberland, Sebago, Florsheim, etc.

J. Sherman Shoes, 121 Division St., entre Orchard St. et Ludlow St., II, C1, ☎ 233-7898. *Ouv. t.l.j. de 10 h à 18 h.* Dans cette boutique du Lower East Side, des marques comme Bally, Magli, Timberland ou Bass à des prix défiant toute concurrence. Pour hommes.

Disques

Colony Record, 1619 Broadway et W 49th St., IV, B3, ☎ 265-2050. *Ouv. du lun. au sam. de 10 h à 18 h.* La devise de la maison : « Nous avons tout ou nous pouvons l'avoir. » Si vous cherchez des comédies musicales ou un obscur label, Colony devrait donc vous les procurer.

Finyl Vinyl, 89 2nd Ave., entre E 5th St. et E 6th St., III, C3, ☎ 533-8007. *Ouv. t.l.j. de 12 h à 20 h, le dim. de 13 h à 20 h.* Les années 50 et 60. Du rockabilly aux groupes surf. Des disques de maisons indépendantes. Et, bien sûr, du rock.

Footlight Records, 113 E 12th St., III, C2-3, ☎ 533-1572. Broadway et ses comédies musicales. Des chanteurs ou des *crooners :* Doris Day, Bing Crosby, Judy Garland...

Jazz Record Center, 135 W 29th St., III, B1, ☎ 594-9880. *Ouv. du lun. au sam. de 10 h à 18 h.* Disques de collection. Tout sur le jazz. Achat et vente.

J & R Music World, 23-33 Park Row, II, BC2, ☎ 732-8600 ; 349-8400. Bons prix. Choix varié, voire infini !

Manhattan Music Center, 471 W 42th St., angle 10th Ave., IV, A3, ☎ 563-4508. Plus de 500 000 CD, cassettes vidéo...

Midnight Record, 263 W 23rd St., entre 6th Ave. et 7th Ave., III, B2, ☎ 675-2768. *Ouv. du lun. au sam. de 10 h à 19 h.* Réimpressions, imports, originaux. Disques d'artistes encore méconnus.

Nostalgia and All That Jazz, 212 Thompson St., entre W 3rd St. et Bleecker St., III, B3, ☎ 420-1940. *Ouv. t.l.j. à partir de 11 h.* Surtout du jazz, mais aussi des comédies musicales.

Record Mart, 1470 Broadway, IV, B2, ☎ 840-0580. Musiques des Caraïbes et d'Amérique latine. La plus grande sélection de New York.

Sam Goody, 666 3rd Ave. et E 43rd St., IV, C3, ☎ 986-8480 ; W 51st St. et 6th Ave. *Ouv. du lun. au sam. de 10 h à 19 h.* Variétés en tout genre. Comédies musicales et musique classique.

Tower Records, 692 Broadway et E 4th St., III, C3, ☎ 505-1500 ; 1961 Broadway IV, B1, ☎ 799-2500. *Ouv. t.l.j. jusqu'à minuit.* Ils ont tout si vous cherchez bien. A éviter le samedi, véritable frénésie !

Électronique, hi-fi, photo

Au cours de vos promenades à travers la ville, n'hésitez pas à entrer dans un magasin spécialisé et à vous renseigner sur les prix. Cela peut prendre du temps, mais c'est le seul moyen de réaliser des économies. Il faut beaucoup discuter, marchander, ne pas avoir peur de partir du magasin... Les clients sont rois ici, on vous rattrapera. Vérifiez les conditions de paiement, l'emballage, le matériel, la compatibilité avec le système européen (télévision, fréquences, branchement...). Demandez si on vous fournit une garantie internationale. La concurrence est très importante. Voici deux quartiers où commencer vos recherches : la 32e rue, entre les Sixième et Septième Avenues, les 45e et 47e rues, entre les Cinquième et Sixième Avenues.

Vous pourrez également consulter le *Village Voice* et le *New York Times* pour toute publicité ou offres spéciales. Les prix sont très serrés, à vous de faire jouer la carte de la concurrence (par exemple, **Crazy Eddy** vous remboursera si vous trouvez moins cher que chez lui). Les magasins sont en général ouverts 7 jours sur 7 et acceptent les cartes de crédit.

B et H Photo/Video, 119 W 17th St. ☎ 807-7474. Supermarché de la photo/vidéo pour amateurs et « pros ». Personnel qualifié et polyglotte.

Camera World, 104 W 32nd St. et 6th Ave., III, B1, ☎ 563-8770. *Ouv. du lun. au sam. de 10 h à 18 h.* Concurrent de Willoughby's. Prix intéressants et compétitifs.

Grand Central Cameras, 420 Lexington Ave. et 44th St., IV, C3, ☎ 986-2270. *Ouv. du lun. au sam. de 10 h à 18 h.* Un des rares magasins où l'on vous accueillera avec le sourire et où l'on s'occupera consciencieusement de vous.

Lamston Variety Stores, 1082 2nd Ave. at 57th St., IV, C2, ☎ 421-7355 ; 477 Madison Ave. at 51st St., IV, C3, ☎ 688-0232.

47th Street Photo, 115 W 45th St., IV, B3 ; 67 W 47th St., entre 5th Ave. et 6th Ave., IV, BC3, ☎ 398-1410. *Ouv. du lun. au jeu. de 9 h à 16 h, le ven. de 9 h à 14 h, le dim. de 10 h à 16 h.* A voir absolument. Ne vous attendez pas à un service rapide. C'est un magasin de référence pour les prix, peut-être un des moins chers de New York. Savoir exactement ce qu'on cherche car on y achète sur catalogue.

Willoughby's, 110 W 32nd St., entre 6th Ave. et 7th Ave., III, B1, ☎ 564-1600. *Ouv. du lun. au mer. et le ven. de 9 h à 17 h, le jeu. de 9 h à 20 h, le sam. de 9 h à 18 h 30, le dim. de 10 h 30 à 17 h 30.* Le plus connu et le plus cher de ce genre de magasins.

Joaillerie

La Cinquième Avenue regroupe les grands bijoutiers, Cartier, Bulgari, Tiffany... Puis, la 47e rue, le « Diamond Row », est le centre des diamants et de l'or. Mais si vous cherchez des parures plus originales et moins ruineuses :

Martinique Jewelers, 1555 Brodway, ☎ 869-5765 et 109 E 42th St., ☎ 867-1580. Toutes les grandes marques de montres. Bijouterie or 14-18 cts. Prix intéressants.

Robert Lee Morris, 409 W Broadway, entre Prince St. et Spring St., II, B1, ☎ 431-9405. *Ouv. t.l.j. de 11 h à 19 h.* A voir. Décor et objets présentés créent dans cette bijouterie une atmosphère originale. Les matières travaillées sont l'argent, le cuivre et l'or auxquelles s'ajoute une patine des temps « préhistoriques ». Vitrine surprenante : les bijoux sont exposés sur des moulages de corps humains, cassés et peints.

Sans oublier la **boutique du Metropolitan Museum of Art** avec ses belles reproductions. Soldes fréquentes et très intéressantes.

Jouets

B. Shackman & Co., 85 5th Ave. et 16th St., III, C2, ☎ 989-5162. *Ouv. du lun. au ven. de 9 h à 17 h, le sam. de 10 h à 16 h.* Le quartier est surtout orienté vers la vente de jouets en gros, mais ce magasin vend aussi au détail. Sa spécialité est la miniature : maisons de poupées, et anciens jeux de l'époque victorienne. Belles cartes postales et décorations de Noël.

Toys R Us, Herald Square/33th St., III, B1, ☎ 594-8697. *Ouv. 7 jours sur 7.* Le plus grand magasin de jouets « du monde ».

F. A. O. Schwartz, GM Building, Madison Ave., entre 58th St. et 59th St., IV, C2, (entrée sur 5th Ave. également), ☎ 644-9400. *Ouv. du lun. au sam. de 10 h à 18 h.* A la guerre comme à la guerre, il vous faudra sacrifier au moins une matinée pour visiter ce « super-magasin de super-jouets ». Trois étages de jeux, poupées, peluches et trains électriques sans oublier les robots de l'espace ! Belles maquettes de trains. Si vous emmenez vos enfants, un ours parlant leur servira de guide à l'entrée sur 5th Ave. Un bar a été conçu spécialement pour eux. Énorme pendule mécanique et musicale, à ne pas rater. Michael Jackson et Walt Disney ont voulu louer le magasin pour une fête privée... Leurs demandes ont été prises en considération par la direction.

Go Fly A Kite Store, 1201 Lexington Ave., IV, C1, ☎ 472-2623. Rien que des cerfs-volants... de toutes les formes, de toutes les couleurs et de toutes les matières. Également des poupées en porcelaine et de beaux animaux en peluche.

Second Childhood, 283 Bleecker St., entre La Guardia Pl. et Thompson St., III, BC3, ☎ 989-6140. *Ouv. du lun. au sam. de 11 h à 18 h.* Spécialisé dans les jouets « antiquités ». Un éventail de prix si large que l'on peut toujours trouver quelque chose pour sa bourse.

Toy Balloon, 204 E 38th St. et 3rd Ave., III, C1, ☎ 682-3803. *Ouv. du lun. au ven. de 9 h à 17 h 30.* Des ballons, des ballons et encore des ballons... Variété de styles, de diamètres et de couleurs. Vous trouverez forcément un ballon en forme de... dragon ou de lapin ! Et vous pourrez offrir un ballon personnalisé !

Livres

A Photographer's Place, 133 Mercer St., II, B1, ☎ 933-2356. Tout sur la photographie. Des trésors à découvrir...

Barnes et Noble, 105 5th Ave. 18th St., III, B2, ☎ 807-0099 ; 600 5th Ave. 48th St. ; IV, C3, ☎ 765-0590 et 2289 Broadway, ☎ 362-8835.

The Enchanted Forest, 85 Mercer St., entre Broome St. et Spring St., II, B1, ☎ 925-6677. *Ouv. t.l.j. de 12 h à 19 h.* Pour les enfants aimant les contes de fées extraordinaires, ou bien adeptes de Dungeon et Dragon. Également des jouets en bois faits main.

Forbidden Planet, 821 Broadway et 12th St., III, C2-3, ☎ 473-1576. *Ouv. du lun. au sam. de 10 h à 19 h, le dim. de 11 h à 18 h.* 227 E 59th St. et 3rd Ave., IV, C2, ☎ 751-4386. *Ouv. du lun. au sam. de 10 h à 21 h, le dim. de 12 h à 21 h.* Science-fiction. Plus qu'une librairie, on a l'impression d'entrer dans le Saint des Saints ! Les clients sont plongés dans les livres comme s'ils cherchaient à y décrypter un secret. Une partie du stock est constituée de bandes dessinées et de gadgets.

Gotham Book Mart, 41 W 47th St., IV, BC3, ☎ 719-4448. Poésie, théâtre et littérature. Arts. La plus vieille librairie de New York, Hemingway venait y acheter ses livres.

Hacker Art Books, 54 W 57th St., IV, BC2, ☎ 688-7600. Livres d'art. Éditions rares.

Herlin Jean-Noel, 68 Thompson St., entre Broome St. et Spring St., II, B1, ☎ 431-8732. Des catalogues d'expositions. Livres d'art contemporain. Une mine de trésors !

Librairie de France, 115 5th Ave. et 19th St., III, C2, ☎ 673-7400. *Ouv. du lun. au sam. de 10 h à 18 h.* 610 5th Ave. et Rockefeller Center, IV, C2, ☎ 581-8810. La seule librairie française de la ville. Prix en conséquence.

Murder Ink, 271 W 87th St., près de West End Ave. V, A3, ☎ 362-8905. La grande librairie du « polar ».

New York University Bookstore, 18 Washington Pl., III, BC3, ☎ 998-4667. On y trouve de tout...

Rizzoli, 454 W Broadway, II, B1, ☎ 674-1616 ; 31 W 57th St., IV, B2, ☎ 759-2424 ; 31 W 57th St., IV, C2, ☎ 308-2000. Un des grands éditeurs d'art.

Scribner Bookstore, 597 5th Ave. et 48th St., IV, C3, ☎ 758-9797. *Ouv. du lun. au sam. de 9 h à 19 h, le dim. de 11 h 30 à 19 h.* La plus belle, sans doute, des librairies de New York.

Shakespeare & Co., 2259 Broadway et 81st St., V, A3, ☎ 580-7800. *Ouv. t.l.j. de 10 h à minuit.*

Strand Bookstore, 828 Broadway et E 12th St., III, C2-3, ☎ 473-1452. *Ouv. du lun. au sam. de 9 h 30 à 18 h 30, le dim. de 11 h à 17 h.* Merveilleux endroit pour passer un après-midi. Une des plus grandes librairies d'occasion du monde : 8 miles de livres, c'est-à-dire 13 km!

Three Lives and Co., 154 W 10th St., III, BC1, ☎ 741-2069. Située dans Greenwich Village, une des meilleures librairies new-yorkaises, où Jill et Jeannie vous accueilleront avec gentillesse. Excellent choix en littérature et beaux-arts.

Mode

Banana Republic. De nombreuses adresses à Manhattan dont : 205 Bleecker St. et 6th Ave., III, B3, ☎ 473-9570. *Ouv. du lun. au sam. de 10 h à 21 h, le dim. de 12 h à 18 h.* 87th St. et Broadway, V, A3. *Ouv. du lun. au sam. de 10 h à 19 h, le dim. de 13 h à 17 h.* Si vous décidez de partir à la chasse aux crocodiles ou simplement pour un safari-photo, ne cherchez plus où aller. Banana Republic a réponse à tout : cartes, casques coloniaux, t-shirts... Les mille et une possibilités d'être à la page dans la jungle.

Betsey Johnson, 130 Thompson St., II, B1, ☎ 420-0169. 251 E 60th St., entre 2nd Ave. et 3rd Ave., IV, C2, ☎ 319-7699. *Ouv. du lun. au sam. de 10 h à 19 h.* La petite chérie des années 70... Des vêtements féminins fous, fous, fous. Il n'existe pas de meilleur endroit pour surprendre et être surprise. Assez cher tout de même.

Billy Martin's, 812 Madison Ave. et 68th St., IV, C1, ☎ 861-3100. *Ouv. du lun. au sam. de 10 h à 18 h.* Pour les amateurs du Far West. Des selles en cuir pendent aux murs. Des bottes de cow-boys (et de cow-girls); des ceintures de toutes tailles et de toutes couleurs, pour petits et grands; des gants de cuir qui peuvent presque rivaliser avec ceux d'Hermès; des boucles de ceinture; des attaches de cravate en argent et en turquoise... l'inventaire peut continuer longtemps. A éviter le week-end, il y a trop de monde et la boutique ne permet pas de circuler et de profiter des objets.

Brooks Brothers, 346 Madison Ave. et E 44th St., IV, C3, ☎ 682-8800. *Ouv. du lun. au sam. de 9 h 15 à 18 h.* Un grand classique pour les vêtements masculins. Tendance décontractée pour le week-end ou très habillée pour le soir. On a beaucoup de plaisir à regarder sans être gêné par le personnel. Pour les chemises surtout.

Canal Jeans, 504 Broadway et Spring St., II, B1, ☎ 226-1130. *Ouv. t.l.j. de 10 h à 20 h.* La réputation de Canal Jeans est née de son stock de fripes à bas prix. En outre le magasin offre une large sélection de vêtements plus classiques, pas trop chers : pantalons Girbaud, t-shirts en tout genre, surplus, sous-vêtements, etc. Pour en faire le tour, il vous faudra du temps car le personnel est plutôt dilettante.

Charivari, 2315 Broadway, entre W 83rd St. et 84th St., V, A3, ☎ 873-1424. *Ouv. du lun. au sam. de 10 h à 19 h.* Si vous voulez dépenser des mille et des cents pour des vêtements à la coupe bizarre. D'autres adresses à Manhattan, Upper West Side.

Charivari for Men, 2339 Broadway, entre W 84th St. et W 85th St., V, A3, ☎ 787-7272. *Ouv. du lun. au sam. de 10 h à 19 h.* Magasin sophistiqué et concerné par le *look* « branché ». Beau décor. D'autres magasins à Manhattan, Upper West Side.

Fiorucci, 125 E 59th St., entre Lexington Ave. et Park Ave., IV, C2, ☎ 751-5638. Femme. Plus grand choix qu'à Paris. Même tendance amusante et originale. Boutique très jeune d'esprit.

Julie, Artisans Gallery, 687 Madison Ave. et E 61st St., IV, C2, ☎ 688-2345. *Ouv. t.l.j. à partir de 10 h.* Le vêtement de femme comme objet d'art! Matières inhabituelles et motifs étranges. Un certain aspect artistique et artisanal.

Norma Kamali, 11 W 56th, IV, B2, ☎ 957-9797. *Ouv. du lun. au sam. de 10 h à 18 h.* Des drapeaux signalent le magasin. Immense vitrine aux vidéos passant le défilé des collections : un véritable roman-photo! Norma Kamali est une des créatrices de mode les plus connues à New York. Ses tenues très féminines s'inspirent des films des années 40 et des grandes stars de l'époque. La lingerie, quant à elle, a du piquant, c'est le moins qu'on puisse dire! Très beaux maillots de bain.

Parachute, 121 Wooster St., II, B1, ☎ 925-8630. 309 Columbus Ave., entre W 74th St. et 75th St., IV, B1, ☎ 799-1444. *Ouv. t.l.j. à partir de 11 h.* A voir absolument, surtout la boutique de SoHo (Wooster St.). Un ancien entrepôt transformé en supermagasin spécialisé dans les designers japonais. Ciment, colonnes, béton, le tout est très austère et froid. Les vêtements sont dans les blancs, gris et noirs. Le personnel officie avec nonchalance : vous n'avez pas besoin de lui pour essayer, sauf quand il s'agit de savoir comment s'enfilent certaines robes! Pour femmes principalement, mais aussi pour hommes et enfants.

Paragon, 867 Broadway et 18th St., III, C2, ☎ 255-8036. *Ouv. du lun. au ven. de 10 h à 20 h, le sam. de 10 h à 19 h, le dim. de 11 h à 18 h.* Grand choix pour tous les sports. Vos enfants pourront même essayer des gants de *baseball*. Personnel très souriant.

Piaffe, 1412 Broadway, ☎ 921-7183. *Ouv. du lun. au sam. de 10 h à 18 h.* Plus de complexe à avoir si vous êtes petite et si vous ne pouvez porter ni du Saint-Laurent, ni les tailles américaines. Vous trouverez enfin dans cette boutique des robes et chemisiers à vos mesures.

Ralph Lauren, 867 Madison Ave. et E 72nd St., IV, C1, ☎ 606-2100. Tout, du mouchoir au pantalon de golf. L'équivalent de notre Cacharel. Plus cher et plus sophistiqué.

Reminiscence, 74 5th Ave. et 13th St., III, C2, ☎ 243-2292. *Ouv. du lun. au sam. de 10 h à 19 h.* Magasin qui incite à partir en vacances. Choix de vêtements des années 50 : chemises hawaïennes, bijoux surprenants et toute une sélection de collants fantaisie. Clientèle très jeune.

Fripes

Antique Boutique, 712-714 Broadway et Washington Pl., III, C3, ☎ 460-8830. *Ouv. du lun. au ven. de 10 h 30 à 21 h, le sam. jusqu'à 22 h, le dim. de 12 h à 20 h.* La joie de fouiner avant de dénicher *LE* chemisier en organdi ou *LA* robe rétro dont on rêvait. Très grand choix et prix raisonnables. Pour hommes et femmes.

B.F.O., 149 5th Ave. et 21th St., III, B2, ☎ 254-0059. Meilleurs prix de vêtements de marques américaines et étrangères pour hommes.

The Cockpit, 595 Broadway, ☎ 925-5456. Authentiques blousons « Aviateur » et gadgets d'aviation. Décoration superbe ! Cockpit complet de DC3 et carlingue entière d'un chasseur de la seconde guerre mondiale.

Harriet Love, 412 Broadway et Spring St., II, B1, ☎ 966-2280. *Ouv. du mar. au sam. de 12 h à 17 h, le dim. de 13 h à 16 h.* Une des premières boutiques d'occasion. Toujours de très beaux vêtements, et en excellent état.

Levi's Store, 750 Lexington Ave. (entre 59th et 60th St.), IV, C2, ☎ 826-5957. Tous les Levi's pour hommes et femmes.

Polo Ralph Lauren, 867 Madison Ave./72th St., II, C1, ☎ 606-2100 et 888 Madison Ave., ☎ 434-8000. Désigner célèbre de polos. Très belle boutique, personnel stylé. Pour femmes, hommes et enfants.

Saint-Gil, 436 Madison Ave./49th St., IV, C3, ☎ 644-5140. Grand choix de vêtements « couture » américains et européens à des prix discount.

Trash & Vaudeville, 4 St. Mark's Pl., entre 2nd Ave. et 3rd Ave., III, C3, ☎ 982-3590. *Ouv. du lun. au jeu. de 12 h à 20 h, le ven. de 11 h 30 à 20 h, le sam. de 11 h à 20 h, le dim. de 13 h à 16 h.* Un nom de comédie musicale pour un drôle de magasin : l'amusement réside dans sa clientèle et dans le choix qu'il offre.

Unique Clothing Warehouse, 704 Broadway et 8th St., III, C3, ☎ 674-1767. *Ouv. du lun. au sam. de 10 h à 21 h, le dim. de 12 h à 20 h.* Vraiment unique. On aime à vous répéter que Madonna y fit son shopping pour son film *Desperately Seeking Susan*... Cela vous donne une idée !

Divers

Dell & Dell, 19 W 44th St. et 5th Ave., IV, C3, ☎ 575-1686. *Ouv. du lun. au ven. de 9 h à 18 h, le sam. de 9 h à 13 h.* Vos lunettes se brisent ? Un cas d'urgence ! Réparations sur place. Vous pouvez également y acheter de nouvelles montures.

James II, 15 E 57th St., IV, C2, ☎ 355-7040. *Ouv. du lun. au sam. de 10 h à 17 h, fermé le sam. en été.* Porcelaines anglaises de l'époque victorienne, cadres en argent... Prix, en général, trés élevés. A voir pour le plaisir des yeux. C'est ici que le grand couturier Valentino et les familles royales achètent leurs *gifts*.

The Last Wound-Up, 889 Broadway, ☎ 529-4197. *Ouv. du lun. au sam. de 10 h à 18 h.* Assez dans le vent. Cette boutique aime les boîtes à musique. On y trouve des merveilles, pour toutes les bourses.

Maxilla & Mandible, Ltd, 78 W 82nd St. et Columbus Ave., IV, B3, ☎ 724-6173. *Ouv. t.l.j. de 11 h à 19 h.* Sur Columbus Avenue, pas très loin du musée d'Histoire naturelle (5th Ave. et 79th St., 81st St.). La vitrine découvre des squelettes d'animaux, des vertèbres, des dents et des crânes... animaliers. Bref un magasin d'anatomie plutôt curieux.

Mythology, 370 Columbus Ave., entre 78th St. et 79th St., V, B3, ☎ 874-0774. *Ouv. du lun. au sam. de 10 h à 18 h.* Boutique à la fois magasin de jouets et librairie. On ne peut que la classer dans la catégorie « bazar ». Vous y trouverez des casquettes d'été surmontées de saynètes représentant des paysages, un pique-nique, des joueurs de tennis, des danseurs... Dans un coin, un gros monstre gonflable vous regarde d'un air farceur. Entre les différents rayons de livres et de cartes postales, on découvre des mini-fourmis, rouges ou noires, gadgétisées bien entendu. Située derrière le musée d'Histoire naturelle.

Star Magic, 743 Broadway, III, C3, ☎ 228-7770. *Ouv. t.l.j. de 10 h à 19 h.* Un voyage au pays des étoiles ! Gadgets surprenants comme les clous qui prennent votre empreinte, ou les lampes à étincelles...

Think Big, 390 W Broadway, II, B1, ☎ 925-7300. *Ouv. les lun. et mar. de*

11 h à 18 h, les mer., jeu. et ven. de 10 h à 20 h, le sam. de 11 h à 20 h. Le mot d'ordre est « grand » ou encore « disproportionné ». Une tasse de café sert de vase, une énorme salière de presse-papier, une brosse à dents de table de toilette pour votre salle de bains. A voir si vous êtes à SoHo. Ils se chargent de la livraison. Ouf !

Urban Archeology, 285 Lafayette, ☎ 431-6969. *Ouv. t.l.j. de 10 h à 19 h.* La caverne d'Ali Baba ! Vieux comptoir de bar, très « western » ou Prohibition, Indien en bois offrant des cigares, enseigne de barbier, vieille baignoire-sabot et tout un matériel inimaginable de plomberie. Un inventaire s'imposerait presque, mais à quoi bon ! La curiosité est mère de fantastiques trouvailles dans ce grenier d'« archéologie urbaine ».

BIBLIOGRAPHIE

Nombreux sont les guides et les livres consacrés à New York. Si vous voulez vraiment profiter de votre séjour dans cette ville, nous vous conseillons de lire un des ouvrages suivants :

Histoire, économie

Muhlstein (Anka) : *Manhattan* (Grasset, Paris, 1986). La « vie » passionnante de cette île, de sa découverte à nos jours. Racontée avec brio et enthousiasme par une « fan » de la Big Apple.

Nora (Dominique) : *Les Possédés de Wall Street* (Denoël, Paris, 1987). Un livre très « pro » sur les métiers de Wall Street. Les proies, les acteurs, les techniques qui bouleversent les structures économiques américaines et transforment ce marché en un véritable champ de bataille financier et idéologique.

Vie et société contemporaine

Ouvrage collectif : *New York haute tension* (Ed. Autrement, Paris, 1988). Une série de reportages pour entrer dans Babylone. Des gangs chinois aux idoles du base-ball, du jazz, rap and rock, à la télé par câble, des pétrodollars aux policemen assiégés. New York déferle !

Littérature

Charyn (Jérôme) : *Kermesse à Manhattan* (Gallimard, Paris, 1986) — *Metropolis : I love New York* (Presses de la Renaissance, Paris, 1987). Une vision originale de la grande cité par l'un des chefs de file de la littérature américaine contemporaine.

Dos Passos (John) : *Manhattan Transfer* (Gallimard, coll. Folio, Paris, 1973). De 1890 à 1925, une fresque très rhapsodique sur fond de Manhattan rétro. Et plus largement les États-Unis du boom et de la Prohibition.

Himes (Chester) : *La Reine des pommes* (Gallimard, Paris, 1984) — *Tout pour plaire* (Gallimard, Paris, 1979). Deux polars made in New York.

Lieberman (Herbert) : *Nécropolis* (Seuil, Paris, 1981). Ou comment un roman peut vous faire visiter New York.

Mailer (Norman) : *Un rêve américain* (Grasset et Fasquelle, Paris, 1985). Un excellent roman écrit par un pur New-Yorkais.

Miller (Henry) : *Tropique du Capricorne* (L.G.F., coll. Le Livre de poche, Paris, 1975). New York comme lieu romanesque — *Aller-retour New York* (Éditions Buchet/Chastel, Paris, 1962). Une lettre, un poème, un canular sur la ville enfin retrouvée. Mais surtout un réquisitoire contre l'Amérique. Ses gratte-ciel, sa mécanique, son cosmopolitisme et sa précipitation revus et corrigés par une plume vive qui bouscule idées et images.

Morand (Paul) : *New York* dans *Œuvres* (Flammarion, Paris, 1981). La visite new-yorkaise d'un grand écrivain. Un style rapide au service d'une description étonnante d'actualité.

Guide

États-Unis, Côte Est (Hachette, coll. Les Guides Bleus, Paris, 1988). Un ouvrage très complet. Le guide de terrain par excellence.

Beaux-Arts

Le Corbusier : *Quand les cathédrales étaient blanches* (Denoël, Paris, 1965).

Livres de photographies

New York, texte Gilbert Millstein, photographies Bernard Hermann (Éd. du Pacifique, Tahiti, 1977).

New York macadam, photographies Bernard Pierre Wolff (Éd. du Chêne, Paris, 1983).

Le New York de Weegee, texte Arthur Fellig, photographies Weegee 1935-1960 (Denoël, Paris, 1982).

INDEX

Les folios apparaissant en *italique* reportent aux plans.

Imprimé en France par I.M.E. - 25 Baume-les-Dames
Dépôt légal n° 9019-03/1994 - Collection n° 12 - Edition n° 01
Impression n° 9120 - ISSN 0762-2392 - ISBN 2-01-242131-8 - 24/2131/1